Goldmann SCIENCE FICTION

Band 016

---

Isaac Asimov. Sterne wie Staub

Von Isaac Asimov
sind außerdem lieferbar:

Radioaktiv . . .! 039
Wasser für den Mars. 050
Der fiebernde Planet. 0171

ISAAC ASIMOV

# Sterne wie Staub

THE STARS, LIKE DUST

Utopisch-technischer Roman

WILHELM GOLDMANN VERLAG
MÜNCHEN

Made in Germany · II · 21132
 Aus dem Amerikanischen übertragen von Else Sticken. Ungekürzte Ausgabe.  Umschlag: F. Jürgen Rogner. Gesetzt aus der Linotype-Garamond-Antiqua.
Druck: Presse-Druck Augsburg. SF 016 · ze/Hu
ISBN 3-442-23182-5

## Das murmelnde Schlafzimmer

Leise murmelte das Schlafzimmer vor sich hin. Das ungewöhnliche Geräusch war kaum hörbar, dennoch war es da – todverkündend, kein Hirngespinst.

Doch es war nicht dieses Geräusch, das den jungen Biron Farrill aus einem schweren, unerquicklichen Schlaf riß. Unruhig warf er seinen Kopf hin und her, vergebens, dem unaufhörlichen Surren am Fußende des Bettes war nicht zu entrinnen.

Mit geschlossenen Augen streckte er die Hand aus und schaltete das Visiophon ein.

»Hallo«, brummelte er schlaftrunken.

Sofort ertönte eine Stimme. Sie klang hart und laut, aber Biron hatte keine Lust, die Tonqualität zu regulieren.

»Kann ich Biron Farrill sprechen?« sagte die Stimme.

»Am Apparat. Was ist los?« antwortete Biron verschlafen.

»Kann ich Biron Farrill sprechen?« Die Stimme klang gebieterisch.

Endlich öffnete Biron die Augen. Die Dunkelheit schien undurchdringlich. Er wurde sich der unangenehmen Trockenheit seiner Zunge und eines schwachen Geruches im Zimmer bewußt.

»Hier Farrill. Wer ist dort?« sagte er.

Noch gebieterischer als zuvor drang die laute Stimme durch die Nacht: »Ist dort jemand? Ich möchte Biron Farrill sprechen.«

Auf einen Ellbogen gestützt, richtete sich Biron in seinem Bett hoch und starrte das Visiophon an. Ein Druck auf einen Knopf, und der kleine Bildschirm war erleuchtet.

»Hier Farrill«, wiederholte er. Er gewahrte Sander Jontis gutgeformte, ein wenig asymmetrische Gesichtszüge. »Rufen Sie mich morgen früh an, Jonti.«

Schon wollte er das Visiophon wieder abschalten, als Jonti sagte: »Hallo! Hallo! Ist dort jemand? Spreche ich mit Zimmer fünfhundertsechsundzwanzig? Hallo!«

Auf einmal merkte Biron, daß die winzige Kontrollampe, die anzeigte, daß der Sendekreis geschlossen war, nicht funktionierte. Er fluchte leise und drehte an den Schaltköpfen. Nichts änderte sich. Dann gab es Jonti auf. Der Bildschirm wurde leer, ein kleines, ausdrucksloses Lichtquadrat. Biron schaltete das Visiophon aus. Er versuchte, sich wieder in den Kissen zu vergraben. Er war ärgerlich. Niemand hatte das Recht, ihn mitten in der Nacht wachzubrüllen. Schnell warf er einen Blick auf das matterleuchtete Zifferblatt am Kopfende des Bettes. Viertel nach drei. Erst in ungefähr vier Stunden würde das Hauslicht angehen.

Außerdem erwachte er nicht gern in völligem Dunkel. Trotz seines vierjährigen Aufenthaltes hatte er sich noch nicht mit der Bauweise der Erdbewohner vertraut machen können, mit diesen verstärkten Betonkonstruktionen, quadratisch, dick und fensterlos. Es war eine jahrtausendealte Tradition, die noch aus den Tagen herrührte, da man den primitiven nuklearen Bomben nicht mit adäquaten Abwehrwaffen begegnen konnte.

Aber das gehörte der Vergangenheit an. Der Atomkrieg hatte die Erde verwüstet. Sie war zum größten Teil hoffnungslos radioaktiv und unbrauchbar. Hier gab es nichts mehr zu verlieren, und dennoch spiegelte die Architektur die alten Ängste wider, so daß vollständiges Dunkel herrschte, wenn Biron nachts aufwachte.

Wieder stützte sich Biron auf seinem Ellbogen. Merkwürdig. Er wartete. Noch hatte er nicht das unheildrohende Murmeln des Schlafzimmers wahrgenommen. Aber irgend etwas stimmte nicht. Es war vielleicht weniger auffällig und sicherlich weit weniger lebensgefährlich.

Er vermißte die sanfte Luftbewegung, jenen Hauch ständiger Erneuerung, der so selbstverständlich war. Er versuchte, regelmäßig zu atmen, es gelang ihm nicht. Je mehr er sich der Situation bewußt wurde, desto drückender empfand er die Atmosphäre. Mit der Ventilation mußte etwas los sein, stellte er mit plötzlicher Besorgnis fest. Und er konnte nicht einmal das Visiophon benutzen, um die Sache zu melden.

Er versuchte es vorsichtshalber noch einmal. Das milchige Lichtquadrat leuchtete auf und warf einen schwachen Perlmuttschimmer auf sein Bett. Das Visiophon empfing, aber es sendete nicht. Nun ja, das war nicht weiter schlimm. Vor Tagesanbruch ließ es sich sowieso nicht ändern.

Er gähnte, tastete nach seinen Hausschuhen, sich dabei mit den Fäusten die Augen reibend. Ventilation, hm? Daher also der seltsame Geruch. Er zog eine Grimasse und schnupperte ein paarmal angestrengt. Zwecklos. Er kannte den Geruch, wußte aber nicht, was es war.

Er ging ins Badezimmer und langte automatisch nach dem Lichtschalter, obgleich er eigentlich kein Licht brauchte, um sich ein Glas Wasser zu nehmen. Kein Licht. Verdrossen knipste er den Schalter mehrmals an und aus. Funktionierte denn gar nichts mehr? Er zuckte die Achseln, trank im Dunkeln und fühlte sich dann etwas wohler. Auf dem Rückweg ins Schlafzimmer gähnte er abermals. Er versuchte es mit dem Hauptschalter. Das Licht blieb aus.

Biron setzte sich auf den Bettrand, seine großen Hände auf die muskulösen Oberschenkel gestützt, und dachte nach. Normalerweise hätte eine solche Angelegenheit eine heftige Diskussion mit der Verwaltung hervorrufen müssen. Gewiß war ein Studentenheim kein Hotel, aber, beim Kosmos, ein Minimum an Fürsorge konnte man schließlich erwarten. Doch jetzt war das alles nicht mehr wichtig. Er wartete nur auf sein Diplom, dann war er fertig. Noch drei Tage, dann würde er diesem Zimmer und der Universität der Erde Lebewohl sagen – für immer: Er hatte die Erde satt.

Immerhin konnte er die Sache melden, ohne jeglichen Kommentar. Er konnte ja das Visiophon in der Halle benutzen. Die sollten ihm gefälligst eine Dynamolampe bringen. Vielleicht ließ sich sogar ein Ventilator auftreiben, dann konnte er wenigstens seinen Schlaf ohne psychosomatisches Alpdrücken fortsetzen. Wenn nicht, zum Kosmos mit ihnen! Nur noch zwei Nächte.

Der Lichtschimmer des nutzlosen Visiophons half ihm, ein Paar Shorts ausfindig zu machen. Diese und ein Pullover waren nach Birons Meinung ausreichend für sein Vorhaben. Die Hausschuhe behielt er an. Selbst wenn er in Nagelschuhen die Korridore entlangdröhnte, konnte er niemanden aufwecken: Die dikken Betonmauern waren mehr oder weniger schalldicht. Aber er sah keinen Grund, die Schuhe zu wechseln.

Er ging zur Tür und schob den Riegel zurück. Ein einfacher Handgriff, wie immer. Biron hörte das Schloß aufschnappen. Dennoch blieb die Tür zu. Obgleich er seine Muskeln aufs äußerste anstrengte, war nichts zu machen.

Er trat einen Schritt zurück. Lächerlich, das Ganze! Ob die

Stromversorgung ausgesetzt hatte? Das konnte nicht sein. Die Uhr ging. Der Empfänger des Visiophons war auch völlig in Ordnung.

Aha! Natürlich die lieben Kollegen! Die machten manchmal solche Streiche. Kindisch, so etwas, aber schließlich hatte er sich auch schon selbst an derartigen Scherzen beteiligt. Ohne weiteres hätte sich einer seiner Kumpane tagsüber einschleichen und alles vorbereiten können. Nicht doch! Ventilation und Licht hatten ja funktioniert, als er zu Bett gegangen war. Na, dann hatten sie es eben nachts gemacht. Die Halle war mehr als altmodisch gebaut. Es bedurfte wahrhaftig keines technischen Genies, um ein wenig an der Licht- und Ventilationsleitung herumzuspielen. Am Morgen würden sie dann nachsehen, wie der gute Biron reagierte, wenn er merkte, daß er eingesperrt war. Wahrscheinlich würden sie ihn gegen Mittag hinauslassen und sich dabei halbtotlachen. »Ha, ha«, murmelte Biron grimmig. Das war's also. Aber er mußte etwas tun, irgendwie den Spieß umkehren.

Als er sich von der Tür abwandte, stieß sein Fuß an einen Gegenstand, der mit metallischem Geräusch über den Fußboden rollte. Beim schwachen Lichtschein des Visiophons konnte er nur schattenhafte Umrisse erkennen. Er langte unter das Bett und tastete den Boden in weitem Umkreis ab. Das Stück Metall war bald gefunden. Sie waren doch nicht schlau genug. Sie hätten das Visiophon ganz ausschalten müssen, nicht nur den Sender.

Er hielt einen kleinen Zylinder in der Hand. In der Gußblase an dem einen Ende befand sich ein winziges Loch. Biron hielt den Zylinder dicht unter die Nase und roch daran. Daher kam also der merkwürdige Geruch im Zimmer. Es war Hypnit, ein starkes Betäubungsmittel. Natürlich hatten sie es benutzen müssen, damit er nicht aufwachte, während sie alles vorbereiteten.

Biron wußte jetzt genau, wie alles gewesen war. Die Tür war mit einem Stemmeisen geöffnet worden. Nichts einfacher als das, wenngleich es der einzige gefährliche Teil der ganzen Sache gewesen sein mußte – denn er hätte ja dabei aufwachen können. Vielleicht hatten sie aber auch die Tür schon tagsüber präpariert, so daß sie gar nicht richtig geschlossen gewesen war. Er hatte es nicht nachgeprüft. Jedenfalls, nachdem die Tür erst einmal offen war, hatten sie einfach das Hypnit ins Zimmer gerollt und die Tür wieder zugemacht. Das Betäubungsmittel war langsam ausgeströmt, genau in der richtigen Zusammensetzung – eins zu zehntausend –, genug, um ihn auf alle Fälle unschädlich zu machen. Dann waren sie hereingekommen, selbstverständlich mit Gasmasken. Beim Kosmos! Ein nasses Taschentuch genügte schon, um sich der Wirkung des Hypnits für eine Viertelstunde zu entziehen, und mehr Zeit hatten sie nicht gebraucht.

Darum also funktionierte die Ventilation nicht. Das Hypnit hätte sich sonst zu schnell im Raum verteilt. Das Visiophon hatten sie außer Betrieb gesetzt, damit er keine Hilfe herbeirufen konnte. Durch das Blockieren der Tür war er nicht in der Lage, selbst etwas zu unternehmen. Und das Abschalten des Lichtes sollte natürlich die Panik noch vergrößern. Reizende Burschen!

Biron schnaufte wütend. Es hatte keinen Zweck, deshalb den Gekränkten zu spielen. Ein Scherz war eben ein Scherz und damit gut. Dennoch hätte er gern die Tür gewaltsam aufgebrochen. Die Muskeln seines gut durchtrainierten Oberkörpers spannten sich bei diesem Gedanken. Aber ein solcher Versuch wäre sinnlos gewesen. Die Tür war atombombensicher konstruiert. Zum Teufel mit dieser Tradition!

Es mußte einfach einen Ausweg geben. So leichtes Spiel sollten sie nicht haben. Zunächst brauchte er einmal Licht, richtiges Licht, nicht den starren, ungenügenden Schimmer des Visiophons. Das war kein Problem. Im Kleiderschrank hatte er eine Dynamo-Taschenlampe. Im ersten Augenblick fingerte er an den Schrankschlössern herum, vielleicht waren sie ebenfalls blockiert. Aber der Schrank ließ sich so leicht wie immer öffnen. Biron nickte bestätigend mit dem Kopf. Klar! Sie hatten ja gar keinen Grund gehabt, den Schrank zuzusperren. Außerdem hatten sie sich beeilen müssen.

Plötzlich jedoch, als er sich mit der Taschenlampe in der Hand umwandte, fiel seine ganze Theorie in einem schrecklichen Moment in sich zusammen. Sein Körper wurde steif, sein Magen begann sich zu krümmen. Angestrengt lauschend, hielt er den Atem an.

Jetzt erst hörte er das Murmeln des Schlafzimmers. Er vernahm das leise, unregelmäßig glucksende Selbstgespräch und wußte natürlich sofort, was es war.

Unmöglich, es nicht sofort zu erkennen! Das war ›der Erde

Todesröcheln‹. Es war der Ton, den man vor tausend Jahren erfunden hatte.

Exakt ausgedrückt, war es der Ton eines Meßgerätes, das die Partikelmenge und die Gammastrahlen zählte, wobei das leise Klicken der elektronischen Impulse zu einem schwachen Gemurmel verschmolz. Es war der Ton eines Zählrohrs, das nur eines zu registrieren imstande war – den Tod!

Leise auf Zehenspitzen, trat Biron zurück. Aus zwei Metern Entfernung sandte er den weißen Strahl der Taschenlampe in alle Winkel des Kleiderschrankes. In der entferntesten Ecke war das Zählrohr. Aber was besagte das schon!

Es hatte dort schon immer gelegen. Die meisten jungen Semester von anderen Planeten kauften sich zu Beginn ihres Aufenthaltes auf der Erde ein Zählrohr. Die Radioaktivität der Erde machte ihnen anfangs schwer zu schaffen, so daß sie glaubten, sich schützen zu müssen. Meistens wurden diese Geräte dann wieder an Neuankömmlinge verkauft. Biron hatte sich jedoch von seinem Zählrohr noch nicht trennen können, ein Umstand, der ihm jetzt zustatten kam.

Er ging an seinen Schreibtisch, wo er nachts seine Armbanduhr aufbewahrte. Sie lag auf ihrem üblichen Platz. Seine Hand zitterte ein wenig, als er die Uhr mit der Taschenlampe beleuchtete. Das Armband war aus flexiblem Plastikgewebe von geradezu milchigem Weiß. Er betrachtete es eingehend von allen Seiten. Es *war* weiß.

Auch das Armband war eine Errungenschaft aus den Anfängen von Birons Studienzeit. Eine intensive Strahlenwirkung verwandelte es in Blau, und auf der Erde war Blau die Farbe des Todes. Wie leicht konnte man eines Tages, wenn man sich verlief oder nicht aufpaßte, in ein radioaktives Gebiet geraten. Die Regierung tat zwar alles, um solche Gegenden abzugrenzen. Natürlich setzte niemand einen Fuß in die riesigen Todeszonen, die wenige Kilometer außerhalb der Stadt begannen. Trotzdem verlieh ein solches Armband eine gewisse Sicherheit.

Sollte es jemals hellblau werden, mußte man sofort ins Krankenhaus. Darüber gab es keinen Zweifel. Das Material, woraus das Armband hergestellt war, reagierte genauso empfindlich auf Strahlungen wie der menschliche Körper. Mit entsprechenden photo-elektrischen Instrumenten konnte die Intensität der

Bläue gemessen werden, so daß man schnell herausbekam, wie ernst der Fall war.

Ein leuchtendes Königsblau war das Ende. Diese Farbe würde ebensowenig vergehen wie die Einwirkung der Strahlen auf den Organismus. Da gab es keine Heilung, keine Chance, keine Hoffnung. Man mußte einfach abwarten, vielleicht einen Tag, vielleicht eine Woche, und das Krankenhaus konnte nichts weiter machen, als alles für die Verbrennung vorzubereiten.

Birons Uhrarmband war jedenfalls noch weiß. Das war immerhin eine gewisse Beruhigung.

Es konnte also nicht viel Radioaktivität vorhanden sein. Vielleicht war es nur ein Teil des Scherzes? Biron dachte nach und kam zu der Überzeugung, daß es nicht sein konnte. Niemand käme auf eine solche Idee. Jedenfalls nicht auf der Erde, wo der illegale Gebrauch radioaktiven Materials als schweres Vergehen galt. Man nahm es auf der Erde mit der Radioaktivität sehr genau. Das ging nicht anders. Ohne triftigen Grund würde also niemand so etwas tun.

Sorgfältig und mit aller Deutlichkeit machte sich Biron diesen Gedanken klar. Er durfte den Tatsachen nicht ausweichen. Ein triftiger Grund konnte zum Beispiel der Wunsch sein, ihn zu ermorden. Warum aber? Es gab kein Motiv. In seinem dreiundzwanzigjährigen Leben hatte er sich noch keinen ernstlichen Feind gemacht. Keinen *solchen* Feind. Keinen Todfeind. Er hatte Angst, eine unergründliche Angst.

Verzweifelt fuhr er sich mit der Hand durch sein kurzgeschnittenes Haar. Der Gedanke war lächerlich, aber er ließ sich nicht abschütteln. Vorsichtig trat Biron wieder auf den Schrank zu. Etwas mußte darin sein, wovon die Strahlen ausgingen, etwas, das vor vier Stunden noch nicht dort gewesen war. Er sah es fast auf den ersten Blick. Es war ein Kästchen, nicht mehr als fünfzehn Zentimeter im Quadrat. Biron wußte, was es war, und seine Unterlippe begann leicht zu zittern. Er hatte so etwas noch nie gesehen, aber er hatte davon gehört. Er ergriff das Zählrohr und nahm es mit ins Schlafzimmer. Das Murmeln wurde leiser, hörte fast ganz auf. Es begann wieder, als er den schmalen Glimmerstreifen, durch den die Strahlen eindringen konnten, auf das Kästchen richtete. Es konnte keinen Zweifel geben. Hier handelte es sich um eine Strahlenbombe.

Die gegenwärtigen Strahlungen waren noch nicht tödlich. Sie

bildeten ja auch erst die Einleitung. Irgendwo in dem Kasten war ein winziger Atommeiler verborgen. Kurzlebige künstliche Isotope erhitzten ihn langsam und durchdrangen ihn mit den notwendigen Partikeln. Sobald die erforderliche Hitze- und Partikelmenge erreicht war, reagierte der Meiler. Gewöhnlich nicht in einer Explosion, obgleich die Reaktionshitze ausreichen würde, den Behälter zu einem Metallklumpen zusammenzuschmelzen, sondern in einem ungeheuren Ausfall tödlicher Strahlen, die, je nach Größe der Bombe, alles Leben im Umkreis von zwei Metern bis zu zehn Kilometern erstickte.

Wann dieser Zeitpunkt erreicht wäre, war nicht vorauszusehen. Es konnte noch Stunden dauern, es konnte aber auch schon im nächsten Augenblick passieren. Hilflos, die Taschenlampe in der feuchten Hand, stand Biron da. Es war erst eine halbe Stunde her, seit ihn das Visiophon geweckt und er noch seine Ruhe gehabt hatte. Jetzt wußte er, daß er sterben mußte.

Biron wollte nicht sterben, aber er war hoffnungslos eingesperrt, und es gab auch kein Versteck für ihn.

Er kannte die Lage seines Zimmers. Es befand sich am Ende eines Korridors, so daß es nur noch ein gegenüberliegendes und natürlich je ein Zimmer darüber und darunter gab. Von seinem Nachbarzimmer war er durch zwei Badezimmer getrennt. Dort würde man ihn sicherlich nicht hören.

Er beschloß, sich nach dem unteren Zimmer bemerkbar zu machen.

Er besaß einige Klappstühle, Notsitze für gelegentliche Besucher. Einen benutzte er, um damit auf den Fußboden zu klopfen. Es dauerte eine Weile, bis er ein vernehmbares Geräusch zustande brachte.

Nach jedem Klopfen wartete er. Würde es möglich sein, den Schläfer so aufzuscheuchen, daß er die Störung meldete?

Plötzlich hörte er ein schwaches Geräusch. Mit dem Rest des zersplitterten Stuhles zum nächsten Schlag ausholend, wartete er. Das Geräusch war noch immer da. Es klang wie gedämpftes Rufen und kam von der Tür her.

Biron ließ den Stuhl fallen und schrie aus Leibeskräften um Hilfe. Er preßte sein Ohr gegen den Türrahmen, aber die Tür war fugenlos in die Wand eingelassen, so daß er nicht mehr hören konnte als zuvor.

Offenbar riefen sie seinen Namen.

»Farrill! Farrill!« und dann noch etwas. Vielleicht: »Sind Sie drinnen? Alles in Ordnung?«

Er brüllte mehrmals zurück: »Macht die Tür auf!« Er fieberte vor Ungeduld, und der Schweiß brach ihm aus allen Poren. Jeden Augenblick konnte die Bombe ihre todbringende Strahlenmenge aussenden.

Endlich schienen sie ihn verstanden zu haben, denn er hörte die undeutliche Anweisung: »Vorsicht! Sprengladung!« Er wußte, was das bedeutete, und entfernte sich schleunigst von der Tür.

Ein scharfes Krachen ertönte. Biron fühlte ganz deutlich die Luftschwingungen im Raum. Ein Splittern folgte, dann flog die Tür auf. Vom Korridor her drang Licht ins Zimmer.

Mit ausgebreiteten Armen stürzte Biron hinaus. »Draußen bleiben!« schrie er. »Niemand darf hinein, es ist eine Strahlenbombe drin.«

Jetzt erst erkannte er die beiden Männer auf dem Korridor. Es waren Jonti und Esbak, der Verwaltungsinspektor. Dieser hatte in aller Eile ein paar Kleidungsstücke übergeworfen.

»Eine Strahlen –«

Jonti schnitt Esbak das Wort ab. »Wie groß?« fragte er. Er hatte seine Sprengpistole noch immer schußbereit in der Hand. Sie bildete einen schroffen Gegensatz zu seiner selbst in dieser späten Nachtstunde tadellos eleganten Erscheinung.

Biron vermochte nur mit den Händen Auskunft zu geben.

»Schon gut«, sagte Jonti. Kühl und beherrscht wie immer, wandte er sich an den Inspektor: »Am besten lassen Sie die Zimmer in diesem Flügel räumen. Falls Sie in einem der Universitätsgebäude Bleiplatten haben, dann sollte man sie hier im Korridor aufstellen. Im übrigen hat vor morgen früh hier niemand etwas zu suchen. – Wahrscheinlich hat die Bombe einen Radius von drei bis fünf Metern. Wie ist sie überhaupt dort hingekommen?« wollte er von Biron wissen.

»Keine Ahnung.« Biron wischte sich mit der Hand den Schweiß von der Stirn. »Wenn Sie gestatten, möchte ich mich erst einmal setzen.«

Er warf einen Blick auf sein Handgelenk und stellte fest, daß er seine Armbanduhr im Zimmer gelassen hatte. Es fehlte nicht viel, und er wäre zurückgelaufen, um sie zu holen.

Auf dem Korridor war es inzwischen lebendig geworden. In

größter Eile wurden die Studenten aus ihren Zimmern gedrängt.

»Kommen Sie mit zu mir«, sagte Jonti. »Ich glaube auch, daß Sie sich hinsetzen müssen.«

»Was hat Sie eigentlich zu mir geführt?« fragte Biron. »Natürlich bin ich Ihnen sehr dankbar«, fügte er hastig hinzu.

»Ich habe Sie angerufen und keine Antwort bekommen. Aber ich mußte Sie unter allen Umständen sprechen.«

Nur mühsam konnte Biron seine Erregung unterdrücken. »Warum mußten Sie mich sprechen?« fragte er schwer atmend.

»Weil Ihr Leben in Gefahr ist.«

Biron lachte verzweifelt. »Das habe ich bereits festgestellt.«

»Es war nur der erste Versuch. Man wird es wieder tun.«

»Wer ist ›man‹?«

»Nicht hier, Farrill«, sagte Jonti. »Dazu müssen wir unter vier Augen sein. Sie sind gezeichnet, und ich bin es jetzt vielleicht auch schon.«

## Das Netz im Weltraum

Der Aufenthaltsraum für Studenten war leer, er war auch dunkel. Um halb fünf morgens konnte das gar nicht anders sein. Dennoch hielt Jonti, als er die Tür öffnete, zuerst vorsichtig nach etwaigen Besuchern Ausschau.

»Nein«, flüsterte er, »machen Sie kein Licht. Zum Reden brauchen wir keine Beleuchtung.«

»Ich habe es aber gründlich satt, im Dunkeln zu hocken«, widersprach Biron mürrisch.

»Wir lassen die Tür angelehnt.«

Biron hatte keine Lust, mit Jonti zu streiten. Er ließ sich in den nächsten Sessel fallen und sah zu, wie das Lichtrechteck an der Tür allmählich zu einem schmalen Streifen wurde. Jetzt, nachdem alles vorbei war, drohten ihn seine Nerven im Stich zu lassen.

Jonti brachte die Tür zum Stillstand und legte sein Offiziersstöckchen, das er immer mit sich herumtrug, auf den Lichtstreifen am Boden. »Behalten Sie den Stock im Auge. Er wird uns mitteilen, ob draußen jemand vorbeigeht, oder ob sich die Tür bewegt.«

»Hören Sie«, entgegnete Biron, »ich bin jetzt nicht in konspirativer Stimmung. Ich möchte nur gern von Ihnen wissen, was Sie glauben, mir mitteilen zu müssen. Sie haben mir das Leben gerettet, schön, morgen werde ich mich dafür in aller Form bei Ihnen bedanken. Aber jetzt möchte ich erst mal einen kleinen Schluck zu trinken und eine große Portion Schlaf.«

»Ich kann mir vorstellen, wie Ihnen zumute ist«, meinte Jonti, »aber die zu große Portion Schlaf, die Ihnen zugedacht war, haben wir fürs erste einmal abgewandt. Besser wäre es freilich, wir könnten das ein für allemal tun. Wissen Sie, daß ich Ihren Vater kenne?«

Die Frage kam so unverhofft, daß Biron erstaunt die Augenbrauen hochzog. »Er hat Sie niemals erwähnt.«

»Das wäre auch verwunderlich. Er kennt mich nicht unter dem Namen, den ich hier führe. Hat Ihr Vater übrigens in letzter Zeit von sich hören lassen?«

»Warum fragen Sie?«

»Weil er sich in großer Gefahr befindet.«

»Wie, bitte?«

Trotz der Dunkelheit fand Jonti sofort Birons Arm und packte ihn mit festem Griff. »Bitte sprechen Sie nicht lauter als bisher.«

Da merkte Biron erst, daß sie geflüstert hatten.

»Ich will mich deutlicher ausdrücken«, fuhr Jonti fort. »Ihr Vater ist verhaftet worden. Sie wissen hoffentlich, was das bedeutet?«

»Nein, ich weiß gar nichts. Wer hat ihn denn verhaftet? Was kümmert Sie das alles?« In Birons Schläfen hämmerte das Blut. Nach dem Hypnit und der Todesgefahr war es ihm einfach unmöglich, neben diesem kühlen Gecken zu sitzen, dessen Flüstern genauso peinigend in seinen Ohren gellte, als hätte er geschrien.

»Sie haben doch bestimmt eine Ahnung«, begann die Flüsterstimme von neuem, »was Ihr Vater macht?«

»Wenn Sie meinen Vater kennen, dann wissen Sie auch, daß er Rancher von Widemos ist. Das ist sein Beruf, einen anderen hat er nicht.«

»Sie haben natürlich keine Veranlassung, mir zu trauen«, sagte Jonti. »Immerhin setze ich mein Leben für Sie aufs Spiel. Außerdem weiß ich alles, was Sie mir sagen können. Zum Beispiel, daß Ihr Vater an einer Verschwörung gegen die Tyrannen teilgenommen hat.«

»Das ist nicht wahr«, entgegnete Biron mit gepreßter Stimme. »Der Dienst, den Sie mir heute nacht erwiesen haben, gibt Ihnen noch lange nicht das Recht, das von meinem Vater zu behaupten.«

»Ihre Ausreden sind kindisch, junger Mann, und Sie vergeuden damit nur meine Zeit. Merken Sie nicht, daß die Situation für Wortgeplänkel viel zu ernst ist? Ohne Umschweife also: Ihr Vater ist von den Tyrannen verhaftet worden. Vielleicht ist er schon tot.«

»Ich glaube Ihnen kein Wort.«

»Zufällig weiß ich aber genau Bescheid.«

»Hören Sie auf, Jonti. Mir ist nicht nach Geheimniskrämerei zumute. Außerdem gefällt es mir nicht, daß Sie versuchen –«

»Was versuche ich?« Jontis Stimme verlor etwas von ihrem gepflegten Tonfall. »Was habe ich davon, daß ich Ihnen das alles erzähle? Darf ich Sie daran erinnern, daß es gerade dieses Wissen, das Sie so ablehnen, war, was mich vermuten ließ, man habe einen Anschlag auf Sie geplant? Urteilen Sie nach den Geschehnissen, Farrill.«

Biron gab sich geschlagen. »Fangen Sie noch einmal von vorne an, und sprechen Sie nicht in Rätseln. Ich werde Ihnen zuhören.«

»Sehr gut. Ich nehme an, Farrill, Sie wissen, daß ich ein Landsmann von Ihnen bin. Ich komme also auch aus den Nebula-Königreichen und nicht von der Wegagruppe, wie ich hier immer behauptet habe.«

»Ihr Akzent hat mich manchmal etwas stutzig gemacht. Aber ich habe nicht darüber nachgedacht.«

»Es ist aber wichtig, mein Lieber. Ich bin hierhergekommen, weil ich, genau wie Ihr Vater, die Tyrannen nicht ausstehen kann. Sie unterdrücken unser Volk nun schon seit fünfzig Jahren. Das ist eine lange Zeit.«

»Ich bin kein Politiker.«

Wieder klang Gereiztheit aus Jontis Stimme. »Ich bin kein Agent, der Sie in Schwierigkeiten bringen will. Was ich Ihnen sage, ist die reine Wahrheit. Vor einem Jahr hat man mich genauso geschnappt wie jetzt Ihren Vater. Aber ich bin ihnen entwischt, und hier auf der Erde, wo ich mich einigermaßen sicher fühle, warte ich meine Zeit zur Rückkehr ab. Mehr brauche ich Ihnen über mich wohl nicht zu sagen.«

»Es ist schon mehr, als ich wissen wollte, Jonti.« Biron brachte es nicht fertig, freundlich zu Jonti zu sein, dessen Snobismus ihn abstieß.

»Ich weiß. Aber es ist notwendig, Ihnen wenigstens soviel mitzuteilen, weil ich dadurch Ihren Vater kennengelernt habe. Er hat mit mir zusammengearbeitet oder, besser gesagt, ich mit ihm. Er kannte mich also nicht in seiner Eigenschaft als größter Grundbesitzer des Planeten Nephelos. Haben Sie mich verstanden?«

»Ja.«

»Wir brauchen also nicht weiter darüber zu sprechen. Meine Informationsquellen funktionieren auch hier, und ich weiß, daß Ihr Vater verhaftet ist. Ich weiß es. Und wenn es auch nur ein Verdacht gewesen wäre, dieser Anschlag auf Ihr Leben beweist wohl genug.«

»Was beweist er?«

»Wenn die Tyrannen erst den Vater haben, werden sie den Sohn nicht frei herumlaufen lassen.«

»Wollen Sie damit sagen, daß die Tyrannen die Strahlenbombe in mein Zimmer gelegt haben? Das ist unmöglich.«

»Warum soll es unmöglich sein? Wissen Sie denn nicht, mit wem Sie es zu tun haben? Die Tyrannen beherrschen fünfzig Welten. Zahlenmäßig sind sie uns hundert zu eins unterlegen. In einer solchen Lage genügt einfache Waffengewalt nicht. Darum greifen sie zu Methoden wie Spionage, Intrige, Verrat und Meuchelmord. Sie sind Spezialisten auf diesen Gebieten. Das Netz, das sie über den ganzen Weltraum ausgebreitet haben, ist riesig und sehr engmaschig. Ich zweifle nicht daran, daß es sich über fünfhundert Lichtjahre hinweg bis zur Erde erstreckt.«

Biron stand noch immer unter dem Eindruck seines alptraumähnlichen Erlebnisses. Aus der Ferne vernahm er schwache Geräusche. Die Bleiplatten wurden im Korridor aufgestellt. In seinem Zimmer murmelte höchstwahrscheinlich noch immer das Zählrohr.

»Es ist so wenig glaubhaft«, sagte er nach einer langen Pause. »In einer Woche kehre ich nach Nephelos zurück. Das müßten sie schließlich wissen. Warum sollten sie mich also hier umbringen wollen? Sie brauchten doch nur meine Ankunft abzuwarten, dann hätten sie mich.« Es erleichterte ihn, ein Loch in Jontis Beweisführung entdeckt zu haben.

Jonti rückte noch näher an ihn heran. Sein scharfer Atem ließ Birons Schläfenhaare erzittern. »Ihr Vater ist beliebt. Sein Tod – und nach seiner Gefangennahme durch die Tyrannen müssen Sie sich mit dem Gedanken an seine Hinrichtung vertraut machen – wird selbst bei der lammfrommen Sklavenrasse, die von den Tyrannen herangezüchtet wird, Unwillen erregen. Sie als der neue Rancher von Widemos könnten diesen Unwillen noch schüren. Und Sie dann auch noch hinzurichten, hieße die Gefahr für die Tyrannen verdoppeln. Sie wollen keine Märtyrer schaffen. Aber wenn Sie durch einen Unfall auf einem weitentfernten Planeten ums Leben kämen, so würde ihnen das gut in den Kram passen.«

»Ich kann Ihnen nicht glauben.« Biron verschanzte sich hinter der einzigen Verteidigung, die er vorzubringen wußte.

Jonti erhob sich. Er glättete seine dünnen Handschuhe und sagte: »Sie gehen zu weit, Farrill. Sie würden überzeugender wirken, wenn Sie nicht völlige Unwissenheit vortäuschten. Vermutlich hat Sie Ihr Vater Ihrer eigenen Sicherheit wegen nicht ins Vertrauen gezogen, aber ich bezweifle, daß Sie keine Ahnung davon hatten, welche Rolle er gespielt hat. Sein Haß gegen die Tyrannen muß sich zwangsläufig auf Sie übertragen haben. Und Sie müssen auch bereit sein, gegen die Tyrannen zu kämpfen.«

Biron zuckte die Achseln.

»Vielleicht ist es sogar Ihres Vaters Wunsch«, fuhr Jonti fort, »daß Sie sich nun, da Sie erwachsen sind, ebenfalls nützlich machen. Ihr Aufenthalt hier auf der Erde ist eine günstige Gelegenheit, Ihre Studien mit einem bestimmten Auftrag zu verbinden. Und vielleicht ist es gerade dieser Auftrag, der den Tyrannen Ihren Tod wünschenswert erscheinen läßt.«

»Hirngespinste!«

»Ach? Meinetwegen. Wenn die Wahrheit Sie jetzt nicht überzeugen kann, werden es spätere Ereignisse tun. Weitere Anschläge auf Ihr Leben werden folgen, und einer davon wird gelingen. Von jetzt ab sind Sie bereits ein toter Mann, Farrill.«

Nachdenklich sagte Biron: »Warum sind Sie persönlich so an dieser Sache interessiert?«

»Ich bin Patriot. Ich möchte die Königreiche wieder frei sehen, mit Regierungen, die sich selbst gewählt haben.«

»Nein. Ihr *persönliches* Interesse will ich wissen. Mit purem Idealismus können Sie mir nicht kommen. Den glaube ich Ihnen nicht. Entschuldigen Sie, das soll keine Beleidigung sein«, kam es schwerfällig und störrisch aus Birons Munde.

Jonti setzte sich wieder. »Meine Ländereien sind konfisziert worden. Ehe ich ins Exil ging, hatte ich mich den Befehlen jener Pygmäen, der Tyrannen, zu fügen. Das war alles andere als angenehm. Ja, und inzwischen bin ich immer mehr zu der Überzeugung gekommen, daß ich wieder die Stellung einnehmen muß, die mein Großvater einst innehatte, ehe die Tyrannen kamen. Sind das genug praktische Gründe für die Unterstützung einer Revolution? Ihr Vater wäre einer der Führer dieser Revolution gewesen. Jetzt, nach seinem Scheitern, sind Sie an der Reihe!«

»Ich? Ich bin dreiundzwanzig und verstehe nichts von alledem. Sicherlich können Sie bessere Leute finden.«

»Zweifellos. Aber niemand außer Ihnen ist der Sohn Ihres Vaters. Falls Ihr Vater getötet würde, sind Sie Rancher von Widemos. Deshalb sind Sie wichtig für mich, und Sie wären es auch dann, wenn Sie erst zwölf Jahre alt und außerdem schwachsinnig wären. Ich brauche Sie aus denselben Gründen, weswegen die Tyrannen sich Ihrer entledigen wollen. Und wenn meine Motive Sie nicht zu überzeugen vermögen, dann sollten die der anderen es können. In Ihrem Zimmer ist eine Strahlenbombe. Sie konnte keinen anderen Zeck haben, als Sie zu töten. Wer aber sollte den Wunsch haben, Sie umzubringen?«

Jonti wartete geduldig, bis Biron flüsterte: »Niemand. Keiner von allen, die ich kenne, würde mich umbringen. Dann stimmt das also mit meinem Vater!«

»Es stimmt. Betrachten Sie es als einen Kriegsverlust.«

»Glauben Sie, daß mir damit geholfen wäre? Vielleicht wird man ihm eines Tages ein Denkmal errichten. Eines mit einer Leuchtinschrift, die man zehntausend Meilen weit im Weltraum erkennen kann.« Birons Stimme klang verzweifelt. »Meinen Sie etwa, das könnte mich glücklich machen?«

Jonti wartete, aber Biron schwieg.

Da begann Jonti wieder: »Was gedenken Sie zu tun?«

»Ich fahre heim.«

»Sie haben also noch nicht eingesehen, in welcher Lage Sie sich befinden?«

»Ich sagte, ich fahre heim. Was erwarten Sie denn von mir? Wenn er noch am Leben ist, werde ich ihn schon frei bekommen. Und wenn er tot ist, dann, dann ...«

»Ruhig!« Kalter Zorn klang aus der Stimme des Älteren. »Ihr Benehmen ist kindisch. Sie können nicht nach Nephelos zurück. Sehen Sie das nicht ein? Spreche ich mit einem kleinen Jungen oder mit einem vernünftigen jungen Mann?«

»Was schlagen Sie vor?« murrte Biron.

»Kennen Sie den Direktor von Rhodia?«

»Den Freund der Tyrannen? Ich kenne ihn dem Namen nach. Wer in den Königreichen wüßte nicht, wer Henrik V., Direktor von Rhodia, ist!«

»Sie kennen ihn nicht persönlich?«

»Nein.«

»Das dachte ich mir. Sonst wüßten Sie, daß er ein Einfaltspinsel ist. Er ist im wahrsten Sinne des Wortes schwachsinnig. Aber sollte Ihr Besitz von den Tyrannen konfisziert werden – und Sie können sich darauf verlassen, daß es Ihnen nicht anders ergeht als mir –, dann fällt er an Henrik. In ihm sehen die Tyrannen den Bürgen für die Sicherheit von Widemos. Sie müssen also zu Henrik.«

»Warum?«

»Weil Henrik immerhin einigen Einfluß auf die Tyrannen hat, wenn auch nicht mehr als ein speichelleckendes Hündchen. Vielleicht gelingt es Ihnen sogar, mit seiner Hilfe Ihr rechtmäßiges Erbe anzutreten.«

»Das leuchtet mir absolut nicht ein. Höchstwahrscheinlich wird er mich den Tyrannen ausliefern.«

»Möglich. Aber Sie müssen eben auf der Hut sein. Andererseits haben Sie eine große Chance. Vergessen Sie nicht, daß Ihr Adelstitel zwar wertvoll und wichtig ist, daß dies allein aber nicht genügt. Bei der konspirativen Arbeit muß man vor allem praktisch denken. Sie werden wohl Gefolgsleute finden, die sich aus Anhänglichkeit und Respekt vor Ihrem Namen um Sie scharen, aber, um sie bei der Stange zu halten, brauchen Sie Geld.«

Biron überlegte. »Ich brauche Zeit, um mich entscheiden zu können.«

»Sie haben keine Zeit. Nachdem die Strahlenbombe in Ihr Zimmer gelegt wurde, gibt es nichts mehr zu überlegen. Jetzt heißt es handeln. Ich werde Ihnen einen Empfehlungsbrief an Henrik von Rhodia mitgeben.«

»Kennen Sie ihn denn so gut?«

»Ihr Argwohn ist wohl durch nichts zu besänftigen? Ich war einmal im Auftrag des Autarchen von Lingane mit einer diplomatischen Mission an Henriks Hof betraut. Bei seinem schwachen Gedächtnis wird er sich meiner kaum noch erinnern, aber das wird er nicht zugeben. Mein Brief wird Ihnen mindestens zu einer Audienz verhelfen, und dann müssen Sie eben improvisieren. Morgen früh gebe ich Ihnen das Schreiben. Gegen Mittag startet ein Schiff nach Rhodia. Eine Fahrkarte für Sie habe ich schon besorgt. Ich reise übrigens auch ab, aber auf einer anderen Route. Vertrödeln Sie keine Zeit. Außerdem sind sie ja sowieso hier fertig, nicht wahr?«

»Bis auf die Überreichung des Diploms.«

»Ein Fetzen Pergament. Bedeutet es Ihnen so viel?«

»Jetzt nicht mehr.«

»Haben Sie Geld?«

»Reichlich.«

»Gut. Zu viel würde bloß Verdacht erregen.«

Biron schreckte aus seinem beinahe stumpfsinnigen Brüten auf, als Jontis scharfes Zischen erneut an sein Ohr drang: »Farrill, gehen Sie jetzt zu den anderen zurück. Sprechen Sie mit niemandem über Ihre Abreise. Die Tatsache allein würde genügen. Sie müssen jetzt äußerst vorsichtig sein.«

Biron nickte stumm. Irgendwo in seinem Unterbewußtsein quälte ihn der Gedanke, daß er seine Aufgabe nicht erfüllt habe und er kein würdiger Nachfolger seines Vaters sei.

Man hätte ihn einweihen, ihm beizeiten eine gewisse Verantwortung übertragen müssen. Jetzt war es zu spät dazu. Er hatte keine Zeit mehr, das Dokument zu beschaffen, keine Zeit zum Grübeln, keine Zeit, seinen Vater zu retten. Vielleicht blieb ihm nicht einmal mehr viel Zeit zum Leben.

»Sie sollen Ihren Willen haben, Jonti«, sagte er schließlich.

Nachdem sich Sander Jonti von Biron verabschiedet hatte, blieb er stehen und warf einen kurzen, abfälligen Blick auf die Universitätsgebäude. Er sah die Lichter der einzigen Geschäftsstraße der Stadt herüberblinken. Jenseits davon gab es nur noch das eintönige radioaktive Blau des Horizonts, das nur nachts sichtbar war, weil es vom Tageslicht fast völlig verschluckt wurde. Ein stummes Zeugnis prähistorischer Kriege.

Jonti betrachtete nachdenklich den Himmel. Knapp fünfzig Jahre war es her, seitdem die Tyrannen dem Dasein von gut einem Dutzend sich lärmend befehdender Separatstaaten der Nebula-Planetengruppe ein Ende bereitet hatten. Jetzt herrschte Frieden in den Nebula-Königreichen, Grabesfrieden.

Sie hatten sich von dem Sturm, der mit einem einzigen Donnerschlag über sie hinweggebraust war, noch nicht erholt. Hin und wieder regte sich etwas, aber es waren nur vergebliche Zukkungen. Diese zu organisieren, den geeigneten Zeitpunkt zum gemeinsamen Gegenschlag abzuwarten, würde eine langwierige Aufgabe sein. Sein Exil auf der Erde hatte lange genug gedauert, schien ihm. Jetzt war es höchste Zeit für seine Rückkehr.

Die anderen in seiner Heimat versuchten wahrscheinlich gerade, sich mit ihm in Verbindung zu setzen.

Er beschleunigte ein wenig seinen Schritt.

Sowie er sein Zimmer betrat, bemerkte er die Strahlen, *seine* Strahlen, für deren Sicherheit er nichts zu fürchten brauchte und deren Geheimhaltung ihm bis jetzt gelungen war. Er brauchte sich keines Empfängers zu bedienen, keiner Metallgegenstände oder Drähte, um die schwachen Elektronenstöße aufzufangen, deren geflüsterte Impulse aus einer fünfhundert Lichtjahre entfernten Welt durch den Hyperraum auf ihn zukamen. Der Weltenraum selbst war in seinem Zimmer polarisiert und zum Empfang bereit. Alle Zufallseinwirkungen waren ausgeschaltet. Diese Polarisation war nur durch Empfang zu beweisen. Und in jenem besonderen Raumvolumen konnte nur Jontis Hirn als Empfänger wirken, weil nur die elektrischen Merkmale seiner eigenen Nervenzelle auf die Vibrationen des Trägerstrahls, der die Botschaft überbrachte, reagierte.

Die Botschaft blieb so geheim wie die einmaligen Kennzeichen von Jontis eigenen Hirnwellen. Denn im gesamten Universum mit seinen Quadrillionen Menschen gab es nur im Verhältnis eins zu einer zwanzigstelligen Zahl die Wahrscheinlichkeit einer Duplizität von persönlichen Wellen, die es ermöglicht hätten, daß man einander belauschen konnte.

Jonti begann den Ruf aufzufangen, der durch die endlose, leere Unbegreiflichkeit des Hyperraumes zu ihm drang.

»... hallo ... hallo ... hallo ... hallo.«

Das Senden war nicht so einfach wie das Empfangen. Hierzu war ein Mechanismus notwendig, um die äußerst spezifische Trägerwelle in Richtung Nebula einzustellen. Der Mechanismus befand sich in dem Zierknopf, den Jonti auf der rechten Schulter trug. Die Vorrichtung begann automatisch zu funktionieren, sobald Jonti sein Raumpolarisationsvolumen betrat. Danach brauchte er bloß noch konzentriert und zweckmäßig zu denken.

»Hier bin ich!« Einer eingehenden Identifizierung bedurfte es nicht. Die stumpfsinnige Wiederholung des Signals hörte auf, und in seinem Kopf begannen sich Worte zu formen. »Seien Sie gegrüßt, Exzellenz. Widemos ist hingerichtet worden. Natürlich weiß die Öffentlichkeit davon noch nichts.«

»Das überrascht mich nicht. Wurde sonst noch jemand in den Fall verwickelt?«

»Nein, Exzellenz. Der Rancher hat keinerlei Aussagen gemacht. Ein tapferer und loyaler Mann.«

»Ja. Aber Tapferkeit und Loyalität genügen nicht, um es mit den Tyrannen aufzunehmen. Ein bißchen Feigheit wäre ganz angebracht gewesen. Na, Schwamm darüber! Ich habe mit seinem Sohn, dem neuen Rancher, gesprochen. Ihn hätte es heute beinahe auch erwischt. Er wird sich demnächst nützlich machen.«

»Darf man fragen, wie, Exzellenz?«

»Die Ereignisse werden Ihnen früh genug auf Ihre Frage antworten. Im Moment weiß ich selbst noch nicht, wie sich alles entwickeln wird. Morgen fährt er nach Rhodia, um Henrik aufzusuchen.«

»Henrik! Der junge Mann riskiert eine ganze Menge. Weiß er, daß –«

»Ich habe ihm alles Notwendige gesagt«, erwiderte Jonti scharf. »Bis er sich bewährt hat, dürfen wir ihm nicht allzusehr trauen. Unter den augenblicklichen Umständen ist er für uns nicht mehr als jeder andere Mann, den wir aufs Spiel setzen müssen. Er ist brauchbar, durchaus brauchbar. Setzen Sie sich vorläufig nicht wieder mit mir in Verbindung. Ich verlasse die

Erde.« Mit einer endgültigen Handbewegung brach Jonti die Gedankenübertragung ab.

Bedächtig und in aller Ruhe ließ er die Geschehnisse des Tages und der Nacht noch einmal an sich vorüberziehen. Er lächelte zufrieden. Alles war aufs beste vorbereitet, die Komödie konnte beginnen.

Nichts blieb dem Zufall überlassen.

## Die verräterische Armbanduhr

Die erste Stunde, nach der sich ein Raumschiff aus der planetaren Knechtschaft befreit hat, verläuft höchst prosaisch. Das Durcheinander kurz nach dem Abflug ist wohl im wesentlichen dasselbe, wie es beim Start des ersten Einbaumes auf einem der Urströme gewesen sein muß.

Man bekommt seine Kabine zugewiesen, das Gepäck wird gebracht, überall herrscht merkwürdiger, sinnloser Trubel. Letzte Grüße werden ausgetauscht, dann lösen sich lautlos die Halterungen und verschwinden automatisch im Inneren des Raumschiffes.

Eine lähmende Stille umgibt die Reisenden plötzlich. In den Kabinen flackern rote Leuchtbuchstaben auf: ›Raumanzüge anziehen ... Raumanzüge anziehen ... Raumanzüge anziehen.‹

Die Stewards laufen die Korridore entlang, klopfen kurz an jede Tür und reißen sie auf. »Verzeihung. Anzug an?«

Man kommt nicht gleich mit den kalten, engen, unbequemen Anzügen zurecht. Dennoch geben sie ein Gefühl der Sicherheit. Ihre hydraulische Konstruktion absorbiert den übelkeiterregenden Druck des Abfluges.

Von fern ertönt das Rattern der Atom-Motoren, die wegen des Manövrierens in der Atmosphäre noch auf niedrigen Touren laufen. Der Raumanzug ist wie eine Wiege. Man wird darin hin und her geschaukelt, bis das Schiff seine Kursgeschwindigkeit erreicht hat. Wer während dieser Periode den Brechreiz überwindet, bleibt mit ziemlicher Wahrscheinlichkeit für den Rest der Reise von Raumkrankheit verschont.

*

Während der ersten drei Stunden des Fluges war der Aussichtsraum für die Passagiere noch gesperrt. Eine lange Schlange stand schon wartend vor der Doppeltür, nachdem das Schiff die Atmosphäre hinter sich gelassen hatte. Die Reisegesellschaft bestand in der Hauptsache aus hundertprozentigen Neulingen, solchen also, die noch nie eine Reise durch den Weltraum gemacht hatten, aber auch aus einigen erfahreneren Reisenden.

Vom Raum einen Blick auf die Erde zu werfen war immerhin Touristenpflicht.

Der Aussichtssalon war eine Blase auf der ›Haut‹ des Schiffes, eine Blase aus gewölbtem, sechzig Zentimeter dickem, stahlhartem, durchsichtigem Kunststoff. Die Hülle aus Iridiumstahl, die als Schutz gegen Reibung und die Staubpartikel der Atmosphäre diente, war eingezogen worden. Die Galerie in dem unbeleuchteten Salon war vollbesetzt. Die Gesichter über dem Geländer waren im Widerschein der Erde deutlich erkennbar.

Unter ihnen schwebte die Erde, ein gigantischer, schimmernder, orange-blau-weiß gesprenkelter Ballon. Die dem Raumschiff zugekehrte Hemisphäre war fast ganz von der Sonne beleuchtet. Die Kontinente hatten vorwiegend Wüstencharakter. Zwischen dem Gelb schlängelten sich vereinzelt schmale grüne Linien dahin. Die Meere waren blau und hoben sich dort, wo die Horizonte einander begegneten, scharf vom Schwarz des Weltraumes ab. Und ringsumher am dunklen, staubfreien Himmel funkelten die Sterne.

Die Beobachter warteten geduldig.

Nicht der sonnenbeschienenen Hemisphäre galt ihre Neugier. Die blendend weißschimmernde Polarspitze kam in Sicht, als das Schiff mit unmerklicher Seitensteuerung aus der Sonnenbahn glitt. Allmählich umhüllten nächtliche Schatten den Globus, und die riesige Welteninsel Eurasien–Afrika erschien im Blickpunkt, ein majestätisches Bild. Der verseuchte, leblose Erdboden verbarg seine Schrecken unter dem juwelenblitzenden Gewand der Nacht. Seine Radioaktivität schien ein weites, blauschillerndes Meer zu sein, dessen seltsame Girlandenwindungen erkennen ließen, wie einst die nuklearen Bomben gefallen waren, kaum eine Generation vor Erfindung der Kraftfeld-Verteidigung gegen nukleare Explosionen. Danach war es keiner Welt wieder gelungen, auf diese Weise Selbstmord zu begehen.

Stundenlang blieben die Zuschauer sitzen, bis die Erde nur noch ein heller kleiner Fleck im endlosen Schwarz des Alls war.

Unter den Zuschauern befand sich auch Biron Farrill. Die Arme auf die Reling gestützt, saß er gedankenverloren in der ersten Reihe. So hatte er die Erde nicht verlassen wollen. Es war ein falscher Abgang, ein falsches Schiff, ein falsches Reiseziel.

Schuldbewußt fuhr er sich mit der Hand über sein Stoppelkinn. Er hatte sich am Morgen nicht rasiert. Er hätte in seine Kabine gehen und das Versäumte nachholen müssen, aber er konnte sich nicht dazu entschließen. Hier waren Menschen. In der Kabine war er allein.

Oder sollte er gerade deshalb gehen?

Ihm war unbehaglich zumute. Er konnte sich nicht an das neue Gefühl gewöhnen: ein Gejagter zu sein, keine Freunde zu haben. Freundschaft gab es für ihn nicht mehr. Sie hatte in dem Moment aufgehört zu existieren, als ihn vor weniger als vierundzwanzig Stunden das Visiophon geweckt hatte.

Schon bei seiner Rückkehr ins Studentenheim nach dem Gespräch mit Jonti hatte er sein Alleinsein gespürt. Esbak hatte sich erregt auf ihn gestürzt. Seine Stimme kippte beinahe über.

»Mr. Farrill, ich habe Sie überall gesucht. So ein unglücklicher Zufall! Unbegreiflich! Haben Sie eine Erklärung dafür?«

»Nein.« Beinahe hätte Biron ihn angeschrien. »Wie käme ich dazu? Wann kann ich in mein Zimmer, um meine Sachen herauszuholen?«

»Gleich morgen früh. Der Raum wird gerade getestet. Es ist jetzt keine Radioaktivität mehr feststellbar, von der allgemein üblichen Menge abgesehen. Sie haben ja enormes Glück gehabt. Ein paar Minuten später wäre es um Sie geschehen gewesen.«

»Ja, ja. Aber jetzt möchte ich gern ein wenig ruhen, wenn Sie gestatten.«

»Benutzen Sie bitte bis morgen früh mein Zimmer. Dann werde ich Sie für die letzten paar Tage noch woanders unterbringen. Hm, dabei fällt mir ein, Mr. Farrill, daß ich gern noch etwas mit Ihnen besprochen hätte.«

Esbak war übertrieben höflich. Biron hörte geradezu die Schalen der Eier knacken, auf denen der Inspektor seinen Tanz ausführte.

»Was gibt's denn«, fragte Biron müde.

»Haben Sie einen Verdacht, wer Ihnen diesen – hm, Streich gespielt haben könnte?«

»Streich ist gut! Natürlich habe ich keine Ahnung.«

»Was gedenken Sie denn zu unternehmen? Die Schulverwaltung sähe es natürlich höchst ungern, wenn über diesen Unglücksfall etwas an die Öffentlichkeit käme.«

Wie er sich an das Wort ›Unglücksfall‹ klammerte! Biron erwiderte trocken: »Ich verstehe Ihren Standpunkt. Machen Sie sich keine Sorgen. Ich habe kein Interesse daran, daß die Polizei ihre Nase in den Fall steckt. In den nächsten Tagen verlasse ich die Erde sowieso, und ich möchte mir meine Pläne nicht durchkreuzen lassen. Ich werde keine Anklage erheben. Schließlich bin ich ja am Leben geblieben.«

Esbaks Erleichterung war nahezu unanständig. Mehr verlangte er nicht. Keine Unannehmlichkeiten. Es war nicht mehr als ein Unglücksfall, der möglichst rasch in Vergessenheit geraten sollte.

Um sieben Uhr morgens betrat er sein altes Zimmer zum letztenmal. Dort war es still geworden. Das Murmeln im Schrank hatte aufgehört. Die Bombe war nicht mehr da. Auch das Zählrohr war verschwunden. Wahrscheinlich hatte Esbak beides fortgeschafft und sich damit der Vernichtung von Beweismitteln schuldig gemacht. Aber das sollte nicht Birons Sorge sein. Er warf seine Habseligkeiten in die Koffer und rief dann die Verwaltung an, um sich ein neues Zimmer zuweisen zu lassen. Das Licht funktionierte wieder und damit natürlich auch das Visiophon. Das einzige Überbleibsel der vergangenen Nacht war die gesprengte Tür mit dem geschmolzenen Schloß.

Man brachte ihn in einem anderen Zimmer unter. Damit glaubte er etwaige Neugierige über seine wahren Absichten getäuscht zu haben. Als er ein Lufttaxi bestellte, benutzte er das Visiophon in der Halle. Er hoffte, daß ihn niemand beobachtet hatte. Mochten sie sich hinterher über sein Verschwinden den Kopf zerbrechen, soviel sie wollten. Auf dem Flughafen war er Jonti begegnet. Nur ihre Blicke hatten sich gekreuzt. Jonti hatte kein Wort gesagt, keinerlei Zeichen des Erkennens gegeben. Doch, nachdem er an Biron vorübergegangen war, befanden sich in dessen Hand eine unscheinbar schwarze Kugel, offenbar eine Briefkapsel, und eine Flugkarte nach Rhodia.

Die Briefkapsel war nicht versiegelt, und Biron las die Mitteilung später in seiner Kabine. Es war ein einfaches Empfehlungsschreiben, nur ein paar Worte.

Birons Gedanken beschäftigten sich eine Zeitlang mit Sander Jonti, während er im Aussichtssalon saß und zusah, wie die Erde immer mehr zusammenschrumpfte. Er hatte Jonti nur ganz oberflächlich gekannt, bis dieser so verheerend in sein Leben eingegriffen hatte, um es erst zu retten und ihm dann einen neuen und ungewohnten Kurs zu geben. Biron hatte ihn dem Namen nach gekannt. Sie hatten einander gegrüßt und gelegentlich ein paar höfliche Redensarten gewechselt. Das war alles. Er hatte Jonti nicht sonderlich gemocht. Dessen Kälte, übertriebene Eleganz und Manieriertheit hatten ihn abgestoßen. Doch das alles hatte nichts mit den jüngsten Ereignissen zu tun.

Biron seufzte und rieb sich nervös sein unrasiertes Kinn. Er stellte fest, daß er sich nach Jontis Gegenwart sehnte. Dieser Mann verstand es wenigstens, das Leben zu meistern. Er hatte gewußt, was zu tun sei. Er hatte auch gewußt, was er, Biron, zu tun habe, und er hatte ihn dazu gebracht, sich seinem Willen zu fügen.

Jetzt war Biron allein. Er fühlte sich so jung, so hilflos, so verlassen, beinahe verängstigt. Während der ganzen Zeit vermied er es geflissentlich, an seinen Vater zu denken. Das wäre mehr gewesen, als er ertragen konnte.

»Herr Malaine.«

Der Name wurde mehrmals wiederholt, ehe Biron merkte, daß ihm jemand respektvoll auf die Schulter tippte.

Der Roboter-Bote wiederholte: »Herr Malaine«, und Biron starrte ihn sekundenlang ausdruckslos an, bis ihm einfiel, daß dies ja sein augenblicklicher Name sei. Er war mit Bleistift auf den Flugschein gekritzelt, den er von Jonti erhalten hatte. Eine Luxuskabine war auf diesen Namen gebucht.

»Ja, was gibt's? Ich bin Malaine.«

Die Stimme des Boten zischte ein wenig, als die Spule in seinem Inneren abzulaufen begann. »Ich soll Ihnen mitteilen, daß Sie eine andere Kabine bekommen haben und daß Ihr Gepäck bereits umgeräumt worden ist. Bitte wenden Sie sich an den Zahlmeister, er wird Ihnen den neuen Schlüssel aushändigen. Wir hoffen, Ihnen dadurch keine Unannehmlichkeiten zu bereiten.«

»Was soll das?« Biron drehte sich so heftig auf seinem Sitz herum, daß etliche aus der sich lichtenden Gruppe von Zuschauern von seinem temperamentvollen Ausbruch aufgestört wurden. »Was hat das zu bedeuten?« Natürlich war es zwecklos, an eine Maschine, die lediglich ihren Auftrag ausgeführt hatte, derartige Fragen zu richten. Der Bote hatte seinen Metallkopf ehrerbietig geneigt, wobei er die ihm freundlicherweise auferlegte Imitation eines gewinnenden menschlichen Lächelns zur Schau trug. Dann war er gegangen.

Biron verließ im Sturmschritt den Salon und wandte sich mit leicht übertriebenem Stimmaufwand an den nächsten Schiffsoffizier: »Ich muß unbedingt den Kapitän sprechen.«

Der Offizier war nicht im geringsten überrascht. »Ist es wichtig?«

»Beim Kosmos, ja! Eben erfahre ich, daß man mir ohne meine Zustimmung eine andere Kabine angewiesen hat, und ich möchte den Grund hierfür wissen.«

Biron fühlte sehr wohl, daß sein Zorn in keinem rechten Verhältnis zu der ganzen Angelegenheit stand. Aber sein Groll hatte einfach den Höhepunkt erreicht. Man hatte ihn gezwungen, die Erde heimlich, wie ein Verbrecher, zu verlassen. Jetzt war er nach einem unbekannten Ziel unterwegs, wo ihn ungewohnte Aufgaben erwarteten. Und nun wollten sie ihn auch noch an Bord herumschubsen. Das war einfach zuviel.

Dennoch hatte er bei alledem das unangenehme Gefühl, daß Jonti an seiner Stelle anders gehandelt hätte. Wahrscheinlich klüger. Nun gut, er war eben nicht Jonti.

Der Offizier sagte: »Ich werde den Zahlmeister verständigen.«

»Den Kapitän will ich sprechen«, verlangte Biron hartnäkkig.

»Wie Sie wollen.« Nach einer kurzen Unterhaltung durch den kleinen Fernmeldeapparat, der am Rockaufschlag seiner Uniform baumelte, sagte der Offizier liebenswürdig zu Biron: »Man wird Sie sofort zum Kapitän führen. Bitte gedulden Sie sich einen Augenblick.«

Kapitän Hirm Gordell war ein ziemlich untersetzter, zur Fülle neigender Mann. Er erhob sich höflich, als Biron eintrat, und beugte sich über seinen Schreibtisch, um seinem Besucher die Hand zu schütteln.

»Herr Malaine«, eröffnete er das Gespräch, »es tut mir leid, daß wir Sie belästigen mußten.«

Er hatte ein rechteckiges Gesicht, graues Haar und einen kurzen, gepflegten Schnurrbart in einer etwas dunkleren Schattierung. Sein Lächeln wirkte aufgesetzt.

»Mir auch«, erwiderte Biron. »Ich habe eine Luxuskabine reservieren lassen, und damit steht sie mir auch zu. Meiner Meinung nach haben nicht einmal Sie das Recht, ohne meine Einwilligung etwas zu verändern.«

»Zugegeben, Herr Malaine. Aber leider waren wir dazu gezwungen. In letzter Minute ist noch ein Passagier eingetroffen, ein hohes Tier, der darauf bestanden hat, eine Luxuskabine ganz in der Nähe des Schwerpunktes zu erhalten. Er ist herzkrank und soll daher von der Gravität des Schiffes so wenig wie möglich spüren. Es blieb uns also keine Wahl.«

»Schön und gut. Aber warum mußte gerade ich ihm Platz machen?«

»Einer konnte es ja schließlich nur sein. Sie reisen allein, und außerdem sind Sie noch so jung, daß Ihnen die Gravität bestimmt nichts ausmacht.« Bei diesen Worten musterte der Kapitän anzüglich Birons sportgestählte Erscheinung. »Außerdem werden Sie feststellen, daß Ihre neue Kabine eher noch eleganter ist als die andere. Sie haben bei dem Tausch nichts eingebüßt. Keineswegs.«

Der Kapitän kam hinter seinem Schreibtisch hervor. »Wenn es Ihnen recht ist, will ich Ihnen gern persönlich Ihre neue Unterkunft zeigen.«

Biron fühlte seinen Zorn schwinden. Trotzdem konnte er sich eines leisen Unbehagens nicht erwehren.

Beim Hinausgehen sagte der Kapitän: »Darf ich Sie zum morgigen Abendessen an meinen Tisch bitten? Bei dieser Gelegenheit wird unser erster Sprung stattfinden.«

»Vielen Dank. Es wird mir eine Ehre sein.«

Merkwürdig, dachte Biron. Die Bemühungen des Kapitäns, einen aufgebrachten Passagier zu beschwichtigen, waren reichlich übertrieben.

Die Kapitänstafel war lang. Sie nahm eine ganze Wand des Speisesaals ein. Biron kam sich auf einem der Ehrenplätze in der

Mitte ziemlich deplaciert vor. Aber ein Irrtum war ausgeschlossen. Der Steward hatte ihm ausdrücklich versichert, daß die Tischkarte nicht versehentlich dorthin geraten sei.

Als Biron war er nicht sonderlich bescheiden. Als Sohn des Ranchers von Widemos hatte er Bescheidenheit nie nötig gehabt. Biron Malaine jedoch war ein Durchschnittsbürger, dem so viel Aufmerksamkeit einfach nicht gebührte.

Übrigens hatte der Kapitän recht gehabt. Birons neue Kabine war tatsächlich noch eleganter als die andere. Es war eine Doppelkabine mit Bad, Dusche und Lufttrockner.

Sie lag in der Nähe der Offiziersunterkünfte, so daß Biron auf Schritt und Tritt von Uniformen umgeben war. Der Lunch war ihm auf Silbergeschirr serviert worden. Kurz vor dem Abendessen war plötzlich ein Friseur aufgetaucht. Vielleicht gehörte das alles zu einer Reise erster Klasse auf einem Luxus-Raumschiff, aber für Biron Malaine war es zu vornehm.

Viel zu vornehm war es. Als der Friseur erschien, war Biron gerade von einem Spaziergang zurückgekehrt. Er hatte sich absichtlich ein wenig in den Korridoren verlaufen. Obgleich ihm überall Besatzungsmitglieder begegnet waren, die sich höflich, aber beharrlich an seine Fersen geheftet hatten, war es ihm schließlich doch gelungen, seine Begleiter abzuschütteln. Vor der 140 D, seiner alten Kabine, die er gar nicht bewohnt hatte, machte er halt.

Er zündete sich eine Zigarette an. In diesem Augenblick bog der einzige Passagier, der außer ihm noch auf dem Gang war, in einen anderen Korridor ein. Biron drückte auf den Signalknopf neben der Tür. Nichts rührte sich.

Man hatte ihm den Kabinenschlüssel noch nicht wieder abgenommen, ein Versehen offenbar. Er schob das dünne, rechtekkige Stück Metall in die Öffnung, das die winzige Fotoröhre aktivierte. Die Tür öffnete sich, und Biron warf einen Blick in die Kabine.

Mehr hatte er nicht gewollt. Er trat wieder auf den Korridor hinaus. Sofort schloß sich die Tür automatisch hinter ihm. Der kurze Überblick hatte genügt. Seine alte Kabine war nicht belegt, weder von einem hohen Tier mit Herzschwäche, noch von irgend jemand anderem. Bett und Möbel war völlig unberührt, nirgendwo hatten Koffer oder Toilettenartikel gestanden.

Der Luxus, womit sie ihn umgaben, sollte also nur dazu dienen, ihn von seiner ursprünglichen Kabine abzulenken. Man bestach ihn, damit er den Mund hielt. Warum? Waren sie an seiner Kabine interessiert oder an seiner Person?

Und nun saß er, mit diesen ungelösten Fragen beschäftigt, an der Kapitänstafel. Er hatte sich mit den anderen beim Eintritt des Kapitäns höflich erhoben, war die Stufen zu dem Podium hinaufgestiegen, wo der lange Tisch gedeckt war, und hatte seinen Platz eingenommen.

Warum hatte er umziehen müssen?

Musik ertönte. Die Wand, die den Speisesaal vom Aussichtssalon trennte, war zurückgeschoben. Das gedämpfte Licht hatte einen orangeroten Schimmer. Die schlimmsten Anfälle der Raumkrankheit, beim Verlassen der Atmosphäre oder durch die Schwerkraftverlagerung in den verschiedenen Teilen des Schiffes, waren nun überwunden. Der Speisesaal war vollbesetzt.

Der Kapitän verbeugte sich leicht und sagte zu Biron: »Guten Abend, Herr Malaine. Wie gefällt Ihnen Ihre neue Kabine?«

»Fast zu gut, Herr Kapitän. Ein wenig zu komfortabel für meine Begriffe.« Er hatte in ganz alltäglichem Ton geantwortet. Dennoch hatte er den Eindruck, als habe ihn der Kapitän etwas bestürzt angesehen.

Beim Dessert glitt die Schutzhülle vom Fenster des Aussichtssalons lautlos zurück. Das Licht ging fast ganz aus. Weder Sonne, Erde noch ein anderer Planet waren auf dem großen, dunklen Bildschirm zu sehen. Einzig die Milchstraße lag im Blickfeld der Zuschauer, jene langgestreckte galaktische Linse, die eine leuchtende diagonale Spur durch hartglitzernde Sterne zog.

Automatisch brach alle Unterhaltung ab. Stühle wurden gerückt – denn niemand wollte sich den Anblick der Sterne entgehen lassen. Aus den Teilnehmern am Bankett war ein Auditorium, aus der Musik ein leises Raunen geworden.

Durch die gesammelte Stille ertönte klar und wohlmoduliert eine Stimme aus den Lautsprechern.

»Meine Damen und Herren! Wir stehen vor unserem ersten Sprung. Die meisten von Ihnen werden, wenigstens theoretisch, wissen, was ein Sprung ist. Dennoch haben wohl die meisten – mehr als die Hälfte sicherlich – noch nie einen Sprung in der

Praxis erlebt. An Sie, meine Damen und Herren, wende ich mich jetzt im besonderen.

Ein Sprung ist genau das, was das Wort besagt. Im Gefüge von Raum und Zeit ist es unmöglich, schneller als mit Lichtgeschwindigkeit zu reisen. Dieses Naturgesetz soll von einem antiken Denker, dem so oft zitierten Einstein, entdeckt worden sein, dem man ja vieles nachrühmt. Selbst mit der Lichtgeschwindigkeit würde es aber Jahre dauern, bis man die Sterne erreichte.

Darum verlassen wir das Raum-Zeit-Gefüge und begeben uns in das weniger bekannte Gefilde des Hyperraumes, wo Zeit und Entfernung bedeutungslos sind. Es ist ungefähr genauso, als ob Sie einen schmalen Isthmus überqueren, um von einem Ozean in einen anderen zu gelangen, anstatt einen ganzen Kontinent zu umschiffen.

Natürlich bedarf es großer Energiemengen, um diesen Raum im Raum, wie er manchmal genannt wird, zu erreichen. Außerdem sind sorgfältige und komplizierte Berechnungen notwendig, um im richtigen Moment wieder das gewöhnliche Raum-Zeit-Gefüge zu erreichen. Das Resultat dieses Aufwandes an Energie und menschlichen Geistes ist, daß unermeßliche Entfernungen ohne den geringsten Zeitverlust zurückgelegt werden können. Nur durch den Sprung sind interstellare Reisen überhaupt möglich.

Unser erster Sprung wird in ungefähr zehn Minuten stattfinden. Den genauen Zeitpunkt erfahren Sie noch. Sie brauchen sich keinesfalls zu beunruhigen, denn Sie werden kaum etwas davon spüren. Vielen Dank für Ihre Aufmerksamkeit.«

Danach gingen die Lichter auf dem Schiff ganz aus. Und die Sterne leuchteten in unvermindertem Glanz.

Es schien eine Ewigkeit zu dauern, bis eine Stimme präzis und nüchtern verkündete: »In genau einer Minute findet der Sprung statt.« Dann zählte die Stimme die Sekunden rückwärts: »Fünfzig ... vierzig ... dreißig ... zwanzig ... zehn ... fünf ... drei ... zwei ... eins ...«

Es war, als hätte man für einen Augenblick aufgehört zu existieren, als würde man innerlich zutiefst erschüttert.

In einem winzigen Bruchteil einer Sekunde waren hundert Lichtjahre überschritten, und das Schiff, das sich am Rande des Sonnensystems befunden hatte, war nun inmitten des interstellaren Raumes.

Neben Biron sagte jemand mit zitternder Stimme: »Oh, sehen Sie! Die Sterne.«

Im nächsten Augenblick ging ein Geraune durch den ganzen Saal: »Die Sterne! Herrlich! Großartig!«

Das Bild der Sterne hatte sich in dem winzigen Bruchteil einer Sekunde, den der Sprung gedauert hatte, völlig geändert. Das Zentrum der großen Galaxis, die sich dreißigtausend Lichtjahre weit erstreckte, war jetzt näher gerückt, und die Zahl der Sterne hatte sich vermehrt. Wie Puderstaub waren sie über das schwarzsamtene Vakuum verstreut, ein sanfter Widerschein der strahlenden Helle jener Sterne, die dem Schiff am nächsten waren.

Unwillkürlich fiel Biron der Anfang eines Gedichtes ein, das er im sentimentalen Alter von neunzehn Jahren geschrieben hatte. Es war während seines ersten Raumfluges gewesen, damals, als er zur Erde reiste, die er jetzt wieder verlassen hatte. Lautlos formten seine Lippen die Worte:

»Wundersame Sternenpracht,
Goldstaub am Firmament!
Das All in seiner ganzen Macht
mein trunkner Blick erkennt.«

Plötzlich wurde das Licht auf dem Schiff wieder eingeschaltet, und Birons Gedanken kehrten von ihrem Ausflug ins All zurück. Er befand sich wieder im Speisesaal eines Raumschiffes, wo ein Abendessen dem Ende zuging und die Unterhaltung sich wieder prosaischen Gegenständen zugewandt hatte.

Er sah auf seine Armbanduhr. Auf einmal, nachdem er schon mechanisch den Blick abgewandt hatte, begann er die Uhr genauer zu betrachten. Er starrte sie fassungslos an. Es war seine Armbanduhr, die er in der verhängnisvollen Nacht im Schlafzimmer gelassen hatte. Sie hatte den tödlichen Strahlen der Bombe standgehalten, und er hatte sie am nächsten Morgen zusammen mit seinen übrigen Sachen aus dem Zimmer geholt. Wie oft hatte er wohl inzwischen schon auf das Zifferblatt geschaut? Wie oft hatte er sie angesehen und dabei die Zeit festgestellt, ohne die andere Mitteilung zu beachten, die ihm die Uhr förmlich aufdrängte?

Das Plastikarmband war weiß, nicht blau! Es war weiß!

Allmählich bekamen die Ereignisse jener Nacht einen Sinn.

Merkwürdig, wie eine einzige Tatsache alle Verworrenheit klären konnte!

Biron schob heftig seinen Stuhl zurück, murmelte: »Verzeihung!« und verließ die Tafel. Was kümmerte es ihn unter diesen Umständen noch, ob es ein Verstoß gegen die Etikette war, vor dem Kapitän aufzustehen! Über die steilen Schiffstreppen eilte er in seine Kabine. Er nahm sich nicht erst die Zeit, auf den gegen Schwerkraftschwankungen gesicherten Aufzug zu warten. In seiner Kabine angekommen, verschloß er die Tür und durchsuchte hastig das Bad und die eingebauten Wandschränke, obgleich er davon überzeugt war, niemanden zu finden. Was sie vorgehabt hatten, war bestimmt schon vor Stunden geschehen.

Sorgfältig durchsuchte er sein Gepäck. Sie hatten gute Arbeit geleistet. Fast ohne Spuren zu hinterlassen, hatten sie seine Personalpapiere, ein Bündel Briefe seines Vaters sowie das Empfehlungsschreiben an Henrik von Rhodia entwendet.

Darum also hatte er umziehen müssen! Sie waren weder an der alten noch an der neuen Kabine interessiert, nur an dem Umzug selbst. Mindestens eine Stunde lang hatten sie ganz rechtmäßig – beim Kosmos, rechtmäßig! – Gelegenheit gehabt, sich mit seinem Gepäck zu beschäftigen und dabei zu tun, was ihnen beliebte.

Biron sank auf das Doppelbett. Er war wütend. Doch was nützten jetzt alle Selbstvorwürfe. Die Falle war vollkommen gewesen. Bis ins kleinste Detail hatten sie alles geplant. Hätte er nicht zufällig seine Armbanduhr im Schlafzimmer gelassen, hätte er bis jetzt noch keine Ahnung davon gehabt, wie engmaschig das Netz war, das die Tyrannen über den Weltraum ausgebreitet hatten.

Der Signalknopf an der Kabinentür surrte leise.

»Herein«, rief Biron.

Der Steward erschien und erkundigte sich respektvoll: »Der Kapitän läßt fragen, ob er Ihnen behilflich sein kann. Er hatte den Eindruck, Ihnen sei nicht ganz wohl gewesen, als Sie die Tafel verließen.«

»Mir fehlt nichts«, erwiderte Biron.

Wie sie ihn beobachteten! In dem Moment wußte er, daß es kein Entrinnen gab und daß ihn das Schiff höflich, aber sicher dem Tod entgegenfuhr.

Sander Jonti musterte sein Gegenüber mit kaltem Blick.

»Verschwunden?« fragte er.

Rizzett fuhr sich mit der Hand über sein rötliches Gesicht. »Irgendwas ist verschwunden, aber ich weiß nicht, was es ist. Höchstwahrscheinlich ist es sogar das Dokument, hinter dem wir her sind. Wir wissen weiter nichts, als daß es aus der Zeit zwischen dem fünfzehnten und zwanzigsten Jahrhundert der primitiven Zeitberechnung der Erde stammt und daß es gefährlich ist.«

»Gibt es einen hinreichenden Grund für die Annahme, daß es sich bei dem fehlenden um das bewußte Dokument handelt?«

»Nur eine Vermutung. Die Regierung der Erde hat es streng unter Verschluß gehalten.«

»Das hat nichts zu sagen. Ein Erdenbewohner behandelt jedes Dokument aus der prägalaktischen Vergangenheit mit Ehrfurcht. Ihre Anbetung aller Tradition ist geradezu lächerlich.«

»Dieses Schriftstück ist aber gestohlen worden, ohne daß die Öffentlichkeit je etwas davon erfahren hat. Warum sollten sie einen leeren Schrein bewachen?«

»Es ist wohl möglich, daß sie es tun, bloß um nicht zugeben zu müssen, daß eine heilige Reliquie gestohlen worden ist. Dennoch kann ich nicht glauben, daß der junge Farrill mit dem Dokument auf und davon ist. Schließlich haben Sie ihn doch beobachten lassen.«

Rizzett lächelte. »Er hat es auch nicht.«

»Woher wollen Sie das wissen?«

Jetzt erst ließ Jontis Agent die Katze aus dem Sack. »Weil das Dokument schon vor zwanzig Jahren verschwunden ist.«

»Wie bitte?«

»Seit zwanzig Jahren fehlt jede Spur davon.«

»Dann kann es nicht das Dokument sein, das wir meinen. Der Rancher von Widemos hat ja erst vor einem halben Jahr erfahren, daß es überhaupt existiert.«

»Dann ist ihm eben jemand anderes um neunzehneinhalb Jahre zuvorgekommen.«

Jonti dachte eine Weile nach, dann sagte er: »Es ist unwichtig. Es kann einfach nicht wichtig sein.«

»Warum?«

»Ich bin nun schon monatelang hier auf der Erde. Vorher habe ich selbst geglaubt, gerade dieser Planet könne wertvolle Hinweise bergen. Aber überlegen Sie doch einmal genau: Als die Erde der einzige bewohnte Planet in der Galaxis war, war es hier – militärisch gesehen – äußerst primitiv. Die einzige bemerkenswerte Waffe, die je erfunden wurde, war eine simple, ziemlich unwirksame nukleare Bombe, wogegen nicht einmal die adäquaten Verteidigungsmittel entwickelt wurden.«

Mit wirkungsvoll einstudierter Geste zeigte er auf den blauen Horizont jenseits der dicken Betonmauer, wo der tödliche Schimmer der Radioaktivität deutlich zu erkennen war.

»Jetzt erst, da ich eine Zeitlang hier gelebt habe, ist mir alles klargeworden«, fuhr er fort. »Es ist geradezu lächerlich, anzunehmen, man könne etwas von einer Gesellschaft lernen, die auf einem so niedrigen Niveau militärischer Technologie gestanden hat. Natürlich gilt man als besonders gebildet, wenn man in die allgemeinen Vermutungen einstimmt, es gäbe hier verschollene Schätze an Kunst und Wissenschaft. Es gibt ja Leute genug, die einen förmlichen Kult mit allem Primitiven treiben und immer wieder albernes Zeug über die prähistorischen Kulturen der Erde behaupten.«

»Aber der Rancher war ein kluger Mann«, warf Rizzett ein.

»Seiner Meinung nach handelt es sich um das gefährlichste Dokument, das er je gesehen hatte. Sie erinnern sich doch noch an seine Worte? Ich weiß sie noch auswendig. Er sagte: ›Damit ist das Schicksal der Tyrannen besiegelt und wahrscheinlich auch unser eigenes. Aber die Galaxis wird vor dem Untergang bewahrt.‹«

»Irren ist menschlich, und auch der Rancher war nicht unfehlbar.«

»Bedenken Sie, Exzellenz, daß wir keine Ahnung von dem Inhalt des Dokumentes haben. Es könnten zum Beispiel unveröffentlichte Labornotizen über wichtige Experimente sein. Vielleicht geben sie einen Hinweis auf eine Waffe, die von den Erdenbewohnern gar nicht als Waffe angesehen wurde. Vielleicht erscheint sie auf den ersten Blick auch gar nicht als Waffe –«

»Unsinn. Sie als Offizier sollten es wirklich besser wissen. Wenn es eine Wissenschaft gibt, auf deren Gebiet die Menschen ununterbrochen und erfolgreich experimentiert haben, so ist es die militärische Technologie. Es gibt einfach keine denkbare

Waffe, die zehntausend Jahre unentdeckt bleiben könnte. Ich glaube, Rizzett, wir kehren nach Lingane zurück.«

Rizzett zuckte die Achseln. Er war nicht überzeugt.

Noch viel weniger war es Jonti. Das Dokument war verschwunden, demnach war es wichtig. Es war wert, gestohlen zu werden! Irgendwer in der Galaxis mußte es jetzt haben.

Unwillkürlich kam ihm der Gedanke, es könne im Besitz der Tyrannen sein. Der Rancher hatte keine näheren Angaben gemacht. Sogar er, Jonti, war nicht ganz eingeweiht worden. Der Rancher hatte nur gesagt, daß es für beide Seiten von schicksalhafter Bedeutung sei. Jonti preßte die Lippen zusammen. Dieser Narr mit seinen idiotischen Hinweisen! Jetzt hatten ihn die Tyrannen geschnappt!

Wenn ein Mann wie Aratap hinter ein solches Geheimnis kam! Aratap, der einzige, der nach dem Ausscheiden des Ranchers unberechenbar war. Aratap, der gefährlichste aller Tyrannen.

Simok Aratap war ein kleiner, etwas krummbeiniger Mann mit dicht beieinanderstehenden Augen. Wie die meisten Tyrannen war er von untersetzter, plumper Gestalt. Trotzdem büßte er durch die Anwesenheit eines außerordentlich hochgewachsenen und wohlproportionierten jungen Mannes nichts von seiner Selbstsicherheit ein. Er fühlte sich durchaus als rechtmäßiger Erbe derer, die vor zwei Generationen ihre windige, unfruchtbare Welt verlassen hatten, um die reichen, dichtbesiedelten Planeten der Nebula-Region zu erobern und zu unterwerfen.

Sein Vater war Kommandeur eines Geschwaders kleiner, flinker Schiffe gewesen, die zugeschlagen hatten, sofort wieder verschwunden waren und erneut zugeschlagen hatten. Auf diese Weise hatten sie mit den schwerfälligen Riesenschiffen des Gegners gründlich aufgeräumt. Die Nebula-Königreiche hatten noch die althergebrachte Taktik angewandt, während die Tyrannen auf eine völlig neue Art kämpften. Sooft die riesigen, metallschimmernden Schiffe der gegnerischen Flotte einen Einzelangriff versuchten, stießen sie ins Leere vor und verschwendeten nur ihre Energievorräte. Die Tyrannen dagegen vermieden Einzelkämpfe. Ihre Stärke lag in ihrer ungeheuren Schnelligkeit und im wohldurchdachten Zusammenspiel aller Streitkräfte. So kam es, daß ihnen die Königreiche, eines nach dem anderen, zufielen. Mehr oder weniger schadenfroh über die Niederlage eines Nachbarn wartete jedes Land, auf die trügerische Sicherheit seiner Stahlschiff-Festungen bauend, bis es selbst an die Reihe kam.

Aber diese Kriege lagen nun schon fünfzig Jahre zurück. Die Nebula-Regionen waren Verwaltungsbezirke geworden, die lediglich der militärischen Besetzung und der Besteuerung bedurften. Einst waren noch Welten zu gewinnen, dachte Aratap müde, jetzt konnte man sich nur noch mit einzelnen Leuten herumschlagen.

Er betrachtete den jungen Mann, der ihm gegenübersaß. Sehr jung wirkte dieser breitschultrige Bursche mit dem nachdenklichen und gespannten Gesichtsausdruck. Sein Haar trug er lächerlich kurzgeschnitten, eine typische Modetorheit der Studenten. Beinahe empfand Aratap so etwas wie Mitleid für ihn. Der Junge hatte offensichtlich Angst.

Biron hätte das, was er fühlte, sicherlich nicht als Angst bezeichnet. Hätte er seinen Zustand in Worte kleiden sollen, so wäre ihm wohl ›Spannung‹ als der richtige Ausdruck erschienen. Von Kind auf hatte er gelernt, die Tyrannen als unumstrittene Obrigkeit zu betrachten. Sein Vater – stark, bedeutend, zweifellos der Herr auf seinem eigenen Grund und Boden, dessen Meinung bei anderen viel galt – wurde in Gegenwart der Tyrannen still und beinahe demütig.

Gelegentlich machten sie auf Widemos einen Höflichkeitsbesuch, wobei sie nie vergaßen, sich nach dem jährlichen Tribut, den sie ›Steuer‹ nannten, zu erkundigen. Der Rancher von Widemos war auf dem Planeten Nephelos für die Einziehung und Ablieferung dieser Beträge verantwortlich, und die Tyrannen pflegten seine Buchführung von Zeit zu Zeit, wenn auch nur flüchtig, zu kontrollieren.

Der Rancher half ihnen jedesmal persönlich aus ihren kleinen Fahrzeugen. Bei Tisch saßen sie auf den Ehrenplätzen und wurden zuerst bedient. Wenn sie etwas sagten, brach jede andere Unterhaltung sofort ab.

Als Kind hatte er sich immer gewundert, daß diese kleinen, häßlichen Männer mit solcher Ehrfurcht behandelt wurden. Später, als er heranwuchs, hatte er erfahren, daß sein Vater zu ihnen in demselben Verhältnis stand wie ein Viehhüter zum Rancher von Widemos. Er hatte sogar lernen müssen, selbst höflich und ehrfürchtig mit ihnen umzugehen und sie mit ›Exzellenz‹ anzureden.

Dieses Verhalten war ihm so in Fleisch und Blut übergegangen, daß er nun, da er einem Tyrannen, einem Vertreter der Obrigkeit, gegenübersaß, vor Spannung zitterte.

Das Schiff, das er als ein Gefängnis betrachtet hatte, war am Tage der Landung auf Rhodia tatsächlich dazu geworden. Das Signal an seiner Tür hatte aufgeleuchtet, zwei rauhe, stämmige Männer der Schiffsbesatzung waren in seiner Kabine erschienen und hatten sich rechts und links von ihm postiert. Der Kapitän folgte ihnen auf dem Fuß und sagte in selbstverständlichem Ton: »Biron Farrill, in meiner Eigenschaft als Kapitän dieses Schiffes nehme ich Sie bis zu Ihrem Verhör durch den Statthalter des Großen Königs in Gewahrsam.«

Der Statthalter war dieser kleine Tyrann, der jetzt scheinbar geistesabwesend und uninteressiert vor ihm saß. Der Große König war der Khan der Tyrannen. Er wohnte nach wie vor in seinem sagenhaften Steinpalast auf dem Heimatplaneten der Tyrannen.

Verstohlen blickte sich Biron um. Man hatte ihm keinerlei körperliche Fessel auferlegt, aber vier Wächter in der graublauen Uniform der tyrannischen Sicherheitspolizei flankierten ihn je zwei und zwei. Sie waren bewaffnet. Ein fünfter, im Range eines Majors, saß neben dem Schreibtisch des Statthalters.

Auf einmal richtete der Statthalter das Wort an Biron: »Wie Sie wahrscheinlich schon wissen« – seine Stimme klang hoch und dünn –, »ist der alte Rancher von Widemos, Ihr Vater, wegen Verrats hingerichtet worden.«

Mit seinen hellen, fast farblosen Augen starrte er Biron unverwandt an, wobei er versuchte, dem Blick eine gewisse Milde zu geben.

Biron blieb gleichmütig. Es schmerzte ihn, daß er nichts machen konnte. Wie gern hätte er diese Männer angeschrien, sie beschimpft. Aber was hätte es geholfen! Seinen Vater konnte er damit nicht ins Leben zurückrufen. Er glaubte, den Grund für diese einleitende Bemerkung zu wissen: Man wollte ihn mürbe machen. Damit sollten sie kein Glück haben.

Ohne mit der Wimper zu zucken, sagte er: »Ich bin Biron

Malaine, ein Erdenbürger. Sollten Sie meine Identität anzweifeln, bitte ich darum, mich mit meinem hiesigen Konsul in Verbindung setzen zu dürfen.«

»Natürlich. Aber unsere Fragen dienen zunächst nur der Information. Sie behaupten, Biron Malaine zu heißen und auf der Erde beheimatet zu sein. Trotzdem«, Aratap wies auf die Papiere, die vor ihm auf dem Tisch lagen, »habe ich hier Briefe des Ranchers von Widemos an seinen Sohn. Außerdem wurden in Ihrem Gepäck eine Immatrikulationsbestätigung mit Aufzeichnungen über Seminarübungen eines gewissen Biron Farrill gefunden.«

Biron ließ sich seine Verzweiflung nicht anmerken. »Mein Gepäck ist gesetzwidrig durchsucht worden. Ich weigere mich daher entschieden, diese Schriftstücke als Beweis anzuerkennen.«

»Sie befinden sich nicht vor Gericht, Mr. Farrill oder Malaine. Ich möchte eine Erklärung von Ihnen haben.«

»Wenn die Papiere in meinem Gepäck gefunden wurden, so hat sie ein Unbekannter hineingeschmuggelt.«

Zu Birons Erstaunen ließ es der Statthalter dabei bewenden, obwohl die Argumente, die Biron vorbrachte, so fadenscheinig, so vollkommen töricht waren. Ohne weiter darauf einzugehen, tippte Aratap mit dem Zeigefinger auf die schwarze Kapsel. »Und dieses Empfehlungsschreiben an den Direktor von Rhodia gehört Ihnen auch nicht?«

»Doch, das gehört mir.« Diese Frage hatte Biron erwartet. In dem Brief war sein Name nicht erwähnt, darum fuhr er kühn fort: »Auf den Direktor ist ein Anschlag geplant. Man trachtet ihm nach dem Leben –«

Erschrocken hielt er inne. Der Anfang seiner sorgfältig ausgedachten Rede kam ihm auf einmal absolut unglaubwürdig vor. Lächelte der Statthalter nicht bereits höhnisch?

Aber Aratap dachte nicht daran. Er seufzte nur ein wenig, entfernte mit schnellen, geübten Bewegungen die Kontaktgläser von seinen Augen und legte sie sorgfältig in eine Schale mit Salzlösung, die vor ihm auf dem Schreibtisch stand. Seine unbebrillten Augen wirkten etwas wäßrig.

»So, und Sie wissen darüber Bescheid?« sagte er schließlich. »Ausgerechnet auf der Erde, fünfhundert Lichtjahre von hier entfernt, während unsere Polizei auf Rhodia keine Ahnung davon hat.«

»Wie sollte sie auch. Die Verschwörung wird ja auf der Erde vorbereitet.«

»Aha. Sind Sie ein Agent der Verschwörer? Oder wollen Sie Henrik warnen?«

»Letzteres natürlich.«

»So, hm. Und warum wollen Sie ihn warnen?«

»Weil ich mir davon eine Belohnung verspreche.«

Aratap lächelte. »Das erste vernünftige Wort, das Sie sprechen. Offenbar ist doch etwas Wahres an Ihren Behauptungen. Können Sie mir Einzelheiten über die Verschwörung mitteilen?«

»Die gehen nur den Direktor etwas an.«

Ein kurzes Zögern, gefolgt von einem Achselzucken. »Meinetwegen. Wir Tyrannen mischen uns nicht in die internen politischen Angelegenheiten anderer Planeten ein. Wir werden für Sie eine Audienz bei dem Direktor erwirken, sozusagen als unseren Beitrag zu seiner Sicherheit. Meine Leute werden Sie noch festhalten, bis Ihr Gepäck eingetroffen ist. Dann sind Sie frei und können tun und lassen, was Sie wollen. – Abführen.«

Die Wächter verließen mit Biron das Zimmer.

Aratap schob seine Kontaktlinsen wieder auf die Pupillen, wodurch seine Augen sofort den nichtssagenden Ausdruck verloren, den sie ohne die Gläser scheinbar gehabt hatten.

Zu dem noch anwesenden Major sagte der Statthalter: »Den jungen Farrill werden wir wohl im Auge behalten müssen.«

Der Offizier nickte kurz. »Gut. Einmal dachte ich schon, er habe Sie eingewickelt. Aber sein Gefasel hatte ja weder Hand noch Fuß.«

»Stimmt. Gerade deshalb wird er zunächst brauchbar sein. Mit diesen jungen Laffen, die ihre Vorstellungen von interstellarer Geheimpolitik aus den Bildspionageromanen beziehen, kann man leicht fertigwerden. Natürlich ist er der Sohn des ehemaligen Ranchers.«

Diesmal schien der Major nicht ganz einverstanden zu sein. »Sind Sie sicher?« fragte er. »Die Beschuldigung, die wir gegen ihn vorbringen können, ist nicht sehr überzeugend.«

»Sie meinen, wenn es zu einem Gerichtsverfahren kommt? Wozu?«

»Er könnte ein Strohmann sein, den man bewußt opfert, um

unsere Aufmerksamkeit von dem echten Biron Farrill abzulenken.«

»Nein. Viel zu theatralisch, um wahr zu sein. Außerdem haben wir einen Fotokubus.«

»Wie? Von dem Jungen?«

»Vom Sohn des Ranchers. Möchten Sie ihn sehen?«

»Sehr gern.«

Aratap zog unter dem Papierwust auf seinem Schreibtisch einen einfachen Glaswürfel hervor, dessen Seiten nicht länger als siebeneinhalb Zentimeter waren. Er sah undurchsichtig schwarz aus. »Wenn es mir ratsam erschienen wäre, hätte ich ihm bloß dieses Ding hier vorzuführen brauchen«, erklärte der Statthalter. »Eine kleine Spielerei. Ich weiß nicht, Major, ob Sie diese Technik schon kennen. Sie ist erst kürzlich erfunden worden. Rein äußerlich scheint es ein ganz gewöhnlicher Fotokubus zu sein, aber wenn man die untere Seite nach oben kehrt, tritt automatisch eine neue molekulare Anordnung ein, die den Würfel völlig durchsichtig erscheinen läßt. Ein hübsches Versteck, nicht wahr?«

Er stellte den Würfel aufrecht. Wie Regenwolken im Wind begann sich die undurchsichtige Masse langsam zu zerteilen. Allmählich wurde der Würfel glasklar, und ein junges, lebensprühendes Gesicht lächelte den Männern daraus entgegen.

»Der Würfel befand sich im Besitz des toten Ranchers«, bemerkte Aratap. »Was halten Sie davon?«

»Zweifellos ist es der junge Mann.«

»Ja.« Nachdenklich betrachtete der Tyrann den Fotokubus. »Mit dieser Methode könnte man ohne weiteres sechs Fotos in einem Würfel festhalten, für jede Seite ein Bild. Wenn man dann den Würfel in der richtigen Reihenfolge dreht, entsteht eine ganze Serie neuer molekularer Zusammensetzungen. Sechs zusammenhängende Fotos würden dann ergeben, daß aus einem statischen ein dynamisches Phänomen von bisher ungeahnten Ausmaßen wird. Major, damit hätten wir eine neue Kunstform!« Bei den letzten Worten hatte Arataps Stimme einen nahezu begeisterten Klang angenommen.

Doch der leicht verächtliche Gesichtsausdruck des schweigenden Majors ließ ihn unvermittelt seine künstlerischen Gedankengänge abbrechen.

»Sie werden also Farrill beobachten?« fragte er scharf.

»Selbstverständlich.«

»Und Henrik ebenfalls.«

»Henrik?«

»Natürlich. Nur deshalb habe ich ja den Jungen laufen lassen. Ich möchte eine Antwort auf einige ungeklärte Fragen haben. Warum wünscht Farrill eine Unterredung mit Henrik? Was für eine Verbindung besteht zwischen den beiden? Der ehemalige Rancher war kein Einzelgänger. Hinter ihm stand eine wohlorganisierte Verschwörergruppe. Und hinter die Arbeitsmethoden dieser Leute sind wir noch nicht gekommen.«

»Aber Henrik kann mit der Sache nichts zu tun haben. Selbst wenn er den Mut dazu aufbrächte, fehlt es ihm einfach an der notwendigen Intelligenz.«

»Zugegeben. Vielleicht dient er ihnen jedoch gerade, weil er ein Halbidiot ist, als Werkzeug. In diesem Fall wäre er eine schwache Stelle in unserem System. Auf jeden Fall können wir es uns nicht leisten, diese Möglichkeit außer acht zu lassen.«

Geistesabwesend deutete Aratap an, daß die Unterredung beendet sei. Der Major salutierte, machte kehrt und verließ das Zimmer.

Aratap seufzte. Nachdenklich drehte er den Fotokubus um und sah zu, wie die undurchsichtige Schwärze wieder in den Würfel zurückflutete. Zu seines Vaters Zeiten war das Leben einfacher gewesen. In der Niederwerfung eines Planeten hatte eine gewisse grausame Größe gelegen. Das ausgeklügelte Intrigenspiel mit einem ahnungslosen jungen Menschen war dagegen nur noch grausam.

Und dennoch notwendig.

## Oh, unruhevolles Haupt . . .

Als Heimat der Gattung homo sapiens ist das Direktorium Rhodia, im Vergleich zur Erde, nicht sonderlich alt. Es ist nicht einmal alt im Vergleich zu den zentaurischen oder sirischen Welten. Die Arcturus-Planeten zum Beispiel waren schon mehr als zweihundert Jahre besiedelt, als die ersten Raumschiffe über den Pferdekopf-Nebel hinausdrangen und dort ein Nest von Hunderten Sauerstoff-Wasser-Planeten entdeckten. Sie hingen zusammen wie dichte Traubenbüschel und stellten einen großartigen Fund dar. Denn es gibt zwar Planeten in Hülle und Fülle, aber nur wenige genügen den chemischen Bedingungen des menschlichen Organismus.

In der Galaxis gibt es zwischen einhundert bis zweihundert Billionen Sterne, außerdem ungefähr fünfhundert Billionen Planeten. Von diesen haben einige eine Gravitation, die mehr als 120 Prozent oder weniger als 60 Prozent der Erdschwerkraft beträgt. Aus diesem Grunde sind sie auf die Dauer von Menschen nicht bewohnbar. Einige sind zu heiß, einige zu kalt. Einige haben eine giftige Atmosphäre. Man hat planetarische Atmosphären festgestellt, die zum größten Teil oder vollständig aus Neon, Methan, Ammoniak, Chlor – sogar aus Siliziumtetrafluorid bestehen. Auf einigen Planeten fehlt es an Wasser, andere wiederum sollen ganze Ozeane aus fast reinem Schwefeldioxyd haben, während es auf einigen keinen Kohlenstoff gibt.

So kommt es, daß von je hunderttausend Welten nur eine Lebensmöglichkeiten für hochentwickelte Organismen bietet. Das bedeutet immerhin noch vier Millionen bewohnbare Welten.

Die genaue Anzahl der tatsächlich besiedelten Planeten ist umstritten. Nach dem Galaktischen Almanach, dessen statistische Angaben nachweislich lückenhaft sind, war Rhodia die 1098. von Menschen besiedelte Welt. Der Planet Tyrann, dessen Bewohner Rhodia eroberten, war unter Nummer 1099 registriert, ein Treppenwitz der Weltgeschichte.

Die geschichtliche Entwicklung in der Transnebula-Region hatte den gleichen unseligen Verlauf genommen wie anderswo auch. Planetarische Republiken, deren Regierungen sich nur um die innerpolitischen Angelegenheiten kümmerten, entstanden in rascher Folge. Mit der Ausdehnung der Wirtschaft gingen Kolonisation und Einbeziehung benachbarter Planeten in das heimische Gesellschaftsgefüge Hand in Hand. Kleine ›Reiche‹ wurden gegründet, die nach einiger Zeit unweigerlich wieder zusammenbrachen.

Die Vorherrschaft über ausgedehnte Regionen wurde jeweils von dem Herrscherhaus ausgeübt, das geeignete Persönlichkeiten hervorbrachte, denen außerdem das Kriegsglück günstig war.

Einzig Rhodia bewahrte sich unter der fähigen Henrici-

Dynastie eine lang anhaltende Stabilität. Es schickte sich gerade schwerfällig an, im Laufe von einem oder zwei Jahrhunderten ein einheitliches Transnebula-Reich zu errichten, als die Tyrannen kamen und die Aufgabe in zehn Jahren lösten.

Es war Ironie des Schicksals, daß es gerade die Tyrannen sein mußten. Bis dahin hatte der Tyrann während seines siebenhundertjährigen Bestehens kaum mehr geleistet, als eine kümmerliche Autonomie aufrechtzuerhalten, was hauptsächlich auf die Unwirtschaftlichkeit seiner Landschaft zurückzuführen war. Infolge Wassermangels bestand der Planet vorwiegend aus Wüste.

Selbst nach Ankunft der Tyrannen blieb das Direktorium von Rhodia bestehen. Sein Einfluß nahm sogar noch zu. Die Henrici waren bei der Bevölkerung beliebt. Die Aufrechterhaltung ihrer Dynastie war also ein gutes Mittel, das Volk in Schranken zu halten. Den Tyrannen war es gleich, wer die Ovationen entgegennahm, solange sie die festgesetzten Tribute erhielten.

Natürlich waren die Direktoren schon lange keine reinblütigen Henrici mehr. Das Direktorium war jeweils dem fähigsten Kopf innerhalb der Familie übertragen worden. Außerdem hatte man stets Adoptionen befürwortet, um die Dynastie vor Degeneration zu bewahren.

Nunmehr machten die Tyrannen ihren Einfluß auf die Wahl des Herrschers geltend. So hatten sie vor zwanzig Jahren Henrik – er war der Fünfte dieses Namens – zum Direktor wählen lassen. Die Maßnahme hatte sich für die Tyrannen als recht nützlich erwiesen.

Henrik war, als er die Herrschaft angetreten hatte, ein gutaussehender Mann gewesen. Er machte auch jetzt noch eine tadellose Figur, wenn er in der Öffentlichkeit auftrat.

Sein Haar hatte einen grauen Schimmer bekommen, sein Bart dagegen war schwarz geblieben, schwarz wie die Augen seiner Tochter.

Mit dieser Tochter hatte er gerade eine heftige Auseinandersetzung. Das Mädchen war nur wenige Zentimeter kleiner als der hochgewachsene Direktor. Sie war ein dunkelhaariges, temperamentvolles Geschöpf.

»Und ich tue es nicht! Unter keinen Umständen«, sprudelte sie empört hervor.

»Aber Arta«, wandte der Direktor ein. »Arta, sei nicht so unvernünftig. Was soll ich denn tun? Was kann ich tun? Mir sind doch die Hände gebunden.«

»Wäre Mutter noch am Leben, sie fände bestimmt einen Ausweg!« entgegnete die Tochter, ungeduldig mit dem Fuß aufstampfend. Ihr voller Name war Artemisia. In jeder Generation hatte mindestens ein weibliches Mitglied der Dynastie so geheißen.

»O ja, zweifellos. Deine Mutter wußte sich zu helfen. Manchmal habe ich den Eindruck, als glichest du nur ihr und mir überhaupt nicht. Arta, du hast ihn dir sicherlich noch gar nicht richtig angeschaut. Hast du wirklich noch keinen einzigen – hm – guten Zug an ihm bemerkt?«

»Und der wäre?«

»Nun zum Beispiel ...« Henrik machte eine vage Handbewegung. Auch nach einigem Überlegen vermochte er den Satz nicht zu vollenden. Er ging auf seine Tochter zu, um ihr tröstend die Hand auf die Schulter zu legen, aber sie wandte sich unwillig ab.

»Einen ganzen Abend habe ich mit ihm verbracht«, beklagte sie sich. »Dabei hat er versucht, mich zu küssen. Es war ekelhaft!«

»Aber heutzutage gehört das doch dazu, mein Herz. Wir leben nun einmal nicht mehr in der guten alten Zeit deiner Großmutter. Was bedeutet schon ein Kuß – nichts, gar nichts. Junges Blut, Arta, junges Blut!«

»Junges Blut, du meine Güte! In den letzten fünfzig Jahren hat dieser gräßliche Zwerg nur ein einziges Mal junges Blut in den Adern gehabt: unmittelbar nach einer Transfusion. Er ist einen halben Kopf kleiner als ich, Vater. Soll ich mich etwa mit einem Pygmäen in der Öffentlichkeit zeigen?«

»Er ist ein einflußreicher Mann. Sehr einflußreich!«

»Dadurch wird er keinen Zentimeter größer. Er hat krumme Beine wie alle Tyrannen, und außerdem riecht er aus dem Mund.«

»Er riecht aus dem Mund?«

Artemisia rümpfte die Nase. »Ganz recht. Sein Atem stinkt. Ich fand's abscheulich und habe es ihm auch gesagt.«

Henrik starrte sie sekundenlang sprachlos an, dann sagte er mit rauher, ersterbender Stimme: »Das hast du ihm gesagt? Du hast behauptet, ein hoher Beamter des Königlichen Hofes von Tyrann habe ein unangenehmes körperliches Merkmal?«

»Natürlich! Ich habe ja eine Nase, nicht wahr? Als er zudringlich werden wollte, habe ich sie einfach zugehalten und ihm einen Stoß versetzt. Ein bewundernswertes Mannsbild, kann ich dir sagen! Er fiel glatt auf den Rücken und strampelte mit den Beinen.« Ihre Darstellung der Szene machte jedoch auf Henrik nicht den gewünschten Eindruck. Dieser verbarg nur stöhnend sein Gesicht in den Händen.

Nach einer langen Pause fragte er niedergeschlagen: »Weißt du überhaupt, was du damit angerichtet hast?«

»Allerdings. Leider. Es schlägt dem Faß den Boden aus, seine Antwort meine ich. Damit hat es sich für mich endgültig entschieden, daß ich ihn nicht ausstehen kann, und wäre er ein Adonis.«

»Was – was hat er denn gesagt?«

»Es hätte aus dem kitschigsten Bildroman sein können, Vater: ›Ha! Verteufeltes Frauenzimmer! Gefällt mir immer besser!‹ Dann ließ er sich von zwei Dienern wieder auf die Beine helfen. Aber er hat es nicht noch einmal gewagt, mir ins Gesicht zu atmen.«

Henrik ließ sich in einen Sessel fallen und betrachtete Artemisia mit ernstem Gesicht. »Warum solltest du ihn nicht heiraten können? Es wäre doch nur eine Formsache. Bloß aus politischen Erwägungen ...«

»Was meinst du mit einer Formsache, Vater? Soll ich drei Finger der linken Hand einbiegen, während ich mit der rechten den Ehekontrakt unterzeichne?«

Henrik blickte seine Tochter verwirrt an. »Natürlich nicht. Was könnte das nützen? Das Einbiegen von Fingern ändert nichts an der Gültigkeit eines Kontraktes. Ich hätte dich nicht für so töricht gehalten, Arta.«

Artemisia seufzte. »Wie hast du es denn gemeint?«

»Was? Du hast mich ganz durcheinandergebracht. Ich kann mich einfach nicht konzentrieren, wenn du dich dauernd mit mir streitest. Wo waren wir stehengeblieben?«

»Bei meiner Verheiratung oder so etwas Ähnlichem, wenn du dich zu erinnern beliebst.«

»Richtig. Ich wollte nur sagen, daß du die ganze Angelegenheit nicht allzu ernst zu nehmen brauchst. Verstehst du?«

»Ich kann mir also Liebhaber halten?«

Empört richtete sich Henrik auf. »Arta! Deine Mutter und ich haben dich zu einem zurückhaltenden, anständigen Mädchen zu erziehen versucht. Wie kannst du so etwas sagen? Es ist eine Schande.«

»Aber genau das hast du doch gemeint?«

»Das ist etwas ganz anderes. Ich bin ein erwachsener Mann. Ein Mädchen wie du darf so etwas einfach nicht aussprechen.«

»Schön. Ich hab's aber gesagt, und damit basta. Gegen Liebhaber habe ich auch gar nichts einzuwenden. Wahrscheinlich wird mir nichts anderes übrigbleiben, wenn ich aus Staatsraison heiraten muß. Aber es gibt gewisse Grenzen.« Sie machte eine wegwerfende Handbewegung, wobei die weiten Ärmel ihres Gewandes zurückglitten und ihre wohlgeformten, gebräunten Schultern freigaben. »Wenn ich ihn zum Mann nähme, nützten mir die besten Liebhaber nichts. Der Gedanke allein ist mir unerträglich.«

»Er ist schon alt, Kind. Du brauchtest nicht lange mit ihm zu leben.«

»Besten Dank, jeder Augenblick wäre eine Ewigkeit. Vor fünf Minuten hatte er übrigens noch junges Blut. Stimmt's?«

Henrik breitete verzweifelt die Arme aus und ließ sie wieder fallen. »Arta, der Mann ist Tyrann und mächtig obendrein. Er steht am Hofe des Khans in hoher Gunst.«

»Mag sein. Wahrscheinlich stinkt der Khan auch.«

Henriks Munde entrang sich ein Schreckenslaut. Mechanisch blickte sich der Direktor um. Dann sagte er mit vor Aufregung heiserer Stimme: »Nie wieder will ich so etwas von dir hören.«

»Wenn's aber wahr ist! Außerdem hat der Mann schon drei Frauen gehabt.« Ehe er etwas einwenden konnte, fuhr sie fort: »Nicht der Khan, sondern der Ehekandidat.«

»Die sind doch tot.« Henrik zwang sich zu einem ruhigen Ton. »Sie leben nicht mehr, Arta. Bestimmt. Glaubst du vielleicht, ich ließe meine Tochter einen Bigamisten heiraten? Er wird die Dokumente vorweisen müssen. Er hat die Frauen nacheinander, nicht gleichzeitig geheiratet, und sie sind tot, mausetot, alle!«

»Kein Wunder.«

»Hilf, Himmel, was soll ich bloß machen?« Mit einem letzten Versuch, seine Würde zu wahren, sagte er: »Arta, es ist der Preis dafür, daß du eine Henrici und die Tochter eines Direktors bist.«

»Ich habe mir dieses Los nicht ausgesucht.«

»Danach geht es nicht. Die Geschichte der ganzen Galaxis, Arta, beweist, daß es Fälle gibt, da die Staatsraison, die Sicherheit eines Planeten, die wohlverstandenen Interessen des Volkes es notwendig machen, daß – hm – ...«

»Daß ein armes Mädchen sich prostituiert.«

»Pfui, wie ordinär! Du wirst noch eines Tages in aller Öffentlichkeit so vulgär daherreden.«

»Ich nenne die Dinge nur beim richtigen Namen. Und ich tu's nicht, Vater! Nie und nimmer. Lieber würde ich sterben. Oder sonst was anstellen. Verlaß dich darauf.«

Mit ausgebreiteten Armen sprang der Direktor auf. Kein Wort kam über seine zitternden Lippen. In einem plötzlichen Verzweiflungsausbruch warf sie sich an seine Brust und umklammerte mit beiden Armen seinen Hals. »Ich kann nicht, Väterchen. Ich kann nicht. Bitte zwinge mich nicht.«

Er streichelte sie ungeschickt. »Aber was wird geschehen, wenn du dich weigerst? Wenn wir die Tyrannen erzürnen, dann setzen sie mich vielleicht ab, sperren mich ins Gefängnis, oder es kommt gar zur Hinricht ...« Er wagte das Wort nicht zu vollenden. »Wir leben in einer schlechten Zeit. Vergangene Woche wurde der Rancher von Widemos verurteilt. Wahrscheinlich ist er schon hingerichtet worden. Erinnerst du dich seiner? Vor einem halben Jahr war er hier. Ein großer Mann mit einem Rundschädel und tiefliegenden Augen. Du hast dich anfangs vor ihm gefürchtet.«

»Ich entsinne mich.«

»Vermutlich ist er tot! Wer weiß? Vielleicht bin ich der nächste. Dein armer, harmloser alter Vater. Eine böse Zeit. Widemos war hier. Das macht verdächtig.«

Sie musterte ihn scharf. »Warum sollten wir verdächtig sein? Du hattest doch nichts mit ihm zu tun? Oder?«

»Ich? Bestimmt nicht. Aber wenn wir den Khan von Tyrann

öffentlich beleidigen, indem wir eine Heirat mit einem seiner Günstlinge ablehnen, kommt man auf die unmöglichsten Gedanken.«

Henriks Gewissensbisse wurden durch ein diskretes Summen des Hausvisiophons unterbrochen. Unschlüssig erhob er sich.

»Ich spreche von meinem Zimmer aus. Ruhe du dich ein wenig aus. Danach wird dir wohler sein, glaube mir. Du bist augenblicklich ein bißchen nervös.«

Stirnrunzelnd blickte ihm Artemisia nach. Sie war so in Nachdenken versunken, daß nur noch das sanfte Heben und Senken ihrer Brust sie von einer Statue unterschied.

Beim Klang eiliger Schritte wandte sie sich um.

»Was gibt's?« Die Frage kam schärfer als beabsichtigt. Henriks Gesicht war schreckensbleich. »Major Andros hat angerufen.«

»Militärpolizei?«

Henrik brachte nur ein stummes Kopfnicken zustande.

»Er kann doch nicht . . .«, rief Artemisia. Sie brachte es nicht fertig, den schrecklichen Gedanken in Worte zu kleiden. Vergeblich wartete sie, daß Henrik sich beruhigte.

»Da ist ein junger Mann, der eine Audienz wünscht. Ich kenne ihn nicht. Was kann er vorhaben? Er kommt von der Erde.« Henrik mußte nach Luft schnappen. Nur stoßweise entrangen sich die Worte seinem Munde, in seinem Kopf schien sich alles zu drehen.

Das Mädchen lief zu ihm hin, packte seinen Arm und sagte scharf: »Setz dich, Vater. Jetzt erzähle mir einmal genau und vernünftig, was sich ereignet hat.« Sie schüttelte ihn, bis er ein wenig zur Besinnung kam.

»Ich weiß nichts Bestimmtes«, flüsterte er schließlich. »Ein junger Mann ist da, der Einzelheiten über eine Verschwörung gegen mich kennen will. Man hat es auf mein Leben abgesehen. Und ich soll ihn anhören.« Er lächelte töricht. »Ich bin beim Volk beliebt. Niemand will mich umbringen. Nicht wahr? Oder doch?«

Er ließ seine Tochter nicht aus den Augen und wurde erst etwas ruhiger, als sie sagte: »Natürlich will dich niemand umbringen.«

Gleich darauf nahm sein Gesicht wieder einen gespannten Ausdruck an. »Meinst du, daß sie es sein könnten?«

»Wer?«

Er beugte sich dicht an ihr Ohr und flüsterte: »Die Tyrannen. Der Rancher von Widemos war gestern hier. Sie haben ihn hingerichtet.« Seine Stimme schwoll plötzlich an und überschlug sich beinahe: »Vielleicht schicken sie jetzt jemanden, um mich zu töten.«

Artemisia packte ihn so heftig bei den Schultern, daß er vor Schmerz aufstöhnte.

»Vater!« fuhr sie ihn an. »Sitz endlich still! Kein Wort weiter. Hör zu! Niemand trachtet dir nach dem Leben. Verstanden? Niemand. Der Rancher war vor einem halben Jahr hier. Erinnerst du dich? Vor einem halben Jahr, nicht wahr? Denke gefälligst nach!«

»Ist das schon so lange her?« murmelte der Direktor. »Ja, gewiß, es kann stimmen.«

»Du bleibst jetzt hier und ruhst dich aus. Du bist völlig mit den Nerven herunter. Ich werde den jungen Mann empfangen, und wenn die ganze Sache harmlos ist, führe ich ihn zu dir.«

»Willst du das wirklich tun, Arta? Ein guter Gedanke. Einer Frau wird er nicht zu nahe treten. Einer Frau bestimmt nicht.«

Sie beugte sich zu ihm hinunter und küßte ihn auf die Wange.

»Sei vorsichtig«, murmelte er und schloß müde die Augen.

## ... das eine Krone trägt!

Biron Farrill wartete ungeduldig in einem der Nebengebäude des Palastes. Zum erstenmal in seinem Leben hatte er das Gefühl, ein Provinzler zu sein.

Er hatte das Gutshaus von Widemos, wo er aufgewachsen war, bisher immer für schön gehalten, doch jetzt kam es ihm im höchsten Maße kitschig vor mit seinen Verzierungen, schmiedeeisernen Gittern, vielen Türmchen und Blindfenstern. Allein der Gedanke daran ließ ihn erröten.

Hier war alles so ganz anders.

Der Palast von Rhodia war nicht die protzige Schaustellung des Reichtums eines viehzüchtenden Großgrundbesitzers und noch viel weniger die kindische Nachahmung der Ausdrucksformen einer untergegangenen oder sterbenden Welt. Hier hatte sich die Dynastie der Henrici ein architektonisches Denkmal gesetzt.

Die Gebäude strahlten Ruhe und Stärke aus. Ihre Linien waren klar und einfach und vermieden jegliche Effekthascherei. Sie drückten Stolz, Zurückhaltung und Würde aus.

Die Wirkung jedes einzelnen Hauses übertrug sich auf die ganze Gruppe, deren Höhepunkt der Zentralpalast bildete. Hier gab es keinerlei kitschigen Zierat, keine der anderwärts so beliebten Blindfenster, die in einer Welt künstlicher Beleuchtung und Ventilation so absolut überflüssig waren. Nur Linie und Fläche waren vorhanden, eine geometrische Abstraktion, die das Auge zum Himmel lenkte.

Der tyrannische Major trat dicht an ihn heran und sagte: »Man wird Sie gleich empfangen.«

Biron nickte. Nach einer Weile schlug ein Hüne in einer scharlachroten und gelben Uniform die Hacken vor ihm zusammen. Biron kam es mit einemmal zum Bewußtsein, daß die eigentlichen Machthaber auf allen Prunk verzichteten und sich mit schlichtem Blaugrau begnügten. Bei dem Gedanken an das nutzlose Gepränge eines Rancherhaushaltes preßte er in hilflosem Zorn die Lippen zusammen.

»Biron Malaine?« fragte der Palastwächter, und Biron erhob sich, um ihm zu folgen.

Draußen wartete ein kleiner schimmernder Einschienenwagen, der, von diamagnetischen Kräften gehalten, an einer rötlichen Metallschiene hing. Ein derartiges Fahrzeug hatte Biron noch nie gesehen. Unwillkürlich zögerte er, einzusteigen.

Der Wagen, der fünf bis sechs Personen aufnehmen konnte, schwankte graziös wie ein Blatt im Wind: tautropfengleich spiegelte er den strahlenden Glanz der Sonne Rhodias wider. Die Schiene war schmal, kaum mehr als ein Kabel. Der Boden des Wagens wurde von ihr nicht berührt. Biron sah deutlich den blauen Himmel zwischen Schiene und Wagen. Er hatte den Eindruck, als wolle sich der Wagen in die Luft schwingen, ungeachtet des Kraftfeldes, das ihn hielt. Im nächsten Augenblick flatterte er auf die Schiene zurück, kam ihr näher und näher, jedoch ohne sie zu berühren.

»Steigen Sie ein«, forderte der Wächter Biron ungeduldig auf, so daß diesem nichts anderes übrigblieb, als die zwei Stufen zum Wagen hinaufzusteigen.

Sowie ihm der Wächter gefolgt war, verschwanden die Stufen geräuschlos, ohne an der glatten Wand des Wagens eine Spur zu hinterlassen. Jetzt erst merkte Biron, daß der Wagen gar nicht undurchsichtig war, wie es von außen den Anschein gehabt hatte, es war vielmehr ein durchsichtiges Plastikgehäuse. Nach einem Druck auf einen winzigen Knopf schwebte der Wagen empor. Die Atmosphäre unter sich lassend, kletterte er mühelos in die Höhe. Das Panorama des Palastgeländes lag zu Birons Füßen ausgebreitet. Die einzelnen Gebäude vereinigten sich zu einer großartigen Gruppe, als wären sie nur für eine Luftansicht geschaffen. Die schimmernden Kupferdrähte, an denen die schnittigen Wagen entlanghuschten, gaben dem Bild einen gelungenen Rahmen.

Plötzlich spürte Biron einen sanften Ruck, und der Wagen hielt, noch immer leicht schaukelnd. Die ganze Fahrt hatte weniger als zwei Minuten gedauert.

Biron betrat einen kahlen kleinen Raum. Im Augenblick war niemand da, der ihn herumkommandierte, aber Biron fühlte sich trotzdem nicht erleichtert. Er gab sich keinerlei Illusionen hin. Seit jener verdammten Nacht war er nur ein Werkzeug in den Händen anderer gewesen.

Jonti hatte ihm den Schiffsplatz besorgt. Der tyrannische Kommissar hatte ihn hierhergeschickt. Jede neue Maßnahme hatte dazu beigetragen, Birons Verzweiflung zu vergrößern.

Es war Biron klar, daß er den Tyrannen nicht hatte hinters Licht führen können. Dazu war alles zu glatt gegangen. Der Kommissar hätte sich erst einmal mit dem Konsul der Erde in Verbindung setzen müssen, er hätte auch ein Raumkabel direkt bis zur Erde schicken können, statt dessen hatte er nicht einmal die routinemäßigen Auskünfte eingezogen. Das konnte kein Zufall sein.

Jontis Darstellung der Situation war sicherlich richtig. Die Tyrannen würden ihn, Biron, nicht widerrechtlich hinrichten lassen, sie wollten keine neuen Märtyrer schaffen. Aber Henrik, ihre Marionette, konnte ebensogut eine Exekution anordnen. Dann blieben die Tyrannen in der Rolle der unbeteiligten Zuschauer.

Biron ballte die Fäuste. Was nützte es ihm, daß er groß und stark war, er hatte keine Waffe. Die Männer, die ihn holen kamen, würden Sprengpistolen und neuronische Peitschen haben. Unwillkürlich stellte er sich mit dem Rücken zur Wand.

Blitzschnell wandte er sich um, als zu seiner Linken leise eine Tür aufging. Ein bewaffneter, uniformierter Mann kam herein, von einem Mädchen begleitet. Biron atmete auf. Nur ein Mädchen. Bei anderer Gelegenheit hätte er dieses Mädchen bestimmt näher in Augenschein genommen. Denn sie war einer beifälligen Musterung wert. Im Moment war sie jedoch nichts weiter als ein Mädchen schlechthin. Den Blick unverwandt auf die Sprengpistole gerichtet, ging Biron den beiden entgegen. In ungefähr zwei Metern Entfernung blieb er stehen.

»Ich werde zunächst mit ihm sprechen, Leutnant«, erklärte das Mädchen dem Wächter.

Mit einer kleinen senkrechten Falte zwischen den Augenbrauen wandte sie sich an Biron: »Sie sind also der Mann, der uns die Geschichte von einer Verschwörung gegen den Direktor auftischen will?«

»Ich habe um eine Audienz mit dem Direktor gebeten.«

»Das ist unmöglich. Was Sie zu sagen haben, können Sie auch mir erzählen. Sollten sich Ihre Informationen als wahr erweisen und für uns nützlich sein, so haben Sie nichts zu befürchten.«

»Darf ich fragen, wer Sie sind? Haben Sie überhaupt das Recht, für den Direktor zu sprechen?«

Birons Frage schien das Mädchen zu ärgern. »Ich bin die Tochter des Direktors«, sagte sie hochmütig. »Beantworten Sie gefälligst meine Fragen. Sie kommen von irgendwoher außerhalb unseres Systems?«

»Von der Erde«, gab Biron knapp Auskunft. Nach kurzem Zögern fügte er hinzu: »Eure Hoheit.«

Die Anrede gefiel ihr sichtlich. »Wo ist das?«

»Die Erde ist ein kleiner Planet im Gebiet des Sirius, Hoheit.«

»Wie heißen Sie?«

»Biron Malaine, Hoheit.«

Nachdenklich musterte sie ihn. »Von der Erde? Können Sie ein Raumschiff steuern?«

Beinahe hätte Biron gelächelt. Sie wollte ihn auf die Probe stellen. Natürlich wußte sie, daß die Raumschiffahrt in den von den Tyrannen beherrschten Welten zu den verbotenen Wissenschaften gehörte. »Ja, Hoheit.« Er wollte es ihnen schon beweisen, vorausgesetzt, sie ließen ihn so lange leben. Auf der Erde war Raumschiffahrt kein Tabu, und in vier Jahren konnte man eine ganze Menge lernen.

»Ausgezeichnet«, unterbrach sie seine Gedanken. »Und Ihre Geschichte?« Im gleichen Moment war sein Entschluß gefaßt. Dem Wächter hätte er sich niemals anzuvertrauen gewagt. Aber sie war ein Mädchen, und wenn sie nicht log, wenn sie wirklich die Tochter des Direktors war, konnte er sie vielleicht zur Bundesgenossin gewinnen.

»Es gibt gar keine Verschwörung, Hoheit.«

Erschrocken wich das Mädchen zurück. »Verhören Sie ihn weiter, Leutnant«, wandte sie sich aufgebracht an den Wächter. »Und zwar so lange, bis er die Wahrheit sagt.«

Biron trat einen Schritt näher, obwohl der kalte Lauf der Sprengpistole drohend auf ihn gerichtet war. Beschwörend sagte er: »Warten Sie, Hoheit! Hören Sie mich an. Es war nur ein Vorwand, die einzige Möglichkeit für mich, den Direktor sprechen zu können. Begreifen Sie das nicht?«

Mit erhobener Stimme rief er der davoneilenden Gestalt nach: »Wollen Sie wenigstens Seiner Exzellenz mitteilen, daß ich Biron Farrill bin und auf dem mir zustehenden Asylrecht bestehe?«

Es war ein Strohhalm, an den er sich klammerte. Die feudalen Gepflogenheiten hatten schon seit Generationen, noch ehe die Tyrannen kamen, an Macht und Einfluß verloren. Sie galten längst als überaltert. Aber ihm blieb keine andere Wahl. Absolut nicht.

Mit hochgezogenen Augenbrauen drehte sie sich um. »Wollen Sie auf einmal behaupten, der Aristokratie anzugehören? Noch vor einer Minute hießen Sie Malaine.«

Völlig unerwartet hinderte eine fremde Stimme sie am Weitersprechen. »Das stimmt schon, aber der letzte Name ist richtig. Sie sind tatsächlich Biron Farrill, junger Freund. Zweifellos. Die Ähnlichkeit ist unverkennbar.«

Im Türrahmen stand lächelnd ein kleiner Mann. Seine funkelnden, weitgeöffneten Augen musterten Biron mit scharfem, belustigtem Blick. »Ist dir das nicht auch aufgefallen, Artemisia?«

Bekümmert eilte Artemisia auf ihn zu. »Onkel Gil, was hast du hier zu suchen?«

»Ich nehme nur meine Interessen wahr, Artemisia. Du darfst nicht vergessen, daß ich der nächste in der Thronfolge wäre, wenn wirklich ein Attentat stattfände.«

Mit einer wirkungsvollen Handbewegung ersuchte Gillbret von Henrici seine Nichte: »Schicke den Leutnant weg. Wir brauchen ihn nicht. Von einer Gefahr kann keine Rede sein.«

Ohne seine Worte zu beachten, fragte sie: »Hast du wieder mal die Hausleitung abgehört?«

»Natürlich. Willst du mich eines Vergnügens berauben? Es macht Spaß, ihnen zu lauschen.«

»Und wenn sie dich dabei erwischen?«

»Gefahren muß man in Kauf nehmen, meine Liebe. Sie erhöhen das Vergnügen. Die Tyrannen hören ja auch den Palast ab. Es dürfte kaum etwas geben, was ihnen verborgen bleibt. Du siehst, ich revanchiere mich nur. Möchtest du mich nicht vorstellen?«

»Nein«, erwiderte sie kurz. »Die ganze Angelegenheit geht dich nichts an.«

»Dann werde ich die Vorstellung selbst übernehmen. Als ich seinen Namen hörte, habe ich das Lauschen aufgegeben und bin hergekommen.« Er ließ Artemisia stehen, trat auf Biron zu, betrachtete ihn mit einem undurchdringlichen Lächeln und sagte: »Sie sind Biron Farrill.«

»Ich erwähnte es bereits«, entgegnete Biron. Seine Aufmerksamkeit wurde noch immer hauptsächlich von dem Leutnant in Anspruch genommen, der die Sprengpistole nach wie vor schußbereit auf Biron gerichtet hielt.

»Sie haben aber nicht hinzugefügt, daß Sie der Sohn des Ranchers von Widemos sind.«

»Hätten Sie mich nicht unterbrochen, wäre es bereits geschehen. Auf jeden Fall wissen Sie nun, was los ist. Ich mußte den Tyrannen entkommen, und das war nur möglich, wenn ich ihnen meinen wahren Namen verschwieg.« Biron machte eine Pause. Er spürte, daß dies der entscheidende Moment war.

Wenn er nicht in der nächsten Sekunde verhaftet wurde, bestand noch ein klein wenig Hoffnung für ihn. »Es ist wohl tatsächlich am besten, wenn Sie mit dem Direktor sprechen«, entschied Artemisia. »Sie sind auf jeden Fall sicher, daß keinerlei Verschwörung existiert?«

»Völlig sicher, Hoheit.«

»Gut. Onkel Gil, willst du Herrn Farrill Gesellschaft leisten? Leutnant, Sie begleiten mich, bitte.«

Biron hatte das Bedürfnis, sich zu setzen. Seine Knie zitterten. Aber Gillbret dachte nicht daran, ihm einen Platz anzubieten. Er beobachtete Biron noch immer mit nahezu klinischem Interesse.

»Der Sohn des Ranchers! Amüsant!«

Biron hatte keine Lust mehr, Gegenstand dieser mikroskopischen Untersuchung zu sein. Ziemlich kurz angebunden erklärte er: »Ja, ich bin der Sohn des Ranchers. Sozusagen ein Geburtsfehler von mir. Kann ich Ihnen sonst noch irgendwie behilflich sein?«

Gillbret zeigte sich nicht im geringsten beleidigt. Das Lächeln auf seinem schmalen, faltigen Gesicht vertiefte sich. »Sie könnten meine Neugier befriedigen«, meinte er. »Wollen Sie wirklich um Asyl nachsuchen? Hier?«

»Das möchte ich lieber mit dem Direktor besprechen.«

»Nur nicht hochnäsig werden, junger Mann. Sie werden bald merken, daß mit dem Direktor nicht viel anzufangen ist. Warum, glauben Sie wohl, hat er Ihnen zunächst seine Tochter geschickt? Amüsant, wenn Sie's recht überlegen, nicht wahr?«

»Sie finden wohl alles amüsant?«

»Warum nicht? Es ist die einzige mögliche Haltung dem Leben gegenüber. Das einzig passende Adjektiv. Sehen Sie sich doch das Universum an, junger Mann. Wenn Sie es nicht von der amüsanten Seite nehmen, bleibt Ihnen nichts anderes übrig, als sich die Kehle durchzuschneiden. Denn viel Gutes ist an der Sache nicht dran. Nebenbei bemerkt, ich habe mich noch gar nicht vorgestellt: Ich bin der Vetter des Direktors.«

»Herzlichen Glückwunsch!« sagte Biron kühl.

Gillbret zuckte die Achseln. »Sie haben recht. Es ist nichts Besonderes. Und an meiner Stellung dürfte sich auch bis auf weiteres nichts ändern, nachdem gar kein Komplott geplant ist.«

»Es sei denn, Sie zetteln selbst eins an.«

»Sie sind sehr witzig, mein lieber Herr! Sie werden sich noch an die Tatsache gewöhnen müssen, daß mich niemand ernst nimmt. Meine Bemerkung war purer Zynismus. Außerdem glauben Sie doch wohl nicht, daß ein Direktorium heutzutage auch nur einen Pfifferling wert ist? Henrik war nicht immer so. Zwar war er niemals eine Geistesleuchte, aber in den letzten Jahren ist es immer schlimmer mit ihm geworden, geradezu unmöglich! Ach, Sie kennen ihn ja noch gar nicht. Das Vergnügen werden Sie gleich haben. Ich höre ihn kommen. Bedenken Sie bitte, daß es der Herrscher des größten transnebularen Königreiches ist! Ein amüsanter Gedanke!«

Henrik trug seine Würde mit der Leichtigkeit langer Erfahrung zur Schau. Birons übertrieben zeremonielle Verbeugung nahm er mit gemessener Herablassung zur Kenntnis. Ein wenig barsch fragte er: »Was führt Sie zu uns, mein Herr?«

Jetzt erst bemerkte Biron zu seiner Überraschung, daß Artemisia, die neben ihrem Vater stand, ein sehr hübsches Mädchen war. »Euer Exzellenz«, sagte er, »ich bin gekommen, weil ich den guten Namen meines Vaters nicht in den Schmutz ziehen lassen will. Sie wissen ganz genau, daß seine Hinrichtung ein Unrecht war.«

Henrik vermied es, Biron anzusehen. »Ich habe Ihren Vater nur flüchtig gekannt. Er ist nur ein- oder zweimal in Rhodia gewesen.« Er machte eine Pause. Als er weitersprach, zitterte seine Stimme fast unmerklich. »Sie sehen ihm sehr ähnlich. Ganz außerordentlich ähnlich. Er ist nach Recht und Gesetz verurteilt worden. Ich nehme es wenigstens an. Einzelheiten sind mir nicht bekannt.«

»Gerade auf diese Einzelheiten kommt es mir aber an, Exzellenz. Ich bin davon überzeugt, daß mein Vater kein Verräter war.«

»Es ist verständlich«, unterbrach ihn Henrik hastig, »daß Sie Ihren Vater verteidigen. Aber eine so diffizile Angelegenheit sollten Sie mit Aratap besprechen. Warum gehen Sie nicht zu ihm?«

»Ich kenne ihn nicht, Exzellenz.«

»Aratap ist der Kommissar, der tyrannische Statthalter.«

»Dort bin ich schon gewesen. Er hat mich ja hierhergeschickt. Sie werden verstehen, daß ich einen Tyrannen . . .«

»Aratap hat Sie hergeschickt, sagen Sie?« Henrik konnte nur mühsam das Zittern seiner Lippen verbergen.

»Ich hielt es für notwendig, ihm mitzuteilen . . .«

»Sie brauchen es nicht zu wiederholen. Ich kann mir denken, was Sie ihm gesagt haben. Leider kann ich nichts für Sie tun, Rancher – hm – Herr Farrill. Die Jurisdiktion obliegt nicht mir allein. Der Exekutivausschuß – was ziehst du mich denn dauernd am Ärmel, Arta? Du machst mich ganz nervös! – muß zunächst einmal über den Fall beraten. Gillbret, bitte kümmere dich um Herrn Farrill. Ich will sehen, was sich machen läßt. Wie gesagt, ich werde den Exekutivausschuß zu Rate ziehen. Alles muß seine Ordnung haben. Das ist sehr wichtig. Äußerst wichtig.«

Gedankenverloren vor sich hinmurmelnd, wandte sich Henrik zum Gehen. Artemisia zupfte Biron nach kurzem Zögern am Ärmel. »Ist es wahr, daß Sie ein Raumschiff steuern können?«

»Wahr und wahrhaftig wahr«, erwiderte Biron lächelnd, worauf sie ihm gnädig ihre Grübchen zeigte.

»Gillbret, ich muß dich nachher noch sprechen«, flüsterte sie ihrem Onkel zu und huschte davon. Biron starrte ihr nach, bis Gillbret ihn in die Wirklichkeit zurückrief.

»Sie werden Hunger und Durst haben, und sicherlich wollen Sie sich auch waschen. Ohne diese kleinen Annehmlichkeiten des Lebens kommt man nun einmal nicht aus, nicht wahr?«

»Danke«, sagte Biron zerstreut. Ihm war plötzlich frei und leicht zumute. Sie war hübsch. Sehr hübsch.

Henrik fühlte sich alles andere als erleichtert. In seinen Privatgemächern angelangt, wanderte er unruhig hin und her. Sein Hirn arbeitete fieberhaft. Es gab nur eine Schlußfolgerung: Man hatte ihm eine Falle gestellt. Aratap hatte den jungen Mann zu ihm gesandt, um ihn, Henrik, auf die Probe zu stellen.

Er vergrub den Kopf in beiden Händen, um das Hämmern seines Blutes zu beruhigen. Ihm blieb keine Wahl. Nur ein einziger Ausweg war möglich.

## Ein seltsamer Musikant

Auf allen bewohnbaren Planeten wechseln Tag und Nacht einander ab. Natürlich sind die Zeiten, der Rotation entsprechend, sehr verschieden. Die Differenz liegt zwischen fünfzehn und zweiundfünfzig Stunden, was für diejenigen, die von einem Planeten zum anderen reisen, eine große psychologische Belastung bedeutet. Denn die jeweilige Umstellung und Anpassung ist nicht leicht.

Auf vielen Planeten hilft man sich dadurch, daß man die Wach- und Schlafperioden entsprechend angleicht. In den meisten Fällen allerdings ist das Tag-Nacht-Problem durch die allgemeine Verwendung künstlicher Beleuchtung und Lüftung von untergeordneter Bedeutung, sofern die Landwirtschaft nicht davon beeinträchtigt wird.

Auf einigen abgelegenen Planeten hat man eine ganz willkürliche Zeiteinteilung getroffen, die von so primitiven Naturereignissen wie Licht und Dunkelheit keine Notiz nimmt.

Mögen die sozialen Gepflogenheiten jedoch sein, wie sie wollen. Der Einbruch der Nacht übt immer einen tiefen und nachhaltigen psychologischen Einfluß aus, der wohl auf jene prähistorische Zeit zurückzuführen ist, da die Menschheit noch unter Bäumen lebte. In der Nacht fühlt sich der Mensch ängstlich und unsicher. Mit der untergehenden Sonne sinkt auch der Lebensmut.

Im Palast gab es keinerlei Anzeichen dafür, daß es Nacht geworden war. Dennoch fühlte es Biron instinktiv. Er wußte, daß draußen eine Dunkelheit herrschte, die vom Funkeln der Sterne kaum durchbrochen werden konnte. Er war nicht sicher, ob jetzt schon die Jahreszeit für den ›Pferdekopf-Nebel‹ war, jenes merkwürdige ›Loch im All‹, das alle Bewohner der transnebularen Königreiche so gut kannten, weil es die meisten der sonst sichtbaren Sterne verdeckte.

Biron fühlte die alte Niedergeschlagenheit wieder in sich aufsteigen.

Seit seiner kurzen Unterredung mit dem Direktor hatte er Artemisia nicht wiedergesehen. Überrascht stellte er fest, daß er darüber verstimmt war. Er hatte sich auf eine Unterhaltung mit ihr beim Abendessen gefreut. Statt dessen mußte er seine Mahlzeit allein einnehmen, bewacht von zwei Gardisten, die übellaunig vor der Tür herumlümmelten. Nicht einmal Gillbret hatte ihm Gesellschaft geleistet. Wahrscheinlich hatte der Vetter des Direktors an einer anderen Tafelrunde teilgenommen, die so vergnüglich war, wie man sie am Hofe der Henrici erwarten konnte.

Birons Stimmung besserte sich merklich, als Gillbret mit der Mitteilung zurückkehrte: »Artemisia und ich haben die ganze Zeit von Ihnen gesprochen.«

Amüsiert nahm er Birons Nervosität zur Kenntnis und fuhr fort: »Zunächst möchte ich Ihnen mein Laboratorium zeigen.« Auf seinen Wink verschwanden die beiden Wächter.

Birons Frage »Was für ein Laboratorium?« war deutlich der Mangel an Interesse anzuhören.

»Ich bastele kleine Spielereien«, erwiderte Gillbret ausweichend.

Auf den ersten Blick machte der Raum durchaus nicht den Eindruck eines Laboratoriums. Er glich vielmehr einer Bibliothek. In einer Ecke stand ein zierlicher Schreibtisch.

»Was basteln Sie denn hier?« fragte Biron, nachdem er den Raum eingehend gemustert hatte.

»Vorwiegend Abhörgeräte, und zwar etwas ganz Neuartiges. Ich kann damit die Spitzel-Strahlen der Tyrannen auffangen, ohne daß diese Herrschaften es merken. Dadurch wußte ich auch über Sie Bescheid. Ich habe aber auch noch andere amüsante Schätze. Mein Visisonor zum Beispiel ist eine echte Perle. Mögen Sie Musik?«

»Manchmal.«

»Gut. Ich habe ein Instrument erfunden. Allerdings bin ich mir nicht ganz klar, ob man das, was es hervorbringt, noch als Musik bezeichnen kann.«

Gillbret bediente einen versteckten Mechanismus, worauf ein Bücherbord geräuschlos zur Seite glitt. »Kein besonders originelles Versteck, aber da mich niemand ernst nimmt, habe ich auch keine großen Vorsichtsmaßnahmen nötig. Amüsant, wie? Verzeihung, ich vergaß, daß Sie die Dinge nicht von der amüsanten Seite zu betrachten pflegen.«

Was zum Vorschein kam, war eine Art Kasten, typische Bastelarbeit. Auf Formschönheit hatte der Erfinder keinen

Wert gelegt. An einer Seite des Apparates befanden sich kleine, schimmernde Knöpfe.

»Hübsch, nicht wahr?« fragte Gillbret. »Aber wer hat schon Interesse für so was! Machen Sie das Licht aus. Nein, nein! Ohne Schalter und Steckkontakt. Wünschen Sie sich lediglich, das Licht solle ausgehen. Wünschen Sie es ganz intensiv. Bestehen Sie darauf.«

Und wirklich, alle Lampen wurden dunkel. Nur der Kronleuchter an der Decke strahlte noch einen schwachen Perlmuttschimmer aus, der die beiden Gesichter geisterhaft beleuchtete. Gillbret lachte über Birons Erstaunen.

»Das ist nur einer der Tricks meines Visisonors. Er arbeitet sozusagen telepathisch. Verstehen Sie, was ich meine?«

»Offen gestanden, nein.«

»Na schön, dann will ich versuchen, es Ihnen zu erklären. Das Kraftfeld in Ihren Hirnzellen löst eine entsprechende Reaktion in dem Instrument aus. Mathematisch ist das Problem ziemlich einfach zu lösen, aber bisher ist es meines Wissens noch niemandem außer mir gelungen, alle erforderlichen Stromkreise in einem so kleinen Apparat unterzubringen. Eigentlich benötigt man dazu eine Generatorenanlage von mindestens fünf Stockwerken. Mit meiner Erfindung kann ich auch umgekehrt arbeiten. Ich vermag also Stromstöße direkt auf Ihr Hirn zu übertragen, so daß Sie ohne Zuhilfenahme der Augen und Ohren sehen und hören können. Passen Sie einmal auf!«

Zunächst gab es nichts aufzupassen. Doch plötzlich verspürte Biron ein undefinierbares Kribbeln in den Augenwinkeln. Ein blauvioletter Ball schwebte in der Luft. Wohin Biron den Blick auch wenden mochte, der Ball blieb sichtbar. Er verschwand auch nicht, als Biron die Augen schloß. Ein klarer Musikton begleitete den Ball, war ein Teil davon, war der Ball selbst.

Der Ton schwoll an, breitete sich aus, und Biron mußte verwundert feststellen, daß dies alles in seinem Kopf vorging. Es war weder Farbe noch Ton, sondern beides, aber völlig geräuschlos. Er fühlte es.

Der Ball wurde größer, sein Schillern bunter, während der Ton an Höhe zunahm, bis er Biron seidenweich umhüllte. Plötzlich platzte der Ball. Ganze Strahlengarben kamen brennend auf Biron zugeschossen, ohne ihn im geringsten zu verletzen. Ein regenfeuchtes Grün, begleitet von einem leisen, sanften

Klagelaut, folgte als nächstes. Biron versuchte in seiner Verwirrung danach zu greifen, aber er war sich seiner Hände gar nicht bewußt. Nichts existierte mehr außer den kleinen Bläschen, die sein Denken erfüllten.

Lautlos schrie er auf, und sofort erlosch der Spuk. Gillbret stand wieder lachend in einem hellerleuchteten Raum vor ihm. Biron war schwindlig zumute. Mit zitternder Hand fuhr er sich über die schweißfeuchte Stirn. Er mußte sich setzen.

»Was war das?« wollte er wissen. Vergeblich versuchte er, seiner Stimme einige Festigkeit zu geben.

»Das kann ich Ihnen nicht sagen«, erklärte Gillbret. »Ich war nicht daran beteiligt. Leuchtet Ihnen das nicht ein? Jedenfalls war es so etwas, was Sie noch nie zuvor erlebt haben. Ihr Hirn hat ohne Sinnesorgane gearbeitet, und weil ihm diese Methode völlig ungewohnt ist, hat es keine Erklärung für dieses Phänomen gefunden. Solange Sie sich ganz dieser Sensation hingaben, hatte Ihr Denkapparat keine Möglichkeit, die Ereignisse in herkömmliche Kategorien einzuordnen. Er versuchte zwar gleichzeitig und von dem Geschehenen losgelöst, Bild, Ton und Berührung zu registrieren, aber vergebens. Haben Sie übrigens einen Geruch wahrgenommen? Manchmal habe ich den Eindruck gehabt, als röche dieses Zeug. Bei Hunden müßte meines Erachtens die ganze Geschichte im Geruch gipfeln. Ich möchte meine Erfindung einmal an Tieren ausprobieren. Eines Tages werde ich es auch bestimmt tun. Wenn Sie anderseits keine Notiz davon nehmen, sich einfach nicht zugänglich zeigen, dann werden Sie nicht davon beeinflußt. So verhalte ich mich zum Beispiel, wenn ich die Wirkung auf andere beobachten will. Es ist gar nicht schwierig.«

Zerstreut fingerte Gillbret mit seiner feingliedrigen, geäderten Hand an dem Gerät herum. »Manchmal glaube ich, daß man mit diesem Ding völlig neuartige Sinfonien komponieren könnte, wenn man sich eingehend damit befaßte. Überhaupt könnte man Sachen produzieren, die vom einfachen Bild oder Ton her unvorstellbar sind. Ich fürchte nur, daß ich kein Talent habe.«

»Darf ich Sie etwas fragen«, unterbrach ihn Biron brüsk.

»Selbstverständlich.«

»Warum konzentrieren Sie Ihre wissenschaftlichen Fähigkeiten nicht auf nützliche Dinge, anstatt –«

»Anstatt sie für Spielzeug zu vergeuden? Wer weiß? Vielleicht sind meine Erfindungen gar nicht völlig nutzlos. Der Visisonor zum Beispiel dürfte absolut im Widerspruch zu den gesetzlichen Bestimmungen stehen.«

»Na, und?«

»Meine Abhörgeräte ebenfalls. Hätten die Tyrannen eine Ahnung davon, so könnte es mir leicht den Kopf kosten.«

»Das ist doch nicht Ihr Ernst?«

»Mein voller Ernst. Man merkt, daß Sie auf einer Ranch großgeworden sind. Ihr jungen Leute habt einfach keine Vorstellung davon, wie es früher war.« Plötzlich hatten sich Gillbrets Augen zu kleinen Schlitzen zusammengezogen. Scharf wie ein Peitschenschlag kam die Frage: »Sind Sie ein Gegner der Tyrannenherrschaft? Sagen Sie die Wahrheit! Ich gestehe Ihnen offen, daß ich sie hasse – genauso wie Ihr Vater.«

»Ja, ich bin dagegen«, sagte Biron ruhig.

»Warum?«

»Sie sind Fremde, Ausländer. Welches Recht haben sie, in Nephelos oder in Rhodia zu herrschen?«

»Waren Sie schon immer dieser Meinung?«

Biron antwortete nicht.

»Mit anderen Worten«, schnaubte Gillbret, »Sie betrachten sie erst als Fremde und Ausländer, seitdem Ihr Vater hingerichtet worden ist, was vom Standpunkt der Tyrannen ihr gutes Recht war. Keine Aufregung, bitte! Seien Sie doch vernünftig! Glauben Sie mir, ich bin Ihr Verbündeter. Aber denken Sie einmal nach! Ihr Vater war Rancher. Was für Rechte hatten seine Untergebenen? Hätte einer von ihnen ein Stück Vieh gestohlen, was wäre mit ihm geschehen? Er wäre als Dieb ins Gefängnis gekommen. Hätte er einen Anschlag auf das Leben Ihres Vaters geplant, womit wäre er bestraft worden? Mit dem Tode durch den Strang, mochten die Gründe, die er hatte, nach seiner persönlichen Meinung noch so gerechtfertigt sein. Und mit welchem Recht verhängte Ihr Vater Gesetze und Strafen über seine Mitmenschen? Er war ihr Tyrann! In Ihren und meinen Augen war Ihr Vater ein Patriot. Was nützt das aber? Für die Tyrannen war er ein Verräter, den sie beseitigen mußten. Wollen Sie ihnen das Recht der Selbstverteidigung abstreiten? Die Henrici waren seinerzeit auch eine recht blutrünstige Bande. Sie müssen die Weltgeschichte etwas eingehender studieren, mein Junge. Mord gehört nun mal zum Geschäft einer jeden Regierung.

Denken Sie sich also einen besseren Grund für Ihren Haß auf die Tyrannen aus. Es genügt nicht, eine Herrschergarnitur einfach gegen eine andere auszutauschen. Eine solche Veränderung bedeutet noch lange keine Freiheit.«

»Schön und gut«, warf Biron heftig ein. »Ihre objektive Philosophie ist ausgezeichnet. Einem Menschen, der sich vom Weltgeschehen abgekapselt hat, mag sie genügen. Was wäre aber, wenn man Ihren Vater ermordet hätte?«

»Das hat man getan, mein Sohn. Mein Vater war Henriks Vorgänger, und sie haben ihn umgebracht. Allerdings nicht offiziell, sondern heimlich, nach und nach. Sie haben ihn geistig gemeuchelt, wie sie es jetzt mit Henrik machen. Nach meines Vaters Tode lehnten sie mich als Direktor ab, ich war ihnen ein zu unsicherer Kandidat. Henrik machte eine sehr repräsentative Figur, er war groß und sah gut aus, und vor allen Dingen war er fügsam. Aber immer noch nicht fügsam genug, wie es den Anschein hat. Ständig sind sie hinter ihm her. Eine richtige Marionette machen sie aus ihm, nicht den kleinsten Schritt darf er ohne ihre Genehmigung tun. Sie haben ihn ja gesehen. Von Monat zu Monat geht es jetzt mit ihm abwärts. Seine Angstzustände sind ausgesprochen psychopathisch. Aber das ist trotz alledem nicht der Grund, weswegen ich die Tyrannenherrschaft beseitigen will.«

»Ach? Haben Sie sich etwas völlig Neues ausgedacht?«

»Nein, im Gegenteil, etwas ganz Altes. Die Tyrannen berauben zwanzig Milliarden menschlicher Wesen des fundamentalen Rechtes, an der Entwicklung des Menschengeschlechtes teilzunehmen. Sie haben studiert. Sie kennen den ökonomischen Kreislauf. Ein neuer Planet wird besiedelt: Zunächst haben die Bewohner nur die einzige Sorge, genügend Nahrung zu produzieren. Ackerbau und Viehzucht entstehen. Dann beginnen sie, den Boden nach Rohstoffen für den Export zu durchwühlen. Außerdem werden die landwirtschaftlichen Überschüsse an die Planeten verkauft, die Luxusgegenstände und Maschinen anzubieten haben. Das ist die zweite Entwicklungsphase. Mit dem Anwachsen der Bevölkerung und der Zunahme der Auslandsinvestitionen beginnt sich eine industrielle Zivilisation zu entfalten, womit wir die dritte Phase hätten. Allmählich wird die

Welt technisiert. Man importiert Nahrungsmittel und exportiert Maschinen. Die finanziellen Überschüsse werden zur Entwicklung primitiver Welten aufgewandt und so weiter. Die vierte Phase, also.

Die technisierten Welten sind stets am dichtesten bevölkert und militärisch am mächtigsten, denn Krieg ist eine Auswirkung der Technik, außerdem sind sie gewöhnlich von abhängigen Agrarwelten umgeben. Wie war das aber bei uns? Wir befanden uns in der dritten Phase. Unsere Industrie war gerade in der Entwicklung begriffen. Und jetzt? Diese Entwicklung wurde gebremst, auf Eis gelegt, rückläufig gemacht. Die Tyrannen sind daran interessiert, uns mit ihren eigenen Industrieprodukten zu versorgen. Das kann für sie natürlich nur eine kurzfristige Investierung sein. Denn wir müssen allmählich unprofitabel werden, weil wir ja immer mehr verarmen. Aber einstweilen schöpfen die Tyrannen den Rahm ab.

Hinzu kommt, daß wir bei einer eigenen Industrieproduktion in der Lage wären, Waffen anzufertigen. Darum wurde die Industrialisierung eingestellt und alle wissenschaftliche Forschung verboten. Und allmählich gewöhnt sich die Bevölkerung so an diesen Zustand, daß sie gar nicht mehr merkt, was man ihr vorenthält. Nur so ist es verständlich, daß Sie darüber verwundert sind, wenn ich Ihnen erkläre, daß mir das Zusammenbasteln eines Visisonors den Kopf kosten kann.

Selbstverständlich werden wir eines Tages die Tyrannen davonjagen. Das ist einfach unvermeidlich. Sie können nicht ewig am Ruder bleiben. Niemand vermag das. Sie degenerieren, werden träge und verweichlicht. Ein Teil ihrer Traditionen geht durch Blutvermischung verloren. Das übrige besorgt die Korruption. Aber diese Entwicklung kann Jahrhunderte dauern. Denn die Geschichte hat es nicht eilig. Und danach leben wir immer noch in einer Agrarwelt ohne nennenswerte wissenschaftliche oder industrielle Errungenschaften, während unsere Nachbarn, die nicht unter dem tyrannischen Joch zu leiden hatten, stark und zivilisiert sein werden. Die Königreiche bleiben also Halbkolonien. Sie haben die Möglichkeit, den Unterschied auszugleichen und müssen sich mit der Rolle des Zuschauers im großen Drama der Menschheitsentwicklung begnügen.«

»Was Sie sagen, entbehrt nicht ganz der Logik«, bequemte sich Biron zuzugeben.

»Natürlich nicht. Sie haben doch auf der Erde studiert und müßten eigentlich wissen, daß dieser Planet eine Sonderstellung in der sozialen Entwicklung einnimmt.«

»Wieso?«

»Denken Sie doch einmal nach! Seit der Erschließung des interstellaren Verkehrs befindet sich die gesamte Galaxis in ständiger Expansion. Die Gesellschaft nimmt ständig zu und muß daher zwangsläufig unreif bleiben. Nur an einem Ort hat die menschliche Gesellschaft jemals den Zustand der Reife erreicht, und das war auf der Erde, unmittelbar vor der Katastrophe. Dort war die Gesellschaft entstanden, die wenigstens zeitweilig, jegliche Möglichkeit zu geographischer Expansion verloren hatte und sich daher mit Problemen wie Übervölkerung, Rohstoffmangel und so weiter herumschlagen mußte. In keinem anderen Abschnitt der Galaxis hat es diese Probleme je gegeben.

Auf der Erde war man einfach gezwungen, die Gesellschaftswissenschaften eingehend zu studieren. Wir haben kaum noch eine Ahnung davon, und das ist sehr schade. Da fällt mir übrigens etwas Amüsantes ein. In seiner Jugend war Henrik ein großer Verehrer alles Primitiven. Seine Büchersammlung über sämtliche die Erde betreffenden Wissensgebiete war einzigartig in der ganzen Galaxis. Seitdem er Direktor geworden ist, hat er jedoch dieses Interesse, wie alle anderen auch, über Bord geworfen. Ich bin sozusagen sein Erbe. Diese Literatur, so wenig auch davon übriggeblieben sein mag, ist mehr als fesselnd. Sie zeichnet sich durch einen eigenartigen introspektiven Zug aus, den es in unserer extravertierten galaktischen Zivilisation einfach nicht gibt. Höchst amüsant, das Ganze.«

»Na, endlich«, bemerkte Biron trocken. »Sie haben so endlos lange ernsthaft dahergeredet, daß ich schon fürchtete, Ihr Sinn für Humor sei Ihnen abhanden gekommen.«

Gillbret machte eine wegwerfende Handbewegung. »Ich fühle mich erleichtert und entspannt. Das ist alles. Ein herrliches Gefühl, zum erstenmal wieder seit Monaten, glaube ich. Wissen Sie, was es heißt, ständig Theater spielen zu müssen? Jeden Tag vierundzwanzig Stunden lang eine Maske zu tragen? Auch Ihren Freunden gegenüber? Den Dilettanten spielen? Den ewigen Hanswurst? Und um sicherzugehen, wenn Ihnen auch

Ihr Leben keinen Pfifferling mehr wert scheint? Und dennoch vermag ich ihnen hin und wieder die Stirn zu bieten.«

Auf einmal nahm seine Stimme einen beinahe flehenden Klang an. Biron fest in die Augen sehend, sagte Gillbret: »Sie können ein Raumschiff steuern. Ich nicht. Ist das nicht merkwürdig? Sie sprechen von meinen wissenschaftlichen Fähigkeiten, und dennoch vermag ich nicht einmal die kleinste Luftkutsche zu lenken. Da Sie es aber können, müssen Sie Rhodia verlassen.«

Biron überhörte den flehenden Ton geflissentlich und fragte nur kühl: »Warum?«

Gillbrets Worte überstürzten sich beinahe: »Wie ich schon sagte, haben Artemisia und ich über Sie gesprochen. Alles ist schon vorbereitet. Sie gehen jetzt gleich zu ihr. Sie wartet auf Sie. Ich habe eine kleine Zeichnung für Sie gemacht, damit Sie sich nicht verlaufen und nach dem Weg zu fragen brauchen.« Er drückte Biron ein kleines Metallplättchen in die Hand. »Sollte Sie jemand anhalten, dann sagen Sie einfach, der Direktor habe Sie rufen lassen, und gehen weiter. Wenn Sie sich keine Unsicherheit anmerken lassen, haben Sie bestimmt keine Schwierigkeiten . . .«

»Hören Sie auf!« unterbrach Biron den Fürsten schroff. Er hatte es satt, sich herumkommandieren zu lassen. Jonti hatte ihn nach Rhodia verfrachtet und ihn damit den Tyrannen ausgeliefert. Der tyrannische Statthalter hatte ihn in den Palast abgeschoben, ehe Biron eine Gelegenheit ausfindig machen konnte, wie er dort am besten aufträte. Aratap hatte ihn also bewußt der Willkür einer unberechenbaren Marionette überlassen. Jetzt war's genug! So begrenzt seine Möglichkeiten sein mochten, künftig wollte Biron nur noch Schritte unternehmen, die er selbst für richtig hielt. Sollten sie sich ruhig über seine Sturheit wundern!

»Mein Aufenthalt hier ist für mich sehr wichtig, Durchlaucht«, sagte er. »Ich denke nicht daran, abzureisen.«

»Spielen Sie gefälligst nicht den Lausejungen!« herrschte ihn Gillbret an. »Glauben Sie wirklich, hier etwas erreichen zu können? Meinen Sie, Sie werden den Palast lebendig verlassen, wenn Sie bis morgen früh warten? Natürlich wird Henrik die Tyrannen zu Hilfe rufen und Sie binnen vierundzwanzig Stunden verhaften lassen. Ihnen bleibt nur noch diese kurze Galgenfrist, weil es ihm von Natur schwerfällt, sich zu entschließen. Er ist mein Vetter, und ich kenne ihn durch und durch, das können Sie mir glauben.«

»Wenn schon«, erwiderte Biron bockig. »Was für einen Grund haben Sie, sich meinetwegen Sorgen zu machen?« Er wollte sich nicht noch einmal an der Nase herumführen lassen. Nie wieder würde er nach der Pfeife eines anderen tanzen.

Aber Gillbret ließ nicht locker. »Sie sollen mich mitnehmen. Sie sehen, mein Interesse an Ihnen hat eine sehr plausible Ursache. Ich habe es satt, unter den Tyrannen zu leben. Wenn Artemisia oder ich ein Raumschiff steuern könnten, hätten wir uns schon längst auf und davongemacht.«

Birons Entschluß geriet etwas ins Wanken. »Was hat die Tochter des Direktors damit zu tun?«

»Sie ist wahrscheinlich am verzweifeltsten von uns allen. Für Frauen gibt es eine ganz besondere Todesart. Was hat eine junge, hübsche und unverheiratete Direktorstochter anders zu erwarten, als über kurz oder lang jung, hübsch und verheiratet zu sein? Und wer kommt heutzutage als glücklicher Bräutigam in Frage? Natürlich nur ein alter, verlebter tyrannischer Hoffunktionär, der bereits drei Frauen unter die Erde gebracht hat und nun in den Armen eines jungen Dings noch einmal die Freuden der Liebe erleben möchte.«

»Das würde der Direktor bestimmt niemals zulassen.«

»Den Direktor wird man um seine Meinung wohl kaum fragen. Ihm bleibt keine Wahl.«

Der Gedanke an Artemisia ließ Birons Entschluß ins Wanken geraten. Er versuchte sich einzureden, daß an ihr nichts Besonderes sei: Ihr Haar fiel bis auf die Schultern herab. Ihre Haut war hell und makellos. Schwarze Augen, rote Lippen, gut gewachsen, jung, bezauberndes Lächeln! Eine Beschreibung, die wahrscheinlich auf Millionen Mädchen in der Galaxis zutraf. Es war lächerlich, sich davon beeindrucken zu lassen.

Dennoch hörte er sich sagen: »Steht wirklich ein Schiff bereit?«

Auf Gillbrets Gesicht erschienen viele kleine Lachfältchen. Ehe er jedoch antworten konnte, klopfte es an der Tür. Es war nicht das leise, höfliche Summen der fotomechanischen Signalanlage, sondern der Klang von Metall, das gebieterische Dröhnen der Waffen der Obrigkeit.

Als sich das Klopfen wiederholte, meinte Gillbret: »Es wird wohl das beste sein, Sie machen die Tür auf.«

Biron gehorchte, und zwei Uniformierte betraten den Raum. Nach einer knappen, hastigen Ehrenbezeigung vor Gillbret wandten sie sich Biron zu, wobei einer von ihnen erklärte: »Biron Farrill, ich verhafte Sie im Namen des Hochkommissars von Tyrann und des Direktors von Rhodia.«

»Weswegen?« brauste Biron auf.

»Wegen Hochverrats.«

Für Bruchteile von Sekunden spiegelte sich auf Gillbrets Gesicht tiefste Verzweiflung wider. Aber gleich darauf hatte er sich wieder in der Gewalt. »Diesmal hat sich Henrik beeilt, mehr als man von ihm erwarten konnte. Ein amüsanter Gedanke!«

Gillbret war wieder der alte: lächelnd, unbeteiligt. Mit emporgezogenen Augenbrauen schien er für einen unangenehmen Zwischenfall nicht mehr als ein bedauerndes Achselzucken aufbringen zu können.

»Folgen Sie mir bitte!« befahl der Wächter. Die neuronische Peitsche wippte leicht in seiner Hand, was Biron sehr wohl bemerkte.

## Weiberröcke . . .

Birons Kehle war trocken. In fairem Zweikampf hätte er es mit jedem der beiden Wächter aufgenommen. Doch dazu bot sich keine Gelegenheit. Vielleicht wäre er sogar mit allen beiden fertiggeworden. Aber sie hatten die Peitschen, und das war ausschlaggebend. Er mußte kapitulieren, einen anderen Ausweg gab es nicht.

Plötzlich sagte Gillbret: »Lassen Sie ihn wenigstens seinen Mantel anziehen!«

Biron horchte auf. Ein rascher Blick auf den schmächtigen Fürsten überzeugte ihn, daß noch nicht alles verloren war. Natürlich wußte Gillbret, daß gar kein Mantel vorhanden war.

Der eine Wächter salutierte respektvoll. Mit der Peitsche auf Biron deutend, schnarrte er: »Also los, Euer Gnaden! Holen Sie Ihren Mantel, aber ein bißchen dalli!«

Biron versuchte, so gelassen wie möglich zu erscheinen. Eifrig machte er sich hinter dem Sessel neben dem Bücherregal zu schaffen. Während seine Finger ins Leere griffen, wartete er gespannt auf Gillbrets nächsten Schritt.

Für die Wachen war der Visisonor nichts anderes als ein Kasten mit einigen Schaltknöpfen. Sie schöpften keinen Verdacht, als Gillbret daran herumzuspielen begann. Biron verfolgte gebannt das Wippen der Peitsche.

Wie lange noch?

Die Stimme des Wächters riß ihn aus seinen Überlegungen: »Haben Sie Ihren Mantel nun endlich gefunden? Kommen Sie hinter dem Stuhl hervor!« Der Mann machte einen ungeduldigen Schritt in Birons Richtung. Plötzlich blieb er wie angewurzelt stehen. Seine Augen zogen sich zu schmalen Schlitzen zusammen. Verwirrt blickte er sich um.

Jetzt war es soweit! Biron richtete sich auf, duckte sich jedoch gleich wieder auf den Wächter zu. Er umklammerte dessen Knie und versuchte, den Mann zu Fall zu bringen. Mit dumpfem Aufprall landete der Uniformierte am Boden. Birons Hand wand dem anderen die Peitsche aus der Faust.

Der zweite Wächter hatte sofort seine Waffe gezückt, konnte aber im Moment nichts damit anfangen. Mit der freien Hand fuchtelte er wild vor seinen Augen herum.

»Irgendwas nicht in Ordnung, Farrill?« fragte Gillbret mit schrillem Lachen.

»Nicht, daß ich wüßte«, brummte Biron. »Die Peitsche habe ich glücklich erwischt.«

»Dann machen Sie sich aus dem Staub! Diese beiden hier können Sie jetzt nicht aufhalten. Sie sind fürs erste vollauf mit Bildern und Geräuschen beschäftigt, die nur in ihrer Phantasie existieren.« Gillbret wich geschickt dem Knäuel aus menschlichen Gliedern und Leibern zu seinen Füßen aus.

Biron machte sich aus der Umklammerung frei und richtete sich auf. Ein wohlgezielter Fausthieb landete zwischen des Wächters Rippen. Mit schmerzverzogenem Gesicht krümmte sich der Mann zusammen. Mit seinem Siegeszeichen, der Peitsche, in der Hand stand Biron auf.

»Vorsicht!« kreischte Gillbret.

Aber Biron war nicht schnell genug. Schon hatte sich der zweite Wächter auf ihn gestürzt und warf ihn nieder. Es war eine unbewußte Attacke. Wen oder was der Mann vor sich zu haben glaubte, war unmöglich festzustellen. Nur eines war sicher: Er nahm Birons Anwesenheit überhaupt nicht wahr. Sein Atem fauchte in Birons Ohr, und aus seiner Kehle kamen unzusammenhängende Laute.

Vergeblich suchte Biron, seine eroberte Waffe anzuwenden. Der Ausdruck des Entsetzens in den starren, leblosen Augen seines Gegners ließ Biron vor Schreck das Blut in den Adern gerinnen.

Biron spannte alle Muskeln an und verlagerte sein Gewicht, um sich zu befreien. Vergebens. Dreimal spürte er die Peitsche scharf gegen seine Hüfte knallen, wobei er ächzend zusammenzuckte.

Aus dem Mund des Wächters drangen jetzt anstelle der unartikulierten Laute zusammenhängende Worte: »Ich werd's euch schon zeigen!« brüllte er. Der schwache, fast unsichtbare Schimmer ionisierter Luft, der das energiegeladene Sausen der Peitsche zu begleiten pflegte, tauchte wieder auf. Diesmal traf der Schlag schneidend Birons Fuß.

Es war, als wäre der Fuß in einen Kessel mit glühendem Blei getaucht worden, als wäre ein Felsblock darauf gefallen oder als wäre er von einem Hai zerfleischt worden. Dabei war dem Fuß physisch nichts geschehen. Nur die Nervenenden, die das Schmerzgefühl weiterleiten, waren aufs äußerste betroffen. Glühendes Blei hätte nicht anders wirken können. Birons Aufschrei gellte entsetzlich durch Gillbrets Studierstube. Dann brach der junge Farrill zusammen. Er merkte nicht, daß alles schon vorbei war. Nichts war gegenwärtig als der überwältigende Schmerz. Erst Minuten später, als Biron die Augen wieder öffnen und sich die Tränen abwischen konnte, stellte er fest, daß sich der Wächter an die Wand zurückgezogen hatte, wo er kichernd mit beiden Händen in der Luft umherfummelte. Der andere Wächter lag noch immer mit gespreizten Armen und Beinen auf dem Rücken. Er war wieder bei Bewußtsein, sagte jedoch kein Wort. Leicht zitternd, mit verstörtem Blick verfolgte er unsichtbare Geschehnisse. Auf seinen Lippen hatte sich Schaum gebildet.

Mühsam erhob sich Biron. Hinkend schleppte er sich bis zur Wand. Mit dem Peitschenstiel schlug er auf den Wächter ein, bis dieser zusammensackte. Der andere versuchte ebenfalls gar nicht erst, sich zu verteidigen. Seine Augen schweiften unaufhörlich ruhelos umher, bis er in Ohnmacht fiel.

Biron setzte sich und begann sich mit seinem Fuß zu beschäftigen. Als er Schuh und Strumpf abgestreift hatte, stellte er überrascht fest, daß die Haut völlig unverletzt war. Sowie er jedoch den Fuß zu massieren versuchte, stöhnte er vor Schmerz laut auf. Er blickte zu Gillbret hinüber, der inzwischen den Visisonor ausgeschaltet hatte und sich nachdenklich mit dem Handrücken über die hagere Wange fuhr.

»Besten Dank für Ihre Hilfe«, begann er.

Gillbret unterbrach ihn achselzuckend: »Gleich werden noch mehr von der Sorte auftauchen. Sehen Sie zu, daß Sie zu Artemisia kommen. Und zwar schleunigst, wenn ich bitten darf!«

Das leuchtete Biron ein. Der Schmerz hatte etwas nachgelassen, aber der Fuß fühlte sich immer noch geschwollen an. Er zog den Strumpf wieder darüber, seinen Schuh klemmte er unter den Arm. Nachdem er auch noch den zweiten Wächter der Peitsche entledigt hatte, verstaute er seine kostbare Beute sorgfältig in seinem Gürtel.

An der Tür drehte er sich noch einmal um und fragte nahezu widerwillig: »Was haben Sie denen vorgegaukelt, Durchlaucht?«

»Keine Ahnung. Das entzieht sich meiner Kenntnis. Ich habe lediglich das Gerät auf volle Stärke geschaltet, alles übrige hing von dem Vorstellungsvermögen der beiden ab. Jetzt ist aber nicht die Zeit für eine derartige Konversation. Haben Sie die Skizze, damit Sie Artemisias Zimmer finden?«

Biron nickte und machte sich auf den Weg, den Korridor entlang. Zum Glück war weit und breit niemand zu sehen. Biron kam nur langsam vorwärts. Jeder Versuch, schneller auszuschreiten, artete zu einem schmerzhaften Hüpfen aus.

Ein Blick auf seine Armbanduhr erinnerte ihn daran, daß er noch keine Gelegenheit gefunden hatte, sich der rhodianischen Zeitrechnung anzupassen. Seine Uhr ging noch immer nach der interstellaren Zeit, die an Bord des Schiffes üblich gewesen war. Danach zählte eine Stunde hundert, ein Tag tausend Minuten. Die Zahl 876, die zartrosa auf dem Metallzifferblatt erglänzte, war daher völlig bedeutungslos.

Immerhin mußte es noch Nacht sein oder wenigstens planetarische Schlafenszeit – sofern das nicht ein und dasselbe war.

Denn sonst wären die Gänge und Hallen nicht so leer gewesen und die phosphoreszierenden Basreliefs an den Wänden hätten nicht einen so verlassenen Eindruck gemacht. Im Vorübergehen berührte Biron eines der Bilder, eine Krönungsszene, wobei er erstaunt feststellte, daß es nur zweidimensional war. Er hätte darauf geschworen, daß es sich um eine freistehende Skulptur handle.

Verblüfft blieb er stehen, um hinter das Geheimnis dieser Technik zu kommen. Doch dann erinnerte er sich rechtzeitig seiner heiklen Situation und eilte, so gut es ging, weiter.

Die Leere des Palastes betrachtete Biron als einen zusätzlichen Beweis für den Verfall Rhodias. Seitdem er zum Rebellen geworden war, hatte sich sein Blick für derartige Dekadenzerscheinungen geschärft. Wäre der Palast noch Zentrum einer unabhängigen Macht gewesen, dann hätte es von lautlosen Nachtwächtern nur so darin gewimmelt.

Nach Gillbrets roher Skizze zu urteilen, mußte sich Biron jetzt nach rechts wenden. Eine weite, geschwungene Rampe tat sich vor ihm auf. Vermutlich hatte sich früher der Hofstaat hier versammelt, doch jetzt gab es wohl dazu keinen Anlaß mehr.

Endlich war Biron an der richtigen Tür angelangt. Sowie er das Fotosignal berührt hatte, wurde die Tür vorsichtig einen Spalt breit geöffnet, dann ging sie ganz auf.

»Kommen Sie herein, junger Mann!«

Das war Artemisias Stimme. Nachdem Biron der Aufforderung gefolgt war, schloß sich die Tür schnell und lautlos hinter ihm. Schweigend betrachtete er das Mädchen. Das Bewußtsein, ein zerrissenes Hemd und beschmutzte Kleidung zu tragen, überhaupt verschmiert und ungepflegt auszusehen, machte ihn mürrisch und unsicher. Plötzlich merkte er, daß er noch immer den Schuh unterm Arm hielt. Mit einiger Anstrengung schlüpfte er hinein.

»Haben Sie etwas dagegen, wenn ich mich setze?« stieß er schließlich unliebenswürdig hervor.

Sie folgte ihm bis zu dem Stuhl und pflanzte sich vor ihm auf. »Was ist geschehen?« fragte sie etwas verärgert. »Was ist mit Ihrem Fuß los?«

»Verletzt«, gab er kurz zurück. »Sind Sie startbereit?«

Sofort hellte sich ihre Miene auf. »Sie wollen uns also mitnehmen?« Doch Biron ließ sich nicht so leicht beschwichtigen.

Sein Fuß tat noch immer weh, was seine Stimmung nicht gerade verbesserte. »Bringen Sie mich zu dem Schiff«, sagte er unfreundlich. »Ich will fort von diesem verdammten Planeten. Wenn Sie mitkommen wollen, habe ich nichts dagegen.«

»Etwas Höflichkeit könnte Ihnen nichts schaden«, erklärte sie stirnrunzelnd. »Haben Sie eine Schlägerei gehabt?«

»Allerdings. Mit Ihres Vaters Leibwächtern, die mich wegen Hochverrats festnehmen wollten. So sieht also mein Asylrecht aus.«

»Oh, das tut mir leid!«

»Mir auch. Kein Wunder, daß die Tyrannen mehr als fünfzig Welten mit einer Handvoll Männer in Schach halten können. Wir helfen ihnen ja noch dabei. Leute wie Ihr Vater geben sich zu allem her, nur um sich auf dem Thron zu halten. Wenn's drauf ankommt, lassen sie selbst die primitivsten Menschenpflichten außer acht. – Na, wechseln wir lieber das Thema.«

»Ich sagte bereits, daß ich den Vorfall bedaure, Euer Gnaden!« Der bewußt gebrauchte Titel wirkte aus ihrem Munde wie eine scharfe Zurechtweisung. »Bitte werfen Sie sich nicht zum Richter über meinen Vater auf! Sie kennen die Zusammenhänge nicht.«

»Ich habe nicht die Absicht, darüber mit Ihnen zu debattieren. Wir müssen uns beeilen, sonst werden noch mehr von Ihres Vaters vortrefflichen Leibgardisten hier auftauchen. Ich wollte Sie natürlich nicht beleidigen. Schwamm darüber!« Birons schroffer Ton machte die entschuldigenden Worte illusorisch. Aber, verdammt noch mal, er hatte auch noch nie zuvor eine neuronische Peitsche zu spüren bekommen. Das war kein Zukkerlecken. Außerdem schuldeten ihm diese Leute Asylrecht. Beim Kosmos, es war das mindeste, was er verlangen konnte.

Artemisia war wütend. Selbstverständlich nicht auf ihren Vater, sondern auf diesen sturen dummen Jungen. Er war ja noch nicht trocken hinter den Ohren, fast noch ein Kind, kaum älter als sie selbst, wenn überhaupt.

Als das Hausvisiofon ertönte, herrschte sie Biron scharf an: »Warten Sie einen Augenblick. Wir brechen sofort auf.«

Es war Gillbrets Stimme, zu einem kaum vernehmbaren Flüstern gedämpft: »Arta? Alles in Ordnung drüben?«

Ebenso leise erwiderte sie: »Er ist hier.«

»Gut. Kein Wort weiter. Hör mir zu. Gleich wird der Palast

durchsucht. Nicht zu ändern. Ich werde mir aber etwas ausdenken. Inzwischen nichts unternehmen.« Ohne eine Antwort abzuwarten, hatte Gillbret den Kontakt unterbrochen.

»Da haben wir's!« sagte Biron, der mitgehört hatte. »Soll ich nun hierbleiben und Ihnen auch noch Unannehmlichkeiten bereiten, oder soll ich lieber 'rausgehen und mich gleich ergeben? Vermutlich kann man nirgendwo auf Rhodia Asylrecht erwarten.«

»Halten Sie endlich den Mund, Sie erzdummer, großer Esel!« fauchte sie ihn mit erstickter Stimme an.

Feindselig starrten sie einander an. Biron fühlte sich gekränkt. Schließlich hatte er ihr gewissermaßen helfen wollen. Sie hatte also keinen Grund, beleidigend zu werden.

»Verzeihung«, sagte sie und wandte sich ab.

»Schon gut«, erwiderte er abweisend. »Meinetwegen können Sie denken, was Sie wollen.«

»Sie haben kein Recht, so über meinen Vater zu sprechen. Sie haben keine Ahnung, was es heißt, Direktor zu sein. Ob Sie's glauben oder nicht, er tut alles nur für sein Volk.«

»Natürlich. Um des Volkes willen verkauft er mich auch an die Tyrannen. Klarer Fall.«

»Das stimmt sogar. Er muß ihnen seine Loyalität beweisen. Sonst setzen sie ihn eines Tages ab und übernehmen direkt die Herrschaft auf Rhodia. Wäre das vielleicht besser?«

»Wenn ein Edelmann nicht einmal Asyl –«

»Ach, Sie denken nur an sich! Das ist bei Ihnen der ganze Haken.«

»Ich kann den Wunsch, nicht unbedingt sterben zu wollen, gar nicht sonderlich egoistisch finden. Jedenfalls will ich nicht für nichts und wieder nichts sterben. Ehe ich mich aus dem Staube mache, habe ich noch einiges zu erledigen. Meines Vaters Werk ist unvollendet geblieben.« Er wußte, daß er dramatisch zu werden begann, aber sie trieb ihn einfach dazu, solche Töne anzuschlagen.

»Und was hat Ihr Vater davon gehabt?« fragte sie.

»Nichts, vermutlich. Er wurde umgebracht.«

Artemisia war das Gespräch sichtlich peinlich. »Ich wiederhole, daß mir das alles leid tut, und diesmal meine ich es auch wirklich so. Ich bin ganz durcheinander.« Nach einer kleinen

Pause fügte sie verlegen hinzu: »Wissen Sie, ich habe nämlich auch mein Päckchen zu tragen.«

Biron nickte verständnisvoll. »Bestimmt. Begraben wir also das Kriegsbeil!« Er versuchte zu lächeln, was ihm, da sein Fuß jetzt weit weniger schmerzte, einigermaßen gelang.

Auch Artemisia bemühte sich, liebenswürdig zu sein. »Eigentlich sind Sie gar kein so großer Esel.«

Biron quittierte das Kompliment mit einem törichten Grinsen. »Na ja . . .« Er sprach den Satz nicht zu Ende. Artemisia hatte sich unwillkürlich den Mund zugehalten. Erschrocken fuhren beider Köpfe zur Tür herum. Auf dem halbelastischen Plastik-Mosaikfußboden des Korridors war das gedämpfte Trappeln vieler Soldatenfüße zu hören. Die meisten Schritte verhallten in der Ferne. Dennoch war vor der Tür ein diszipliniertes Hackenzusammenschlagen zu hören. Dann ertönte das Fotosignal.

Gillbret hatte schnelle Arbeit geleistet. Zunächst galt es, den Visisonor zu verstecken. Zum erstenmal bedauerte Gillbret, sich keine bessere Tarnung dafür ausgedacht zu haben. Warum hatte dieser verdammte Henrik hier auch so rasch geschaltet! Hätte doch bis zum nächsten Morgen warten können! Jedenfalls mußte er, Gillbret, sofort verschwinden; vielleicht war es die letzte Chance seines Lebens.

Dann rief er den Hauptmann der Palastwache an. Schließlich konnte er nicht die betrübliche Tatsache vertuschen, daß in seinem Studierzimmer zwei bewußtlose Leibwächter lagen und daß ein Gefangener entsprungen war.

Der Schloßhauptmann zeigte sich alles andere als erfreut. Er ließ die beiden ohnmächtigen Männer wegschaffen, dann richtete er an Gillbret die unheildrohende Frage: »Durchlaucht, mir ist bis jetzt noch nicht klar, wie das passieren konnte.«

»Höchst einfach«, erwiderte Gillbret. »Die beiden wollten Farrill festnehmen, aber der junge Mann war nicht damit einverstanden. Darum ist er ihnen davongelaufen, weiß der Kosmos, wohin!«

»Das hat nichts zu bedeuten, Euer Durchlaucht. Da der Palast heute nacht eine hochgestellte Persönlichkeit beherbergt, ist er mit Wachen umstellt. Der Gefangene kann sich also nur im Innern des Palastes versteckt halten. Wir werden unser Netz so engmaschig auswerfen, daß er uns nicht entschlüpft. Aber wie konnte er hier entwischen? Meine Leute waren bewaffnet, er nicht.«

»Er hat wie ein Tiger gekämpft. Ich war hinter dem Sessel dort in Deckung gegangen . . .«

»Es ist bedauerlich, daß Sie meinen Männern nicht geholfen haben, mit einem Hochverräter fertigzuwerden.«

Gillbret warf dem Hauptmann einen empörten Blick zu. »Was für amüsante Einfälle Sie haben! Wenn Ihre Leute trotz ihrer Überlegenheit an Zahl und Waffen noch meiner Hilfe bedürfen, dann, glaube ich, ist es an der Zeit, daß Sie sich nach anderen Soldaten umsehen.«

»Schon gut. Wir werden jetzt den Palast durchkämmen. Sobald wir den Gefangenen haben, soll er uns sein Heldenstück noch mal vorführen.«

»Ich werde mich an der Suche beteiligen.«

Der Hauptmann zog erstaunt die Augenbrauen hoch. »Das halte ich nicht für ratsam, Euer Durchlaucht. Die Sache ist immerhin gefährlich.«

Einem Henrici gegenüber war eine solche Bemerkung eine Unverschämtheit. Aber Gillbret lächelte nur. »Ich weiß«, sagte er gleichmütig. »Aber hin und wieder finde ich selbst Gefahren amüsant.«

Es dauerte fünf Minuten, bis die Leibwache in Kompaniestärke angetreten war. Gillbret nutzte die kurze Zeitspanne, um Artemisia zu verständigen.

Biron und Artemisia waren beim Surren des Signals vor Schreck erstarrt. Nach dem zweiten Summton wurde vorsichtig an die Tür geklopft, dann hörte man Gillbret sagen: »Lassen Sie es mich mal versuchen, Hauptmann!« Gleich darauf rief er energisch Artemisias Namen.

Biron atmete erleichtert auf. Er wollte schon zur Tür gehen, doch das Mädchen hielt ihn zurück und legte ihm warnend die Hand auf den Mund. »Einen Augenblick, Onkel Gil«, sagte sie, mit der freien Hand verzweifelt auf die Wand deutend.

Biron starrte das Mädchen verständnislos an. Er konnte nichts an der leeren Wand entdecken. Artemisia zog eine ungeduldige Grimasse und lief schnell an Biron vorbei zu der Wand hinüber. Auf einen Fingerdruck von ihr glitt ein Teil der Wand lautlos zur Seite, wodurch ein Eingang zu Artemisias Ankleideraum entstand. Stumm gab sie Biron ein Zeichen, darin zu verschwinden, während sie gleichzeitig aufgeregt in der Brosche auf ihrer rechten Schulter herumfingerte. Mit dem Lösen der Brosche wurde das winzige Kraftfeld außer Betrieb gesetzt, wodurch das Kleid unsichtbar zusammengehalten wurde. Das rote Gewand fiel auf den Boden.

Bevor sich die Wandöffnung wieder schloß, konnte Biron gerade noch sehen, wie sich Artemisia einen mit weißem Pelz besetzten Morgenrock überwarf. Das rote Kleid lag zusammengeknüllt auf einem Stuhl.

Etwas hilflos blickte sich Biron in seiner neuen Umgebung um. Wenn man nun Artemisias Gemächer durchsuchte? Der Ankleideraum hatte keinen anderen Ausgang. Das Versteck glich also mehr einem Gefängnis.

An der einen Wand hing eine stattliche Anzahl von Kleidern. Sie waren von einem schwachen schimmernden Strahl umgeben, der offenbar dazu diente, die Luft staubfrei und aseptisch zu halten. Als Biron die Hand hindurch streckte, fühlte er dort, wo die Armbanduhr saß, ein leichtes Prickeln. Hinter Artemisias Röcken sollte er sich also verstecken. Darauf lief es hinaus. Mit Gillbrets Hilfe hatte er zwei Leibwächter mannhaft niedergeschlagen, um hierherzugelangen. Und nun verkroch er sich wie ein kleiner Junge hinter Weiberröcken!

Auf einmal ertappte er sich bei dem Gedanken, daß er es eigentlich bedauerte, sich nicht früher umgedreht zu haben. Sie hatte eine recht ordentliche Figur. Zu blöd, daß er seinen Zorn an ihr ausgelassen hatte. Schließlich konnte sie nichts für die Fehler und Schwächen ihres Vaters.

Jetzt hieß es also warten und die Wand anstarren, warten, bis im Nachbarzimmer Füßegetrappel erscholl, bis die Wandöffnung wieder aufging, bis sich wieder Pistolenmündungen auf ihn richteten. Diesmal konnte er auf keinen Visisonor rechnen.

Biron wartete – eine neuronische Peitsche in jeder Hand haltend.

# . . . und die Uniform der Obrigkeit

»Was ist los?« Artemisias Besorgnis war ungeheuchelt. Sie richtete ihre Worte an Gillbret, der neben dem Schloßhauptmann vor der Tür stand. Ein halbes Dutzend Leibgardisten hielt sich diskret im Hintergrund. »Ist Vater etwas zugestoßen?« fuhr sie erregt fort.

»Nein, nein«, beruhigte Gillbret seine Nichte, »du brauchst dir keine Gedanken zu machen. Hast du schon geschlafen?«

»Ich wollte gerade zu Bett gehen. Von meinen Zofen hat sich seit Stunden keine einzige blicken lassen. Darum mußte ich auch selbst die Tür öffnen. Ihr habt mich fast zu Tode erschreckt.«

Plötzlich wandte sie sich hoheitsvollen Tones an den Schloßhauptmann: »Was wünscht man von mir? Beeilen Sie sich, bitte. Für eine Audienz ist die Stunde etwas ungewöhnlich.«

Noch ehe der Hauptmann den Mund auftun konnte, nahm Gillbret wieder das Wort. »Eine höchst amüsante Geschichte, Arta. Der junge Mann ist ausgerissen und hat dabei noch zwei Köpfe rollen lassen. Jetzt jagen wir ihn ganz fair und sportlich: eine Kompanie Soldaten gegen einen Flüchtling. Wie du siehst, beteilige ich mich auch an der Hatz, unser guter Hauptmann ist ganz entzückt von meinem Eifer und meinem Mut.«

Artemisia gelang es vortrefflich, die Verwirrte zu spielen.

Der Hauptmann stieß einen unterdrückten Fluch hervor, ohne die Lippen dabei zu bewegen.

»Gestatten, Euer Durchlaucht«, unterbrach er Gillbrets Wortschwall. »Sie drücken sich nicht ganz klar aus, was die ganze Angelegenheit nur unnötig verzögert. Hoheit, der Mann, der sich als der Sohn des ehemaligen Ranchers von Widemos bezeichnet, wurde wegen Hochverrats festgenommen. Er ist jedoch entflohen und hält sich jetzt irgendwo versteckt. Wir müssen den Palast nach ihm durchsuchen, und zwar Zimmer für Zimmer.«

Artemisia trat stirnrunzelnd einen Schritt zurück. »Doch nicht etwa meine Gemächer?«

»Wenn Eure Hoheit nichts dagegen haben.«

»Ich habe aber etwas dagegen. Wenn sich ein Fremder in meinen Räumen aufhielte, müßte ich es ja schließlich wissen. Schon der Gedanke, daß ich mitten in der Nacht einen solchen Mann – überhaupt ein männliches Wesen – hier beherbergen könnte, ist mehr als beleidigend. Ich darf wohl von Ihnen den Respekt erwarten, den Sie meiner Stellung schuldig sind, Hauptmann!«

Artemisias Worte verfehlten nicht die beabsichtigte Wirkung. Dem Hauptmann blieb nichts anderes übrig, als mit einer höflichen Verbeugung zu sagen: »Selbstverständlich habe ich Sie nicht beleidigen wollen, Hoheit. Entschuldigen Sie bitte die Störung zu so später Stunde. Natürlich genügt Ihr Wort, daß Sie den Flüchtling nicht gesehen haben. Jedenfalls war es unsere Pflicht, um Ihre Sicherheit besorgt zu sein. Der Mann ist gefährlich.«

»Doch wohl nicht so gefährlich, daß Sie nicht mit einer ganzen Kompanie mit ihm fertig würden.«

»Los, Hauptmann, kommen Sie«, fuhr Gillbrets schrille Stimme dazwischen. »Während Sie hier mit meiner Nichte höfliche Phrasen wechseln, hat unser Mann inzwischen Zeit, die Waffenkammer zu plündern. Ich schlage vor, einen Wachtposten vor der Tür zu lassen, damit Ihre Hoheit für den Rest der Nacht ungestört bleibt. Es sei denn, meine Liebe«, fügte er zu Artemisia gewandt hinzu, »du hättest die Absicht, dich uns anzuschließen.«

»Besten Dank«, erwiderte Artemisia kühl, »mir genügt es, wenn ich meine Tür zumachen und mich wieder hinlegen kann.«

»Nehmen Sie den stattlichsten Kerl, den Sie haben«, rief Gillbret. »Diesen hier zum Beispiel. Eine schneidige Uniform hat unsere Leibgarde, nicht wahr, Artemisia? Man kann sie zehn Meilen gegen den Wind an ihrer Uniform erkennen.«

»Durchlaucht«, drängte der Hauptmann ungeduldig, »keine weiteren Verzögerungen, bitte!«

Einer der Soldaten trat auf einen Wink des Hauptmanns aus dem Zug heraus. Während sie die Tür schloß, sah Artemisia noch, wie er zuerst in ihrer Richtung und dann vor seinem Vorgesetzten stramm salutierte. Danach verhallten Marschschritte in beiden Richtungen des Korridors. Artemisia wartete noch ein Weilchen, ehe sie die Tür vorsichtig einen winzigen Spalt öffnete. Breitbeinig, mit dem Rücken zur Tür, hatte sich der Posten aufgepflanzt. In der rechten Hand hielt er die schußbereite Pistole, mit der linken umklammerte er sein Alarmgerät. Es war der Mann, den Gillbret vorgeschlagen hatte. Er hatte so ziemlich Birons Länge, nur in den Schultern war er nicht so breit wie der junge Widemos. Dabei kam ihr der Gedanke, daß Biron, wenngleich er noch recht jung war und daher reichlich unreife Ansichten hatte, wenigstens gut gewachsen sei. Sie hätte ihn nicht gleich so anzufauchen brauchen. Er sah überhaupt nicht übel aus.

Geräuschlos schloß sie die Tür und ging auf den Ankleideraum zu.

Sowie sich die Tür zu öffnen begann, ging Biron in Angriffsstellung. Verblüfft starrte Artemisia die beiden Peitschen an. »Vorsicht!«

Biron atmete erleichtert auf und stopfte seine Waffen, so gut es ging, in die Hosentaschen. »Ich wollte nur etwaige Besucher gebührend empfangen.«

»Kommen Sie heraus. Und sprechen Sie ganz leise.«

Sie hatte noch immer den Morgenrock an, der aus einem weichfließenden Stoff hergestellt war, den Biron noch nie gesehen hatte. Das Gewand war mit silbrig schimmerndem Pelz besetzt und wurde durch eine dem Material innewohnende Magnetkraft zusammengehalten, so daß weder Knöpfe noch Spangen, noch Haken notwendig waren. Folglich enthüllte dieses Kleidungsstück Artemisias Formen mehr, als daß es sie verbarg.

Biron fühlte, wie seine Ohren glühten. Der Anblick des Mädchens war ihm keineswegs unangenehm.

Artemisia legte eine kleine Kunstpause ein, ehe sie mit ihrem Zeigefinger eine kreisende Bewegung machte und sagte: »Gestatten Sie!«

Biron sah sie fragend an. »Wie, bitte? Ach so! Verzeihung!«

Er kehrte ihr den Rücken zu und lauschte gespannt auf das Rascheln von Kleidungsstücken. Es fiel ihm nicht auf, daß sie eigentlich den Ankleideraum hätte benutzen oder, was noch passender gewesen wäre, sich hätte umziehen können, ehe sie ihn herausgelassen hatte. Seine Unerfahrenheit hinderte ihn daran, bestimmte Züge der weiblichen Psyche näher zu analysieren.

Als er sich wieder umdrehte, hatte sie ein schwarzes Schneiderkostüm an, das knapp bis zum Knie reichte.

Zerstreut fragte Biron: »Brechen wir jetzt auf?«

Sie schüttelte den Kopf. »Zunächst müssen Sie sich noch einmal betätigen. Sie brauchen ja auch andere Kleidung. Stellen Sie sich hinter die Tür. Ich rufe jetzt den Wachtposten herein.«

»Was für einen Wachtposten?«

Artemisia lächelte vielsagend. »Vor der Tür steht einer – auf Onkel Gils Vorschlag.«

Lautlos öffnete sie die Tür. Der Wächter stand noch unbeweglich auf seinem Posten.

»Wache!« flüsterte sie. »Kommen Sie schnell herein!«

Für einen einfachen Soldaten gab es kein Überlegen, wenn die Tochter des Direktors etwas anordnete. Mit einem respektvollen: »Zu Befehl, Hoheit!« betrat er das Zimmer. Gleich darauf sank er unter der Last, die sich auf seine Schultern stürzte, in die Knie. Noch ehe er einen Laut hervorbringen konnte, wurde ihm die Kehle zugeschnürt.

Artemisia schloß hastig die Tür. Obwohl ihr fast übel davon wurde, konnte sie ihren Blick nicht von dem Schauspiel abwenden. Das Leben im Palast der dekadenten Henrici verlief sonst ohne Sensation. Noch nie hatte sie ein mit dem Erstickungstod ringendes Lebewesen gesehen.

Biron mußte seine ganze Kraft aufwenden, um den anderen niederzuzwingen. Allmählich wurde der Widerstand immer schwächer, bis der Mann endlich leblos zusammensackte.

»Ist er tot?« flüsterte Artemisia entsetzt.

»Kaum«, entgegnete Biron. »Dazu braucht es vier bis fünf Minuten. Aber er dürfte für eine ganze Weile außer Gefecht gesetzt sein. Haben Sie etwas, womit man ihn fesseln kann?«

Hilflos schüttelte sie den Kopf.

»Es geht, wenn wir Strümpfe von Ihnen dazu verwenden.« Biron hatte den Mann bereits entwaffnet und ihm die Uniform ausgezogen. »Wo kann ich mich waschen?« fragte er. »Ich dürfte es nötig haben.«

Es war angenehm, sich dem reinigenden Sprühregen in Artemisias Badezimmer auszusetzen. Er war vielleicht ein bißchen zu stark parfümiert, aber Biron hoffte, den femininen Geruch an der frischen Luft wieder loszuwerden. Wenigstens war er jetzt sauber, und dazu hatte es nur eines Augenblicks unter dem warmen Strahl bedurft. Eine besondere Trockenanlage war nicht nötig. Die Dusche reinigte und trocknete zugleich. So etwas gab es weder auf Widemos noch auf der Erde. Die Uniform war ein wenig eng, außerdem gefiel Biron die militärische Kopfbedekkung nicht. Unzufrieden musterte er sich im Spiegel. »Wie sehe ich denn aus?«

»Wie ein Soldat«, versicherte ihm Artemisia.

»Eine der Peitschen müssen Sie an sich nehmen. Drei Stück kann ich nicht verstauen.«

Mit spitzen Fingern ergriff sie die Waffe und stopfte sie in ihre Handtasche. Diese war ebenfalls magnetisch an Artemisias Gürtel befestigt, so daß sie beide Hände frei hatte.

»Jetzt wird es höchste Zeit, daß wir uns auf den Weg machen. Und halten Sie ja den Mund, wenn uns jemand begegnet! Das Reden überlassen Sie mir. Ihr Akzent könnte Sie verraten. Außerdem sind Sie ein einfacher Soldat und dürfen nur sprechen, wenn man Sie fragt. Vergessen Sie das bitte nicht! Sie sind Leibgardist und nichts weiter.«

Die Gestalt auf dem Fußboden begann sich ein wenig zu regen. An den Hand- und Fußgelenken war der Mann mit Strümpfen gefesselt, die genauso fest waren wie Stahltaue. Vergeblich versuchte er, sich mit der Zunge seines Knebels zu entledigen. Biron hatte seinen Gegner schon vorher aus dem Wege geräumt, so daß sie jetzt nicht über ihn hinwegzusteigen brauchten.

»Hier entlang«, flüsterte Artemisia aufgeregt.

An der ersten Biegung des Korridors hörten sie Schritte hinter sich. Eine leichte Hand legte sich auf Birons Schulter.

Biron trat schnell zur Seite und drehte sich um. Mit der einen Hand umklammerte er des Angreifers Arm, die andere langte nach der Peitsche. Doch es war Gillbret, der sagte: »Nicht so unsanft, junger Mann!« Biron ließ sofort von ihm ab.

Gillbret rieb sich seinen Arm. »Daß ich hier auf euch gewartet habe, ist noch lange kein Grund, mir die Knochen zu brechen. Lassen Sie sich bewundern, Farrill. Ihre Uniform sitzt ein wenig knapp – aber nicht schlecht, wirklich nicht schlecht, muß ich sagen. Niemand würde sich die Mühe machen, Sie in dem allgemeinen Durcheinander zu beachten. Das ist der Vorteil der Uniform. Man kommt nicht auf die Idee, daß in einer Soldatenuniform jemand anders als ein Soldat stecken könnte.«

»Onkel Gil«, drängte Artemisia flüsternd, »rede nicht soviel. Wo sind die anderen Wachen?«

»Nicht einmal seine Meinung kann man mehr äußern, ohne

daß einem gleich jemand über den Mund fährt«, murrte der Fürst. »Die anderen klettern gerade in den Turm hinauf. Man ist zu der Überzeugung gekommen, daß unser Freund sich nicht in den unteren Stockwerken aufhalte. Darum hat man nur an den Hauptausgängen ein paar Wachen belassen. An denen vorbeizukommen ist kein Kunststück.«

»Wird man Sie nicht vermissen, Durchlaucht?« fragte Biron.

»Mich? Daß ich nicht lache. Der Hauptmann war froh, mich loszuwerden – trotz seiner vielen Bücklinge. Die weinen mir keine Träne nach, das können Sie mir glauben.«

Plötzlich brach die geflüsterte Unterhaltung ab. Am Ende des Korridors stand ein Wachtposten. Zwei weitere flankierten die große Doppeltür, die ins Freie führte.

Gillbret rief ihnen munter zu: »Irgendwelche Neuigkeit über den entsprungenen Gefangenen, Leute?«

»Nein, Euer Durchlaucht«, lautete die Antwort unter zackigem Hackenzusammenschlagen.

»Haltet nur weiter die Augen offen!« Mit diesen Worten gingen sie an den Wachen vorbei, die ihnen respektvoll die Tür hielten und die Alarmanlage außer Betrieb gesetzt hatten.

Draußen war es noch Nacht. Der Himmel war sternenklar. Die Palastgebäude bildeten eine dunkle Masse im Hintergrund. Der Flugplatz lag ungefähr einen Kilometer entfernt.

Nachdem sie fünf Minuten schweigend gegangen waren, wurde Gillbret unruhig.

»Irgendwas stimmt nicht«, murmelte er.

»Du hast doch nicht etwa vergessen, das Schiff bereitstellen zu lassen, Onkel Gil?« fragte Artemisia.

»Natürlich nicht«, fuhr er seine Nichte ungehalten an. »Warum ist der Flughafenturm erleuchtet? Er müßte um diese Zeit dunkel sein.«

Gillbret wies auf eine Stelle, wo der Turm wie eine weißleuchtende Honigwabe durch die Bäume schimmerte. Das konnte nichts anderes zu bedeuten haben, als daß Schiffe entweder starteten oder landeten. »Für heute nacht war nichts vorgesehen«, brummte Gillbret. »Das weiß ich ganz genau.«

Gleich darauf fand Gillbret die Antwort auf seine Frage. Er blieb plötzlich stehen und breitete beide Arme aus, um seine Begleiter zurückzuhalten.

»Das also ist es«, stieß er, beinahe hysterisch kichernd, hervor. »Diesmal hat sich Henrik, der Idiot, aber schön in die Tinte gesetzt. Die Tyrannen sind hier! Wißt ihr, was das bedeutet? Dort steht Arataps privater Panzerkreuzer.«

Jetzt fiel auch Biron das Schiff auf. Es war schnittiger, schlanker, wendiger als die rhodianischen Fahrzeuge.

»Das ist also die ›Persönlichkeit‹, von der unser Hauptmann sprach«, fuhr Gillbret fort. »Hätte ich doch gleich darauf geachtet! Jetzt ist nichts mehr zu ändern. Mit den Tyrannen können wir's nicht aufnehmen.«

»Warum nicht?« herrschte ihn Biron wütend an. »Warum können wir's nicht mit ihnen aufnehmen? Woher sollten sie Verdacht schöpfen? Außerdem sind wir bewaffnet. Am besten nehmen wir gleich das Schiff des Kommissars. Soll der Oberbonze doch ein langes Gesicht machen!«

Entschlossen trat er aus der relativen Geborgenheit des Wäldchens hinaus auf das erleuchtete Flugfeld. Die beiden anderen folgten ihm stumm. Sie brauchten sich nicht zu verstecken. Niemand würde zwei Mitglieder der königlichen Familie und einen sie eskortierenden Leibwächter anhalten.

Aber es waren die Tyrannen, die sie jetzt herausforderten!

Als Simok Aratap von Tyrann vor Jahren den Palast von Rhodia zum erstenmal gesehen hatte, war er tief beeindruckt gewesen. Später hatte er feststellen müssen, daß die imposante Hülle nicht mehr als eine verstaubte Reliquie barg. Zwei Generationen zuvor hatte das Parlament von Rhodia hier getagt. Die meisten Ministerien hatten auf dem Palastgelände ihren Sitz gehabt. Von hier waren die Impulse für ein gutes Dutzend Welten ausgegangen.

Jetzt trat das Parlament – es existierte noch immer, denn der Khan pflegte sich nicht in die inneren Angelegenheiten anderer Planeten einzumischen – nur noch einmal jährlich zusammen, um die gesetzlichen Verordnungen der vergangenen zwölf Monate zu ratifizieren. Eine reine Formalität. Nominell tagte der Exekutivrat noch regelmäßig, aber er bestand aus einer Handvoll Männern, die ihre Zeit weit häufiger auf ihren Rittergütern als in irgendwelchen Amtsräumen verbrachten. Die einzelnen Ministerien existierten natürlich noch. Denn – ob Direktor oder Khan – man konnte nicht gut ohne sie regieren. Aber jetzt waren sie über den ganzen Planeten verteilt und weit mehr von den neuen Herren, den Tyrannen, als vom Direktor abhängig.

Der Palast war unverändert geblieben: ein majestätisches Denkmal aus Stein und Metall, mehr nicht. Er beherbergte die königliche Familie, einen kaum zulänglichen Bediententroß und eine völlig unzulängliche Eingeborenentruppe als Leibgarde.

Aratap fühlte sich in dieser attrappenhaften Umgebung unbehaglich, ja unglücklich. Es war schon spät, er war müde, seine Augen brannten, und er sehnte sich danach, die Kontaktgläser abnehmen zu können. Vor allem aber war er enttäuscht.

Wie planlos das Ganze war! Er warf seinem militärischen Berater einen Blick zu, doch der Major hörte mit ausdruckslosem Gesicht dem Direktor zu, dessen Worten Aratap selbst nur wenig Aufmerksamkeit schenkte. »Der junge Widemos? So, so!« hatte er einmal zerstreut eingeworfen und später noch hinzugefügt: »Sie haben ihn also verhaften lassen? Gut, gut!«

Was Aratap so verdroß, war, daß alles keine Methode zu haben schien. Aratap war so sehr an exaktes, logisches Denken und Handeln gewöhnt, daß ihn das Fehlen eines Planes ganz aus der Fassung brachte.

Widemos war ein Verräter gewesen, und sein Sohn hatte versucht, sich mit dem Direktor von Rhodia in Verbindung zu setzen. Als das heimlich nicht klappte, hatte er es ganz offiziell mit seiner lächerlichen Geschichte von einer Verschwörung versucht. Er mußte es offenbar eilig gehabt haben. Hier lag der Schlüssel zu einem Plan.

Aber weitere Zusammenhänge fehlten. Henrik hatte sich des Jungen mit geradezu unanständiger Hast entledigt. Nicht einmal bis zum nächsten Morgen hatte er sich Zeit gelassen. Da stimmte etwas nicht. Oder man hatte ihm, Aratap, wichtige Einzelheiten verschwiegen?

Erneut zwang er sich, dem Direktor aufmerksam zuzuhören. Henrik begann, sich zu wiederholen. Aratap war nahe daran, ihn zu bemitleiden. Man hatte diesen Mann so eingeschüchtert, daß seine Feigheit selbst einem Tyrannen zuwider werden konnte.

Und dennoch ging es nicht anders. Nur durch Furcht war unbedingter Gehorsam zu erzielen. Und allein darauf kam es an.

Widemos war nicht einzuschüchtern gewesen. Darum hatte er auch rebelliert, obwohl es in seinem eigenen Interesse gelegen hätte, sich mit der Oberhoheit der Tyrannen abzufinden. Henrik hatte Angst. Sein Fall lag ganz anders.

Weil Henrik Angst hatte und bestrebt war, nur ja alles richtig und nach Wunsch zu machen, hatte er sich auch so heillos verhaspelt. Von dem Major war kein beifälliges Wort zu erwarten, das wußte Aratap. Der Mann hatte nicht die geringste Phantasie. Der Hochkommissar seufzte und wünschte, er hätte auch keine. Politik war ein schmutziges Geschäft.

Indessen hörte er sich aufmunternd sagen: »Sehr gut. Ich billige Ihre Entschlußfreudigkeit und Ihren Eifer, dem Khan dienlich zu sein. Sie können sich darauf verlassen, daß er davon erfahren wird.«

Henrik war sichtlich erleichtert. Seine umwölkte Miene erhellte sich.

»Lassen Sie den Gefangenen herbringen«, befahl Aratap. »Dann wollen wir einmal hören, was unser Hähnchen zu krähen hat.« Er unterdrückte ein Gähnen, denn er war nicht im mindesten an dem ›Hähnchen‹ interessiert.

Noch ehe Henrik die Hand nach dem Hausvisiophon ausstrecken konnte, stand der Hauptmann der Leibgarde unangemeldet in der Tür.

»Euer Exzellenz«, rief er und trat ein, ohne eine Aufforderung abzuwarten.

»Was gibt's, Hauptmann?« fragte Henrik unsicher.

»Euer Exzellenz«, stieß der Offizier atemlos hervor, »der Gefangene ist entkommen.«

Aratap merkte, wie seine Müdigkeit verflog. »Rapport, Hauptmann«, befahl er und richtete sich in seinem Sessel auf.

Der Hauptmann vermied jede unmilitärische Wortverschwendung und sagte zum Schluß: »Ich bitte um Ihre Genehmigung, Exzellenz, allgemeinen Alarmzustand auszurufen. Die Flüchtlinge haben nur wenige Minuten Vorsprung.«

»Auf jeden Fall«, stammelte Henrik, »auf jeden Fall. Allgemeiner Alarm, natürlich! Ganz recht! Schnell! Schnell! Herr Kommissar, ich verstehe nicht, wie das passieren konnte. Hauptmann, spannen Sie alle Leute ein. Selbstverständlich werden wir den Fall untersuchen, Herr Kommissar. Wenn nötig, wird die ganze Leibgarde liquidiert. Alle! Bis zum letzten Mann.«

Er hatte sich in eine nahezu hysterische Wut hineingesteigert.

»Worauf warten Sie noch?« herrschte Aratap den Hauptmann an, der noch etwas auf dem Herzen zu haben schien.

»Kann ich Euer Exzellenz unter vier Augen sprechen?« fragte der Offizier unschlüssig.

Henrik warf dem Hochkommissar, der keine Miene verzog, einen schnellen, erschrockenen Blick zu. Leicht vorwurfsvollen Tones erklärte er: »Wir haben keine Geheimnisse vor den Beamten des Khans, sie sind unsere Freunde, unsere –«

»Was haben Sie uns mitzuteilen, Hauptmann?« unterbrach ihn Aratap höflich, aber bestimmt.

Der Hauptmann salutierte vorschriftsmäßig und begann: »Zu meinem Bedauern muß ich Euer Exzellenz mitteilen, daß Ihre Hoheit Artemisia und Seine Durchlaucht Gillbret den Gefangenen auf seiner Flucht begleitet haben.«

Erregt sprang Henrik auf. »Er hat es gewagt, sie zu entführen? Und meine Leibgarde hat das zugelassen?«

»Es war keine Entführung, Euer Exzellenz. Sie haben ihn freiwillig begleitet.«

»Woher wollen Sie das wissen?« Aratap war hellwach geworden und von dem Verlauf der Dinge sehr befriedigt. Endlich ließ sich so etwas wie ein Plan erkennen. Ein besserer Plan sogar, als er vermutet hatte!

»Wir haben die Aussagen des Wachtpostens, der von ihnen überwältigt wurde«, fuhr der Hauptmann fort, »und außerdem der beiden Leibwächter, die sie, weil kein Grund zu einem Verdacht vorhanden war, den Palast verlassen ließen.«

»Es wäre besser, Hauptmann, wenn Sie sich um den Gesundheitszustand Ihres Direktors kümmerten«, meinte Aratap. »Sie sollten seinen Arzt rufen lassen.«

»Aber der Alarm!« rief der Hauptmann etwas ratlos.

»Von einem allgemeinen Alarm sehen wir ab«, erklärte ihm Aratap. »Haben Sie verstanden? Kein Alarm! Keine Verfolgung! Der Fall ist erledigt. Geben Sie Ihren Leuten Befehl, sich wieder ihren regulären Aufgaben zuzuwenden. Und kümmern Sie sich um Ihren Direktor. Kommen Sie, Major!«

Sobald sie die Palastgebäude hinter sich gelassen hatten, fragte der tyrannische Major gespannt: »Ich darf doch wohl annehmen, daß Sie genau wissen, was Sie tun, Aratap? Nur deshalb habe ich vorhin den Mund gehalten.«

»Vielen Dank, Major.« Aratap genoß die Nachtluft auf einem grünenden Planeten wie diesem. Auf seine Art war Tyrann schöner, aber es war die furchteinflößende Schönheit felsiger Gebirgsketten. Trockenheit überall!

»Sie können mit Henrik nicht umgehen, Major Andros«, sagte er gemächlich. »Unter Ihren Händen würde er eingehen wie eine welke Pflanze. Er ist sehr nützlich, und man muß ihn behutsam behandeln, wenn er es bleiben soll.«

Der Major machte eine abwehrende Handbewegung. »Darauf wollte ich gar nicht hinaus. Aber warum kein allgemeiner Alarm? Liegt Ihnen nichts an den Flüchtlingen?«

»Ihnen etwa?« Aratap zögerte. »Setzen wir uns einen Augenblick, Andros. Eine Bank am Wiesengrund! Was könnte es Schöneres geben, und was wäre außerdem sicherer vor Abhörstrahlen? Warum wollen Sie den jungen Mann unbedingt fangen, Major?«

»Warum will ich überhaupt einen Verschwörer und Verräter fangen?«

»Ja, warum? Wenn Sie nur ein paar Mittelsmänner erwischen, während die Giftquelle unentdeckt bleibt? Wen würden Sie bekommen? Einen Grünschnabel, ein Gänschen und einen senilen Wirrkopf.«

Ganz in der Nähe war das Plätschern eines künstlichen Wasserfalls zu vernehmen. Für Aratap grenzte das an ein Wunder, obwohl er sich nie ganz von seiner anerzogenen Verärgerung über eine solche Verschwendung des kostbaren Gutes hatte freimachen können.

»Schön und gut«, gab der Major zu bedenken, »aber besser wenig als gar nichts.«

»Wir haben immerhin einige Anhaltspunkte. Als der junge Mann auftauchte, brachten wir ihn mit Henrik in Verbindung, und das bereitete uns einiges Kopfzerbrechen. Henrik ist nun einmal – Henrik. Aber was sollten wir machen? Jetzt hat sich herausgestellt, daß es gar nicht um Henrik ging. Henrik war eine Finte. Seine Tochter und sein Vetter waren es, auf die es der Bengel abgesehen hatte. Und dahinter scheint einiges zu stecken.«

»Warum hat Henrik uns nicht eher rufen lassen? Warum hat er es erst mitten in der Nacht getan?«

»Weil er sich von jedem an der Nase herumführen läßt, der

auch nur den leisesten Versuch dazu unternimmt. Ich bin davon überzeugt, daß Gillbret diese Nachtsitzung vorgeschlagen hat, weil sie ihm am besten in seinen Kram paßte.«

»Sie meinen also, daß wir absichtlich hergerufen wurden, um Zeugen ihrer Flucht zu sein?«

»Natürlich nicht deshalb. Überlegen Sie doch einmal! Wohin beabsichtigten diese Leute zu gehen?«

»Rhodia ist groß«, erwiderte der Major achselzuckend.

»Ja, wenn es sich um den jungen Farrill allein handelte. Aber wo könnten sich zwei Mitglieder der königlichen Familie unbemerkt auf Rhodia verbergen? Besonders das Mädchen.«

»Sie meinen also, sie müssen den Planeten verlassen? Nun ja, das leuchtet mir ein.«

»Von wo aus? Der Flugplatz ist zu Fuß in fünfzehn Minuten zu erreichen. Wissen Sie nun, warum unsere Anwesenheit nötig war?«

»Unser Schiff?« fragte der Major ungläubig.

»Natürlich. Ein tyrannisches Schiff mußte ihnen geradezu ideal erscheinen. Sonst hätten sie nur einen der Frachter nehmen können. Farrill hat auf der Erde studiert, und ich bin überzeugt davon, daß er einen Kreuzer steuern kann.«

»Da haben Sie's! Warum gestatten wir dem Adel, seine Söhne, wer weiß wo, ausbilden zu lassen? Wie kommt ein Untertan dazu, mehr von der Verkehrstechnik zu verstehen, als für einen Eingeborenen notwendig ist? Wir sägen selbst den Ast ab, auf dem wir sitzen.«

»Immerhin«, belehrte ihn Aratap mit höflichem Gleichmut, »hat Farrill zweifellos eine entsprechende Ausbildung genossen, womit wir uns objektiv abzufinden haben, ohne darüber aus dem Häuschen zu geraten. Die logische Folgerung aus dieser Tatsache ist, daß sie bestimmt unseren Kreuzer genommen haben.«

»Das kann ich nicht glauben.«

»Sie haben doch Ihren Taschenfunkapparat dabei. Versuchen Sie, mit dem Schiff Verbindung aufzunehmen.«

Die Bemühungen des Majors waren vergebens.

»Peilen Sie mal den Flughafenturm an«, schlug Aratap vor. Bald darauf ertönte aus dem winzigen Empfangsgerät eine aufgeregte Stimme: »Aber, Euer Exzellenz, ich verstehe nicht. – Sie müssen sich irren. Ihr Pilot ist doch vor zehn Minuten abgeflogen.«

Aratap lächelte. »Sehen Sie? Wenn man erst den Schlüssel hat, ergibt sich eines aus dem anderen. Hätten sie sich mit dem schwerfälligsten aller Frachter begnügt, wären sie uns wahrscheinlich entwischt, und ich hätte, wie man so schön sagt, heute nacht mein Gesicht verloren. So aber habe ich es mehr denn je behalten, und die drei sind rettungslos verloren. Und wenn ich sie zu gegebener Zeit« – auf diese Worte legte er besonderen Nachdruck – »einfange, werde ich auch die übrigen Verschwörer schnappen.«

Er seufzte. Auf einmal fühlte er sich wieder schläfrig werden. »Na ja, wir haben Glück gehabt. Im Augenblick ist durchaus keine Eile geboten. Rufen Sie den Zentralflughafen an, und lassen Sie uns ein anderes Schiff schicken.«

## Vielleicht

Biron Farrills auf der Erde erworbene Kenntnisse in der Raumschiffahrt waren größtenteils akademischer Natur. Er hatte an mehreren Kursen über Raumtechnik teilgenommen, doch obgleich er sich ein halbes Semester mit der Theorie vom hyperatomischen Motor herumgeschlagen hatte, fühlte er sich ziemlich hilflos, wenn es galt, ein Schiff im Raum zu manövrieren. Die besten und erfahrensten Piloten gingen eben aus der Praxis und nicht aus Hörsälen hervor.

Mit mehr Glück als Verstand war es ihm gelungen, ohne unliebsamen Zwischenfall zu starten. Arataps ›Unverzagt‹ reagierte viel schneller auf jeden Hebeldruck, als Biron hatte ahnen können. Er hatte von der Erde aus mehrere Raumfahrten unternommen, jedoch mit Schiffen altehrwürdigen Datums, die man eigens für Übungsfahrten der Studenten vor der Verschrottung bewahrt hatte.

Die ›Unverzagt‹ dagegen war mühelos emporgestiegen, hatte pfeilschnell die Atmosphäre durcheilt und war mit solcher Vehemenz vorgestoßen, daß Biron jäh vom Pilotensitz gefallen war und sich beinahe die Schulter verrenkt hätte. Artemisia und Gillbret, die sich mit der größeren Vorsicht der Neulinge festgeschnallt hatten, holten sich sogar an den gepolsterten Gurten blaue Flecke. Der gefangene tyrannische Pilot hielt sich gegen die Wand gepreßt. Leise vor sich hinfluchend, versuchte er, seine Fesseln zu lockern.

Biron hatte sich mühsam wieder erhoben, den Tyrannen etwas unsanft zum Schweigen gebracht und bahnte sich nun vorsichtig an der Reling entlang seinen Weg zum Pilotensitz zurück. Der zunehmende Kraftverbrauch ließ das Schiff erzittern und reduzierte die Geschwindigkeit auf ein erträgliches Maß.

Sie waren bereits in den Außenbezirken der rhodianischen Atmosphäre angelangt. Der Himmel sah tiefviolett aus, und der Schiffsrumpf war vom Luftwiderstand so heiß geworden, daß die Wärme bis in die Kabine drang.

Danach dauerte es eine Stunde, das Schiff in eine Umlaufbahn um Rhodia zu steuern. Biron wußte nicht, wie er die Geschwindigkeit berechnen sollte, die notwendig war, um die Schwerkraft Rhodias zu überwinden. Er mußte mehr oder weniger über den Daumen peilen, wobei er die Geschwindigkeit durch erhöhte oder verminderte Kraftzufuhr zu regulieren suchte und das Massometer im Auge behielt. Dieses Instrument zeigte die Entfernung von der Oberfläche des Planeten an, indem es die Intensität des Gravitationsfeldes maß. Zum Glück war das Massometer bereits auf den Radius und die planetarische Beschaffenheit Rhodias kalibriert. Hätte Biron die Eichung selbst vornehmen müssen, wäre er auf reines Experimentieren angewiesen gewesen.

Auf einmal stand die Massometernadel still und zeigte zwei Stunden lang keine bemerkenswerte Schwankung mehr. Biron gestattete sich eine kleine Ruhepause, während seine beiden Passagiere die Sicherheitsgürtel lösten.

»Euer Gnaden scheinen sich nicht gerade leicht zu tun«, bemerkte Artemisia von oben herab.

»Jedenfalls fliegen wir, Hoheit«, entgegnete Biron gepreßt. »Wenn Sie's besser können – bitte! Nur möchte ich dann vorher abspringen.«

»Ruhe, Kinder!« beschwichtigte Gillbret. »Auf so engem Raum können wir es uns nicht leisten, die gekränkte Leberwurst zu spielen. Außerdem halte ich es für angebracht, daß wir in diesem winzigen Schleuderkäfig alle Titel, Orden und Ehrenzeichen weglassen und uns mit unseren Vornamen anreden, wobei ich individuelle Variationen für durchaus zulässig halte. Im übrigen: Warum ziehen wir eigentlich nicht unseren tyrannischen Freund hier als Piloten hinzu?«

Der Tyrann horchte auf, aber Biron erklärte entschieden: »Kommt nicht in Frage. Ihm ist nicht über den Weg zu trauen. Außerdem werde ich besser navigieren, sobald ich mit den Apparaturen vertraut bin. Bis jetzt sind Sie durch mich wohl noch nicht zu Schaden gekommen? Oder?« Seine Schulter tat noch immer weh, und der Schmerz machte ihn, wie üblich, übellaunig.

»Was sollen wir aber mit ihm anfangen?« fragte Gillbret.

»Ich habe keine Lust, ihn kaltblütig umzubringen«, meinte Biron.

»Außerdem würde uns das nichts nützen. Es brächte die Tyrannen nur noch mehr gegen uns auf. Das Töten eines Angehörigen der Herrenrasse ist eine nicht wieder gutzumachende Sünde.«

»Was also tun?«

»Wir werden ihn ausbooten.«

»Wo?«

»Auf Rhodia.«

»Sind Sie verrückt?«

»Durchaus nicht. Hier sucht man bestimmt nicht nach uns. Außerdem müssen wir sowieso landen.«

»Warum?«

»Der Hochkommissar hat dieses Schiff lediglich für Spritztouren auf dem Planeten verwandt. Es ist auf Reisen im Weltall absolut nicht eingerichtet. Ehe wir starten, müssen wir uns mit allem Notwendigen versehen. Vor allem brauchen wir genügend Proviant und Wasser.«

Artemisia nickte zustimmend. »Sie haben recht. Ich hätte bestimmt nicht daran gedacht. Ein sehr kluger Gedanke, Biron!«

Obgleich ihm diese Bemerkung sehr wohltat, machte Biron eine abwehrende Handbewegung. Es war das erste Mal, daß sie ihn beim Vornamen angeredet hatte. Wenn sie wollte, konnte sie ausgesprochen liebenswürdig sein.

»Er würde sofort unseren Aufenthaltsort ausposaunen«, gab Gillbret zu bedenken.

»Kaum«, widersprach ihm Biron. »Es ist doch wohl anzunehmen, daß Rhodia auch abgelegene Gegenden hat. Wir brauchen ihn ja nicht gerade im Zentrum einer Großstadt oder in einer tyrannischen Garnison abzusetzen. Außerdem dürfte er es gar nicht so eilig haben, seinen Vorgesetzten unter die Augen zu treten ... Nicht wahr, mein Bester, ein Soldat, der sich den Kreuzer des Hochkommissars von Tyrann vor der Nase wegstehlen läßt, ist nicht gerade zu beneiden?«

Der Gefangene gab keine Antwort, aber seine Lippen preßten sich zu einem schmalen blutleeren Strich zusammen.

Um nichts in der Welt hätte Biron in der Haut des Soldaten stecken mögen. Natürlich traf den Mann keine Schuld. Wie hätte der auch Verdacht schöpfen sollen! Schließlich war er Mitgliedern der königlichen Familie gegenüber zur Höflichkeit verpflichtet. Trotzdem hatte er sich an seine Dienstvorschrift gehalten und ihnen das Betreten des Schiffes ohne Erlaubnis seines Kommandeurs verweigert. Selbst den Direktor dürfe er nicht ohne weiteres an Bord lassen, hatte er ihnen erklärt. Inzwischen hatten sie ihn jedoch bereits überwältigt, und ehe er von seiner Waffe Gebrauch machen konnte, hatte er selbst die neuronische Peitsche zu spüren bekommen.

Selbst dann hatte er sich nicht widerstandslos ergeben. Erst eine wiederholte Beruhigung mit der Peitsche hatte ihn zahm gemacht. Dennoch erwarteten ihn Kriegsgericht und Militärgefängnis. Das wußte niemand besser als der Soldat selbst.

Zwei Tage später landeten sie am Stadtrand von Southwark. Sie hatten diese Stadt gewählt, weil sie von den am dichtesten besiedelten Gebieten Rhodias weit entfernt lag. Dem Soldaten hatten sie achtzig Kilometer von jeglicher Ansiedlung entfernt mit dem Fallschirm abspringen lassen.

Die Landung an der einsamen Küste ging verhältnismäßig gut vonstatten. Biron besorgte die notwendigen Einkäufe, weil er am wenigsten Gefahr lief, erkannt zu werden. Das Geld, das Gillbret vorsorglicherweise eingesteckt hatte, reichte kaum für den dringendsten Bedarf. Denn einen beträchtlichen Teil davon mußte Biron für ein Lieferrad mit Anhänger ausgeben, um die Vorräte schubweise zum Schiff zu transportieren.

»Sie hätten mit dem Geld viel weiter gereicht, wenn Sie nicht soviel für den tyrannischen Dreckskram verschwendet hätten, den Sie da mitgebracht haben«, bemerkte Artemisia ungnädig.

»Ich wüßte nicht, wie ich es anders hätte machen sollen«,

verteidigte sich Biron wütend. »Für Sie mag das tyrannischer Dreckskram sein, aber das Zeug ist wenigstens nahrhaft und wird uns einigermaßen bei Kräften halten.«

Da hatte er sich abgerackert wie ein Kuli, um alles an Bord zu schleppen, von der Gefahr ganz zu schweigen, die damit verbunden gewesen war, in einem der tyrannischen Kommissionsgeschäfte der Stadt einzukaufen, und Artemisia fand nicht einmal ein Wort der Anerkennung für ihn.

Dabei war ihm doch gar nichts anderes übriggeblieben. Die Tyrannen hatten, weil sie so winzige Schiffe benutzten, eine geradezu vollendete Technik der Vorratswirtschaft entwickelt. Sie konnten sich nicht so riesige Lagerräume leisten, wie sie bei anderen Flotten üblich waren, wo die Kühlräume an Schlachthäuser erinnerten. Die Tyrannen dagegen stellten Konzentrate her, die alle erforderlichen Nährstoffe, Vitamine, Spurenelemente usw. enthielten. Dadurch brauchten sie höchstens ein Zwanzigstel des Lagerraumes der übrigen Flotten und hatten noch den Vorteil, im Kühlraum alles fein säuberlich stapeln zu können wie Mauersteine.

»Auf jeden Fall schmeckt das Zeug ekelhaft«, behauptete Artemisia.

»Auf jeden Fall werden Sie sich daran gewöhnen müssen«, gab Biron, ihren gereizten Tonfall so gut nachahmend, zurück, daß sie sich empört abwandte.

Biron wußte sehr wohl, warum sie so unleidlich war. Nicht die Aussicht auf eintönige Mahlzeiten machte sie ungehalten, sondern die räumliche Enge, zum Beispiel, daß es keine Einzelkabinen zum Schlafen gab. Der größte Teil der Schiffes wurde vom Maschinenraum und den technischen Einrichtungen eingenommen. Schließlich handelte es sich ja auch um ein Kriegsschiff und keine Luxusjacht. Biron nahm sich vor, das Artemisia bei nächster Gelegenheit zu verstehen zu geben. Außerdem waren noch der Vorratsraum und eine kleine Kabine vorhanden, wo an jeder Längswand drei Betten übereinanderstanden. Die Toilette befand sich in einer kleinen Nische neben der Kabine.

Für Artemisia bedeutete das alles ungewohnte Einschränkung, Mangel an sanitärem Komfort und Verzicht auf Alleinsein.

Nun, sie würde sich daran gewöhnen müssen. Biron war der

Meinung, genug für sie getan zu haben, mehr als genug. Hätte sie sich nicht darüber freuen und wenigstens ab und zu einmal lächeln können? Sie hatte ein angenehmes Lächeln, überhaupt war sie gar nicht so übel, wie er zugeben mußte, von ihren Launen abgesehen. Aber diese Launen! Das war's ja eben.

Warum verschwendete er überhaupt seine Zeit damit, an sie zu denken. Der Wasservorrat war viel wichtiger. Der Planet Tyrann hatte vorwiegend Wüstencharakter, so daß Wasser dort ein kostbares Gut war, dessen Wert man zu schätzen wußte. An Bord eines Schiffes wurde kein Tropfen dieses Elements für Waschzwecke verschwendet. Von den Soldaten erwartete man, daß sie sich und ihre Sachen wuschen, nachdem sie auf einem anderen Planeten gelandet waren. Auf Reisen durfte ihnen ein wenig Schmutz und Schweiß nichts ausmachen. Bei längeren Fahrten wurde sogar die Trinkwasserversorgung zu einem Problem. Wasser ließ sich eben weder konzentrieren noch dehydrieren, sondern mußte in natura mitgenommen werden. Hinzu kam noch, daß der Wassergehalt der konzentrierten Nahrungsmittel niedrig war.

Biron hatte zwar davon gehört, daß die Tyrannen ein Verfahren entwickelt hatten, um Wasser aus den Ausscheidungsprodukten des menschlichen Körpers zu gewinnen, aber allein der Gedanke daran erregte ein Übelkeitsgefühl in ihm. Chemisch gesehen mochte das sehr fortschrittlich sein, doch für jemanden, der nicht von Tyrann stammte, war es einfach unvorstellbar.

Der zweite Start ging verhältnismäßig gut vonstatten, so daß Biron genügend Zeit hatte, sich mit dem Schaltbrett vertraut zu machen. Es erinnerte nur sehr entfernt an die technischen Errungenschaften, die er auf der Erde kennengelernt hatte. Hier gab es eine Unmenge von Knöpfen, Hebeln und Schaltern. Sowie Biron die Funktion eines dieser verwirrenden Instrumente herausgefunden hatte, notierte er alles fein säuberlich auf Papier und heftete es an das Schaltbrett.

Als Gillbret den Pilotenraum betrat, sagte Biron ohne aufzublicken: »Artemisia ist wohl in der Kabine?«

»Ich wüßte nicht, wo sie sich sonst aufhalten sollte.«

»Bitte sagen Sie ihr, daß ich mir hier ein Lager zurechtmache. Es wäre vielleicht ratsam, wenn Sie es auch täten und ihr die

Kabine allein überließen.« Brummend fügte er hinzu: »Sie ist nun mal kindisch und albern.«

»Sie sind nicht gerade fehlerlos, Biron«, erwiderte Gillbret gelassen. »Bedenken Sie, bitte, an was für ein Leben sie bisher gewöhnt war.«

»Na und? Ich bin auch kein hergelaufener Strolch. Immerhin stamme ich von der größten Ranch auf Nephelos. Aber schließlich hat man sich mit unliebsamen Situationen abzufinden. Ich kann ja das Schiff nicht größer machen, als es ist, verdammt noch mal! Und die Möglichkeit, Eß- und Trinkvorräte zu lagern, sind eben begrenzt. Außerdem kann ich nichts dafür, daß es hier keine Dusche gibt. Sie tut, als ob ich persönlich für die Konstruktion dieses Kastens verantwortlich wäre.« Es war eine wahre Wonne, Gillbret anzuschreien. Das Schreien allein war eine Erleichterung.

Doch die Tür öffnete sich abermals, und Artemisia sagte mit eisiger Stimme: »An Ihrer Stelle würde ich nicht so brüllen, Herr Farrill. Man kann Sie bis in den letzten Winkel des Schiffes hören.«

»Das ist mir ganz egal«, gab Biron hitzig zurück. »Und wenn Ihnen das Schiff nicht paßt, so denken Sie bitte daran, daß wir beide nicht hier zu sein brauchten, wenn Ihr Vater nicht die Absicht gehabt hätte, mich umzubringen und Sie zu verkuppeln.«

»Lassen Sie meinen Vater aus dem Spiel!«

»Ich spreche, worüber es mir paßt.«

Gillbret hielt sich die Hände an die Ohren. »Hört doch endlich auf!« Seine Worte bewirkten, daß eine Kampfpause eintrat. Gillbret benutzte diese Gelegenheit, um zu fragen: »Wie wär's, wenn wir uns über unser Reiseziel einigten? Offensichtlich wäre es uns doch allen wohler, wenn wir dieses Schiff so bald wie möglich verlassen könnten.«

»Einverstanden, Gil«, pflichtete Biron ihm bei. »Mir ist jeder Ort recht, wo ich mir ihr Gegacker nicht anzuhören brauche.«

Artemisia überhörte Birons Bemerkung und wandte sich direkt an Gillbret: »Wäre es nicht das beste, wenn wir versuchten, ganz aus dem Nebula-Gebiet 'rauszukommen?«

»Auf keinen Fall«, widersprach Biron sofort. »Ich will meine Ranch zurückhaben. Außerdem habe ich noch eine Rechnung wegen des Mordes an meinem Vater zu begleichen. Ich bleibe also in den Königreichen.«

»Es brauchte ja nicht für immer zu sein.« Artemisia ließ sich nicht beirren. »Nur bis sie uns nicht mehr verfolgen. Was wollen Sie übrigens wegen Ihrer Ranch unternehmen? Da müssen Sie schon warten, bis das tyrannische Reich zusammenbricht, und ich glaube kaum, daß Sie den Anstoß dazu geben werden.«

»Kümmern Sie sich gefälligst um Ihre eigenen Angelegenheiten!«

»Dürfte ich auch einmal einen Vorschlag machen?« warf Gillbret sanft dazwischen.

Das plötzlich eingetretene Schweigen als Zustimmung nehmend, fuhr er fort: »Dann möchte ich nämlich sagen, wohin wir fahren sollten und wie wir helfen könnten, das Tyrannenreich zu zerschlagen, wie es Arta so schön ausdrückte.«

»Oh? Und das wäre?« fragte Biron ungläubig.

Gillbret lächelte. »Nein, lieber Junge, Ihre Haltung amüsiert mich. Sie glauben mir nicht? Sie scheinen der Ansicht zu sein, ich könne mich nur für törichtes Zeug interessieren. Darf ich Sie daran erinnern, daß ich es war, der euch aus dem Palast geschmuggelt hat?«

»Ich weiß. Erzählen Sie, ich bin sehr gespannt.«

»Ausgezeichnet. Seit zwanzig Jahren warte ich schon auf eine Chance, den Tyrannen zu entwischen. Wäre ich ein Durchschnittsbürger, hätte es schon längst geklappt. Aber durch meine verdammte Stellung mußte ich ja stets unter den Augen der Öffentlichkeit leben. Und dennoch – wäre ich kein Henrici, hätte ich auch keine Gelegenheit gehabt, der Krönung des gegenwärtigen Khans von Tyrann beizuwohnen, und dann wäre ich auch nicht auf das Geheimnis gestoßen, das eines Tages diesen Khan vernichten wird.«

»Weiter!« drängte Biron.

»Die Reise von Rhodia nach Tyrann und zurück machte ich natürlich auf einem tyrannischen Kriegsschiff. Es war ähnlich wie das hier, nur vielleicht etwas größer. Die Fahrt verlief ereignislos. Der Aufenthalt auf Tyrann war teilweise ganz amüsant, aber das tut jetzt nichts zur Sache. Im übrigen war er ebenfalls ereignislos. Auf der Rückreise wurden wir jedoch von einem Meteor getroffen.«

»Wie, bitte?«

»Ich weiß, daß ein solcher Zwischenfall ziemlich ungewöhnlich ist. Das Auftauchen von Meteoren im Weltraum – vor allem im interstellaren Raum – ist so selten, daß Zusammenstöße mit einem Schiff kaum denkbar sind, aber sie kommen eben doch vor, wie sich zeigt. Natürlich kann ein Meteor, und sei er auch nur so groß wie ein Stecknadelkopf, jedes Fahrzeug, auch das größte Schlachtschiff, verletzen.«

»Ich weiß«, sagte Biron. »Das hängt mit dem Bewegungsmoment zusammen, das wiederum das Produkt aus Masse und Geschwindigkeit darstellt. Die Geschwindigkeit ist natürlich dabei ausschlaggebend.« Er leierte alles mürrisch wie aus einem Schulbuch herunter, weil er sich darüber ärgerte, daß er es nicht lassen konnte, Artemisia heimlich mit den Augen zu verschlingen.

Sie hatte sich gesetzt, um Gillbret besser zuhören zu können. Dabei war sie Biron so nahe, daß sie einander fast berührten. Ihr Profil war erstklassig, fand Biron, und ihre Schönheit wurde durchaus nicht beeinträchtigt, wenn auch ihr Haar ein wenig schmutzig zu werden begann. Ihre Kostümjacke hatte sie abgelegt. Auch nach achtundvierzig Stunden war ihre Bluse noch strahlend weiß und glatt. Biron staunte, wie sie das fertigbrachte.

Wenn sie sich nur besser benehmen wollte, dann könnte die Reise ein Vergnügen sein, stellte er fest. Artemisia war eben nie richtig erzogen worden, das war's. Von ihrem Vater bestimmt nicht. Stets hatte sie ihren Kopf durchsetzen können. Wäre sie ein einfaches Mädchen und keine Henrici gewesen, hätte man sie nahezu liebenswert finden können.

Biron wollte gerade in einen kleinen Wachtraum verfallen, worin er sich ihrer vernachlässigten Erziehung annahm und Artemisia beibrachte, seine Vorzüge voll zu würdigen, als sie ihren Kopf wandte und ihn gelassen musterte. Biron fuhr zusammen und konzentrierte seine Aufmerksamkeit sofort wieder auf Gillbret, von dessen Bericht ihm ohnehin schon einiges entgangen war.

»Ich habe keine Ahnung, warum der Bildschirm nicht funktioniert hatte. Es war eben einer jener Vorfälle, worauf es keine Antwort gibt. Jedenfalls schlug der Meteor mittschiffs ein. Er war nur so groß wie ein Kieselstein, und der Aufprall verminderte seine Kraft so stark, daß er nicht auf der anderen Seite des Schiffes wieder hinausdrang. Wäre das der Fall gewesen, hätte das Ganze nichts weiter auf sich gehabt, denn die Schiffswände wären im Nu wieder repariert gewesen. So aber gelangte der Meteor in den Pilotenraum und prallte an den Wänden hin und her, bis er zur Ruhe kam. Es kann nur Bruchteile einer Minute gedauert haben, aber bei der hohen Geschwindigkeit des Meteors muß er gut hundertmal in dem Raum hin und her gesaust sein. Beide Piloten waren zerfetzt. Ich bin nur mit dem Leben davongekommen, weil ich mich gerade in der Kabine aufgehalten hatte.

Ich hatte den Aufschlag des Meteors gehört, als er die Schiffswand durchdrang. Gleich darauf vernahm ich das Klappern aus dem Pilotenraum und die kurzen, schrillen Schreie der beiden Männer. Als ich erschrocken hinlief, sah ich nur noch Blut und Fleischfetzen überall. Was dann kam, ist mir nur noch verschwommen erinnerlich, obgleich es mich jahrelang in Alpträumen verfolgt hat.

Ein kalter Luftzug machte mich auf das Meteorloch aufmerksam. Ich stülpte einfach das nächstbeste Stück Metall darüber, das mir in die Finger kam. Es wurde vom Luftdruck sofort fugendicht angesogen. Das kieselsteingroße Stück Meteor fand ich auf dem Fußboden. Es war noch warm. Ich zerschlug es mit einem Schraubenschlüssel in zwei Teile.

Um die beiden Leichen band ich je ein Stück Schnur mit einem Schleppmagneten. Ich zwängte sie durch die Luftschleuse, und als ich die Magnete einschnappen hörte, wußte ich, daß die beiden infolge der Weltraumtemperatur hartgefrorenen Körper nunmehr das Schiff bis ans Ziel begleiten würden. Für den Fall, daß ich doch nach Rhodia zurückkehrte, brauchte ich nämlich einen Beweis, daß nicht ich, sondern der Meteor es war, der sie erschlagen hatte.

Wie aber sollte mir die Rückkehr gelingen? Ich war völlig hilflos. Das Schiff konnte ich nicht steuern, und auf irgendwelche Experimente traute ich mich mitten im interstellaren Raum nicht einzulassen. Ich wußte nicht einmal, wie ich ›SOS‹ funken sollte. Es blieb mir also nichts anderes übrig, als das Schiff sich selbst zu überlassen.«

»Aber das ist doch einfach unmöglich«, warf Biron ein. Er überlegte schon seit geraumer Zeit, ob Gillbret diese Geschichte aus reiner Lust am Fabulieren erfunden hatte, oder ob er eine bestimmte Absicht damit verband. »Zum Beispiel die Sprünge durch den Hyperraum. Wenn Sie die nicht bewerkstelligt hätten, wären Sie nicht hier.«

»Wenn ein tyrannisches Schiff erst einmal richtig eingestellt ist, macht es jeden gewünschten Sprung ganz automatisch«, erklärte Gillbret.

Biron starrte ihn ungläubig an. Wollte Gillbret ihn zum Narren halten? »Das haben Sie sich selbst ausgedacht«, stieß er schließlich hervor.

»Durchaus nicht. Das ist einer ihrer verdammten militärischen Vorteile, wodurch sie ihre Kriege gewonnen haben. Schließlich war es für sie kein Kinderspiel, fünfzig Planetensysteme zu besiegen, die, was Bevölkerungszahl, Rohstoffquellen und so weiter betraf, hundertmal so groß waren wie Tyrann. Gewiß haben sie uns gelegentlich überrumpelt, indem sie sehr geschickt die Verräter in unseren eigenen Reihen gegen uns ausspielten. Aber ihre Siege hatten ganz entschieden auch militärische Ursachen. Jedermann weiß, daß sie uns taktisch überlegen waren, und diese Überlegenheit ist zu einem großen Teil auf den automatischen Sprung zurückzuführen. Die Manövrierfähigkeit ihrer Schiffe wurde dadurch gewaltig verbessert, und sie konnten Schlachtpläne von einer Genauigkeit ausarbeiten, woran bei uns gar nicht zu denken war.

Diese Sprungtechnik ist eines ihres bestbewahrten Geheimnisse. Ich hatte bis zu jener einsamen Fahrt auf dem ›Blutsauger‹ keine Ahnung davon. Übrigens haben die Tyrannen geradezu eine Meisterschaft darin entwickelt, ihren Schiffen abstoßende Namen zu geben – vermutlich ist das psychologisch genau berechnet. Jedenfalls habe ich es mit eigenen Augen gesehen. Ich habe Sprünge erlebt, ohne daß ein einziger Knopf am Schaltbrett bedient wurde.«

»Glauben Sie vielleicht, daß es mit diesem Kasten auch möglich wäre?«

»Warum nicht? Überrascht wäre ich keinesfalls.«

Biron betrachtete nachdenklich das Schaltbrett. Da gab es noch Dutzende von Vorrichtungen, von deren Funktion er keine Ahnung hatte. Nun, aufgeschoben war nicht aufgehoben!

Er wandte sich wieder Gillbret zu. »Das Schiff brachte Sie also wohlbehalten nach Hause?«

»Nein. Der Meteor hatte das Schaltbrett nicht unversehrt gelassen. Das wäre ja auch ein Wunder gewesen. Jedenfalls genügte der Schaden, um vom Kurs auf Rhodia abzukommen.

Allmählich ließ die Geschwindigkeit nach, und mir wurde

klar, daß sich die Reise theoretisch ihrem Ende näherte. Ich hatte keine Ahnung, wo ich mich befand, doch plötzlich sah ich im Teleskop die Umrisse eines Planeten auftauchen. Ich hatte mehr als Glück, denn das Schiff nahm auf diesen Planeten Kurs. Natürlich nicht direkt. So viel Glück hatte ich wiederum nicht. Hätte ich das Schiff sich selbst überlassen, dann hätte es den Planeten um ungefähr eine Million Meilen verfehlt. Aber jetzt war ich immerhin nahe genug daran, um normale Ätherwellen zu benutzen. Darauf verstehe ich mich nämlich. Nach jenem Abenteuer habe ich mich übrigens mit Elektronen zu beschäftigen begonnen. Ich wollte nicht noch einmal so hilflos dastehen. Hilflosigkeit gehört nämlich zu den Dingen, die absolut nicht amüsant sind.«

»Sie benutzten also das Radio«, kam Biron auf den Kern der Sache zurück.

»Richtig. Und sie kamen und holten mich.«

»Wer?«

»Die Leute von dem Planeten. Er war bewohnt.«

»Das ist wirklich unvorstellbares Glück. Wie hieß der Planet?«

»Das weiß ich nicht.«

»Hat man es Ihnen nicht gesagt?«

»Nein. Amüsant, wie? Aber er mußte zu den Nebula-Königreichen gehören.«

»Woher wollen Sie das wissen?«

»Weil sie mein Schiff als tyrannisches Fahrzeug erkannt hatten. Beinahe hätten sie es beschossen. Nur mit Mühe und Not konnte ich sie davon überzeugen, daß ich der einzige Überlebende an Bord war.«

Biron, der nachdenklich die Arme um seine Knie geschlungen hatte, unterbrach Gillbret: »Moment mal! Das verstehe ich nicht ganz. Wenn sie das tyrannische Schiff erkannten und es beschießen wollten, ist das nicht der beste Beweis dafür, daß der Planet nicht zu den Königreichen gehörte, sondern irgendwo außerhalb der Nebula-Region lag?«

»Nein, bei der Galaxis!« Gillbrets Augen glänzten, und seine Stimme hatte einen begeisterten Klang angenommen. »Es war in den Königreichen! Ich habe den Planeten mit eigenen Augen gesehen. Was für eine merkwürdige Welt! Die Bewohner stammten aus allen Teilen der Königreiche. Ich habe sie an den verschiedenen Dialekten erkannt. Sie hatten keinerlei Angst vor den Tyrannen. Der ganze Planet war ein einziges Waffenarsenal. Er machte den Eindruck eines heruntergekommenen Agrarlandes, doch das war nur Tarnung. In Wirklichkeit war er Zentrum einer Widerstandsbewegung. Und irgendwo in den Königreichen, mein Junge, irgendwo gibt es diesen Planeten noch immer, der keine Angst vor den Tyrannen hat und sie vernichten wird, wie er mein Schiff vernichtet hätte, wenn die beiden Piloten noch am Leben gewesen wären.«

Biron fühlte sein Herz erregt klopfen. Wie gern hätte er Gillbret geglaubt!

Wer konnte es wissen? Vielleicht! Vielleicht!

## Vielleicht auch nicht!

Vielleicht aber auch nicht!

Biron zwang sich zu der sachlichen Frage: »Woher haben Sie Ihr Wissen über das Waffenarsenal? Wie lange waren Sie dort? Was haben Sie gesehen?«

»Was ich gesehen habe, ist nicht ausschlaggebend«, erwiderte Gillbret ungehalten. »Natürlich hat man mich nicht herumgeführt und mir alles gezeigt.« Gleich darauf hatte er sich wieder in der Gewalt und fuhr ruhig fort: »Als ich dort landete, war mir nicht gerade wohl zumute, müssen Sie wissen. Ich hatte vor Angst fast nichts gegessen. Es ist nämlich ein gräßliches Gefühl, so ganz allein im Weltraum umherzusegeln, so daß ich kränker aussah, als ich eigentlich war.

Ich wies mich, so gut es ging, aus, worauf sie mich in ihre unterirdischen Anlagen brachten. Das Schiff natürlich auch. Ich glaube, an dem Schiff waren sie viel mehr interessiert als an mir, weil sie dadurch Gelegenheit hatten, die tyrannische Raumtechnik am praktischen Beispiel zu studieren. Mich schoben sie in eine Art Krankenhaus ab.«

»Und was hast du nun wirklich gesehen, Onkel?« fragte Artemisia.

»Hat er Ihnen noch nie davon erzählt?« wunderte sich Biron.

»Nein.«

»Bis heute habe ich noch nie mit jemandem darüber gesprochen«, erklärte Gillbret. »Wie gesagt, mich schickten sie in ein Krankenhaus. Die Laboratorien dort kamen mir besser vor als alles, was wir auf Rhodia haben. Auf dem Wege zum Krankenhaus kam ich an Fabriken vorbei, offenbar metallverarbeitenden Betrieben. Übrigens, die Schiffe, die mich eingeholt hatten, waren auch ganz anders als alle, die ich sonst je gesehen habe.

Damals habe ich dem Planeten den Namen ›Rebellenwelt‹ gegeben, und in all den Jahren seither habe ich nie im geringsten daran gezweifelt, daß eines Tages von dort ein Großangriff auf die Tyrannen ausgehen wird, und daß die von den Tyrannen unterdrückten Welten aufgerufen werden, sich um die Rebellenführer zu scharen und ihnen beizustehen. Jahraus, jahrein habe ich darauf gewartet. Andererseits war ich froh, wenn dennoch nichts geschah, denn ich wollte vorher noch weg von Rhodia und mich ihnen anschließen, um an der Vergeltungsaktion teilnehmen zu können. Sie sollten nicht ohne mich losschlagen.«

Er lachte unsicher. »Wahrscheinlich hätte es manche Leute amüsiert, wenn sie gewußt hätten, was in meinem Kopf vorging. Wie ihr wißt, hat man nie viel von mir gehalten.«

»Das alles hat sich also vor mehr als zwanzig Jahren abgespielt«, warf Biron nüchtern ein. »Bis jetzt hat noch kein Angriff stattgefunden. Man hat von ihnen weder etwas gesehen noch gehört. Und Sie glauben noch immer –«

»Jawohl«, fauchte ihn Gillbret an. »Zwanzig Jahre sind nicht viel, um einen Aufstand gegen einen Planeten vorzubereiten, der fünfzig Welten regiert. Als ich dort war, befand sich alles noch im Anfangsstadium. Das weiß ich genau. Inzwischen müssen sie allmählich den Planeten in einen Maulwurfshaufen verwandelt haben mit ihren unterirdischen Anlagen. Außerdem werden sie neue Schiffe und Waffen entwickelt, mehr Soldaten gedrillt und den Angriff organisiert haben.

Daß man von heute auf morgen zu den Waffen greift, kommt nur in Schundromanen vor. Da wird heute eine neue Waffe gebraucht, morgen wird sie schon konstruiert, übermorgen in Massen produziert und am nächsten Tag angewendet. Die Wirklichkeit sieht etwas anders aus. Solche Dinge brauchen Zeit, Biron, und die Männer der Rebellenwelt wissen genau, daß alles bis ins kleinste Detail vorbereitet sein muß. Denn ein zweites Mal zuzuschlagen, würden sie bestimmt keine Gelegenheit haben.

Woher wollen Sie außerdem wissen, daß sich inzwischen gar nichts ereignet hat? Tyrannische Schiffe sind verschwunden und nie wieder aufgetaucht. Der Weltraum ist groß, werden Sie mir antworten, und die Schiffe können einfach verlorengegangen sein. Aber könnten sie nicht ebensogut von den Rebellen gekapert worden sein? Wissen Sie, was vor zwei Jahren mit der ›Unermüdlich‹ passiert ist? Sie funkte noch, daß sich ein unbekannter Körper in ihrer Nähe befinden müsse, der das Massometer erheblich beeinflusse, dann verschwand sie einfach und tauchte nie wieder auf. Es hätte natürlich ein Meteor gewesen sein können, aber ich bezweifle es.

Monatelang hat man nach dem Schiff gesucht. Vergebens. Ich bin davon überzeugt, daß es die Rebellen haben. Die ›Unermüdlich‹ war ein neues Schiff, ein Experimentiermodell, also genau das, was sie sich nur wünschen konnten.«

»Warum sind Sie eigentlich damals nicht dort geblieben?« wollte Biron wissen.

»Das hat nicht an mir gelegen. Die anderen wollten mich nicht behalten. Einmal habe ich sie belauschen können, als sie dachten, ich sei noch bewußtlos. Wie gesagt, sie fingen damals gerade erst an. Sie konnten es nicht riskieren, entdeckt zu werden. Sie wußten, daß ich Gillbret von Henrici bin. Die Papiere auf dem Schiff hatten meine eigenen Aussagen bestätigt. Sie wußten genau, daß man nach mir suchen würde, wenn ich nicht nach Rhodia zurückkehrte. Eine derartige Suchaktion paßte ihnen aber durchaus nicht in den Kram, und darum wollten sie mich so schnell wie möglich nach Rhodia abschieben. Na, und das geschah dann auch.«

»Wieso?« bemerkte Biron skeptisch. »Das war doch für sie ein noch viel größeres Risiko. Wie haben sie das denn bewerkstelligt?«

»Das weiß ich nicht.« Gillbret fuhr sich mit seinen schlanken Fingern durch das ergrauende Haar. »Vermutlich haben sie mich betäubt. Jedenfalls fehlt mir jede Erinnerung an diesen Teil der Ereignisse. Ich weiß nur, daß ich mich, als ich die Augen aufschlug, wieder auf dem ›Blutsauger‹ befand, und zwar im Weltraum, mit Kurs auf Rhodia.«

»Und die beiden Piloten?« fragte Biron. »Hingen die noch an den Magneten? Hatte man sie auf der Rebellenwelt nicht beseitigt?«

»Sie waren noch da.«

»Und es gab nicht den geringsten Beweis, daß Sie sich auf der Rebellenwelt befunden hatten?«

»Nein, nur meine Erinnerungen.«

»Woher wußten Sie, daß Sie auf Rhodia zusteuerten?«

»Ich hatte keine Ahnung. Ich wußte nur, daß ein Planet in der Nähe war, weil das Massometer ihn anzeigte. Ich benutzte wieder das Radio, und diesmal waren es rhodianische Schiffe, die mich einholten. Ich erzählte dem damaligen tyrannischen Hochkommissar meine Geschichte, mit einigen Abänderungen selbstverständlich. Von der Rebellenwelt ließ ich kein Wort verlauten. Außerdem sagte ich, der Zusammenstoß mit dem Meteor sei erst nach dem letzten Sprung erfolgt. Ich hielt es für besser, wenn man nicht wußte, daß ich hinter das Geheimnis des automatischen Sprungs gekommen war.«

»Meinen Sie, daß die Rebellen dahintergekommen sind? Oder haben Sie's ihnen gesagt?«

»Dazu hatte ich keine Gelegenheit. Ich war nicht lange genug dort. Bewußt, versteht sich. Wie lange ich bewußtlos war, weiß ich nicht, und was sie selbst herausgefunden haben, entzieht sich ebenfalls meiner Kenntnis.«

Biron starrte versonnen auf den Bildschirm. Man hätte meinen können, das Schiff sei im All festgenagelt, so gleichförmig war das, was sich auf dem Schirm zeigte. Die ›Unverzagt‹ fuhr mit sechzehntausend Stundenkilometern, aber was war das schon bei den riesigen Entfernungen im Weltraum! Hell, hart und unbewegt glänzten die Sterne. Eine hypnotische Kraft ging von ihnen aus.

Biron riß sich von ihrem Anblick los. »Wohin fliegen wir also? Vermutlich wissen Sie doch bis heute noch nicht, wo die Rebellenwelt ist?«

»Das weiß ich allerdings nicht. Aber ich habe eine Ahnung, wer es wissen könnte. Höchstwahrscheinlich sogar.«

»Wer?«

»Der Autarch von Lingane.«

»Lingane?« Biron zog die Stirn kraus. Irgendwann hatte er den Namen schon einmal gehört, aber er hatte vergessen, in welchem Zusammenhang. »Warum gerade der?«

»Lingane war das letzte Königreich, das von den Tyrannen

erobert wurde. Es ist noch nicht ganz so ›befriedet‹ wie alle anderen, wenn Sie verstehen, was ich meine.«

»Ungefähr. Aber es scheint mir ein ziemlich fadenscheiniger Grund zu sein.«

»Nun, dann wäre noch Ihr Vater. Vielleicht halten Sie dieses Argument für schwerwiegender.«

»Was hat mein Vater damit zu tun?«

»Er war vor einem halben Jahr an unserem Hof. Dabei habe ich einiges über den Zweck seines Besuches erfahren. Ein paar seiner Gespräche mit meinem Vetter Henrik habe ich abgehört.«

»Aber, Onkel!« warf Artemisia vorwurfsvoll dazwischen.

»Ja, mein Schatz?«

»Du hattest kein Recht, Vaters Privatgesprächen zu lauschen.«

»Natürlich nicht«, gab Gillbret achselzuckend zu. »Aber es war amüsant und nützlich obendrein.«

»Moment mal«, unterbrach Biron aufgeregt das Wortgeplänkel der beiden Henrici. »Vor sechs Monaten, sagen Sie, sei mein Vater auf Rhodia gewesen?«

»Ja.«

»Hatte er damals Zugang zur Bibliothek des Direktors? Sie haben mir doch einmal erzählt, der Direktor besitze eine umfangreiche Sammlung primitiven, die Erde betreffenden Schrifttums?«

»Das kann schon sein. Die Bibliothek ist sehr berühmt, und Ehrengäste dürfen sie benutzen, vorausgesetzt, daß sie daran interessiert sind. Im allgemeinen sind sie's nicht. Ihr Vater dagegen zeigte großes Interesse. Das fällt mir gerade wieder ein. Er verbrachte fast einen ganzen Tag dort.«

Biron überlegte. Vor ungefähr einem halben Jahr hatte ihn sein Vater zum erstenmal um Hilfe gebeten. »Sie kennen die Bibliothek doch sicherlich auch sehr gut?« fragte er Gillbret.

»Natürlich.«

»Haben Sie eine Ahnung davon, ob es in dieser Bibliothek ein Dokument von der Erde gibt, das von außerordentlichem militärischem Wert sein könnte?«

Gillbret blickte ihn verständnislos an.

»Irgendwann in den letzten prähistorischen Jahrhunderten der Erde muß es ein solches Dokument gegeben haben«, fuhr Biron fort. »Ich weiß nur, daß mein Vater es für das wertvollste Gut in der ganzen Galaxis gehalten haben muß, und für das gefährlichste außerdem. Ich sollte es ihm beschaffen, aber ich mußte die Erde zu schnell verlassen, und« – Birons Stimme schwankte – »er ist auch zu plötzlich gestorben.«

»Ich habe keine Ahnung, wovon Sie sprechen«, bekannte Gillbret.

»So überlegen Sie doch! Mein Vater hat das Dokument mir gegenüber vor sechs Monaten zum erstenmal erwähnt. Er muß also in der Bibliothek von Rhodia darauf gestoßen sein. Können Sie sich gar nicht denken, worum es sich handeln könnte?«

Gillbret schüttelte den Kopf.

»Nun gut, fahren Sie mit Ihrer Geschichte fort«, seufzte Biron.

Gillbret ließ sich das nicht zweimal sagen. »Ihr Vater und mein Vetter sprachen vom Autarchen von Lingane. Wenn sich Ihr Vater auch sehr vorsichtig ausdrückte, Biron, so ging aus seinen Worten doch klar hervor, daß der Autarch von Lingane Kopf und Herz der Verschwörung sei.

Kurz darauf kam eine Delegation von Lingane nach Rhodia. Sie wurde vom Autarchen selbst geleitet.« Gillbret zögerte ein wenig, ehe er weitersprach. »Ich – ich habe ihm von der Rebellenwelt erzählt.«

»Vorhin behaupteten Sie, mit niemandem darüber gesprochen zu haben.«

»Der Autarch ist die einzige Ausnahme. Ich *mußte* die Wahrheit erfahren.«

»Was hat er Ihnen mitgeteilt?«

»Eigentlich nichts. Aber er mußte ja auch vorsichtig sein. Wie hätte er mir trauen sollen? Ich konnte ja ebensogut für die Tyrannen arbeiten. Woher sollte er das wissen? Immerhin war er nicht gänzlich abweisend. Auf jeden Fall ist er unsere einzige Stütze.«

»Meinen Sie? Na gut, fahren wir nach Lingane! Irgendwohin müssen wir ja sowieso.«

Die Erwähnung seines Vaters hatte Biron so traurig gestimmt, daß ihm im Augenblick alles einerlei war. Lingane war nicht besser und nicht schlechter als jedes andere Ziel.

Lingane! Das sagte sich so leicht. Wie aber sollte Biron das Schiff auf einen kleinen Fleck im All zusteuern, der fünfunddreißig Lichtjahre entfernt war? Zweihundert Trillionen Kilometer. Eine zwei mit vierzehn Nullen dahinter. Bei einer Stundengeschwindigkeit von sechzehntausend Kilometern – soviel schaffte die ›Unverzagt‹ im Durchschnitt – würden sie also ungefähr zwei Millionen Jahre brauchen, um nach Lingane zu gelangen.

Verzweifelt blätterte Biron in den ›Gesammelten Galaktischen Ephemeriden‹. Zehntausende von Sternen waren darin einzeln aufgeführt, ihre Positionen waren durch drei griechische Buchstaben gekennzeichnet: rho, theta, phi. Rho gab die Entfernung vom galaktischen Zentrum an, theta bezeichnete die Winkelbreite zwischen der galaktischen Linsenfläche und der galaktischen Grundlinie – das ist die Linie, die das galaktische Zentrum mit der Sonne des Planeten Erde verbindet –, phi war die Winkelbreite von der Höhe der Grundlinie zur Höhe der galaktischen Linse, wobei die letzteren beiden Maße in Radien angegeben waren. Mit diesen drei Zahlen ließ sich jeder Stern in der Unendlichkeit des Alls genau lokalisieren.

Natürlich kam noch das Datum hinzu. Denn alle Positionszahlen bezogen sich auf einen angenommenen Standardtag. Man mußte also die genaue Bewegung des Sterns – sowohl Geschwindigkeit als auch Richtung – kennen. Diese verhältnismäßig kleine Korrektur war unbedingt notwendig. Eine Million Kilometer sind im Vergleich zu den stellaren Entfernungen zwar wenig, aber für ein Schiff spielt so etwas eine nicht gerade unbedeutende Rolle.

Hinzu kam noch die Position des Schiffes. Die Entfernung von Rhodia – besser gesagt von der Sonne Rhodias, denn im All überwog das Gravitationsfeld einer Sonne stets das eines ihrer Planeten – ließ sich mit Hilfe des Massometers berechnen. Schwieriger war es schon, die Richtung des Schiffes im Verhältnis zur galaktischen Grundlinie zu bestimmen. Außer der Sonne Rhodia mußte Biron zunächst noch zwei Sterne lokalisieren. Aus deren Positionen und der Entfernung zur rhodianischen Sonne leitete er die Position der ›Unverzagt‹ ab. Er hatte das Gefühl, daß seine Berechnungen nicht hundertprozentig genau seien, aber wohl genügen würden. Nachdem er seine eigene Position und die der Sonne von Lingane festgestellt hatte, brauchte er nur noch am Schaltbrett die Richtung und die Stärke des hyperatomaren Drucks einzustellen.

Biron kam sich einsam und verlassen vor. Er hatte keine Angst, diesen Gedanken wies er entschieden von sich, aber er war aufs äußerste gespannt. Verbissen knobelte er an den Zahlen für den Sprung herum, der in sechs Stunden stattfinden mußte. Hierzu brauchte er genügend Zeit. Vielleicht fand sich sogar Gelegenheit zu einem Nickerchen! Er hatte sein Bettzeug aus der Kabine herausgeholt und sich ein provisorisches Lager im Pilotenraum zurechtgemacht.

Die beiden anderen schliefen wahrscheinlich schon in der Kabine. Er redete sich ein, daß es so gut sei und daß Gesellschaft ihn nur gestört hätte. Dennoch horchte er freudig erschrocken auf, als er draußen das leichte Tappen nackter Füße vernahm.

»Hallo«, begrüßte er seinen Gast, »warum schlafen Sie nicht?«

Artemisia stand zögernd im Türrahmen. »Darf ich hierbleiben?« bat sie schüchtern. »Oder störe ich?«

»Das kommt darauf an, was Sie zu tun beabsichtigen.«

»Ich werde mir Mühe geben, das Richtige zu tun.«

Ihr allzu bescheidenes Benehmen erregte Birons Argwohn. Doch er sollte den Grund dafür gleich erfahren.

»Ich hatte solche Angst«, bekannte Artemisia. »Sie nicht auch?«

Er wollte es ableugnen, brachte es aber nicht fertig. Statt dessen lächelte er, wie er meinte, ziemlich einfältig und murmelte: »Ein bißchen.«

Merkwürdigerweise schien sie das zu trösten. Sie kniete sich neben ihn auf den Fußboden und betrachtete die dicken Wälzer und die Tabellen, die er um sich ausgebreitet hatte.

»Die vielen Bücher waren hier auf dem Schiff?«

»Klar. Ohne sie könnte man ja nicht navigieren.«

»Und Sie finden sich darin zurecht?«

»Nicht so ohne weiteres. Ich wünschte, es ginge besser. Aber ich hoffe, daß ich wenigstens genug davon verstehe. Ohne einen Sprung kommen wir nämlich nicht nach Lingane, müssen Sie wissen.«

»So ein Sprung ist wohl sehr schwierig?«

»Nicht, wenn man sich in all diesen Zahlen hier und der Schalttafel richtig auskennt und wenn man außerdem die nötige Erfahrung hat. Aber die habe ich eben nicht. Wir müßten zum

Beispiel mehrere Sprünge machen, aber ich will es mit einem einzigen versuchen, weil mir das weniger kompliziert erscheint, obgleich es ein ungeheurer Verschleiß an Energie ist.«

Er wußte sehr wohl, daß er ihr das eigentlich nicht sagen durfte. Es war feige von ihm, ihr Angst einzujagen, außerdem würde sie vermutlich Schwierigkeiten machen, wenn sie in Panikstimmung geriet. Und dennoch – er konnte nicht anders. Er mußte seine Sorgen mit jemandem teilen. Für ihn allein war die Last zu schwer.

»Es gibt da etliches, was ich nicht weiß, obwohl ich es eigentlich wissen müßte«, fuhr Biron fort. »Zum Beispiel die durchschnittliche Raumdichte zwischen uns und Lingane. Die beeinflußt nämlich den Verlauf des Sprunges, weil sie für die Krümmung dieses Teils des Universums ausschlaggebend ist. Die ›Ephemeriden‹, jenes dicke Buch dort, geben die Krümmungskorrekturen an, die bei gewissen Standardsprüngen vorgenommen werden müssen. Daraus soll man dann die jeweils notwendigen Spezialkorrekturen ableiten können. Aber wenn man einen Riesensprung über zehn Lichtjahre hinweg machen muß, ist man am Ende seiner Weisheit. Ich bin nicht einmal sicher, ob ich einen annähernd richtigen Überschlag zustande bekommen habe.«

»Was würde denn passieren, wenn Sie sich verrechnet hätten?«

»Wir könnten zum Beispiel der Sonne von Lingane gefährlich nahe kommen.«

Nach einigem Nachdenken sagte sie: »Sie glauben nicht, wieviel wohler mir jetzt zumute ist.«

»Nachdem ich Ihnen das alles erklärt habe?«

»Gerade darum! In meiner Koje kam ich mir so hilflos und verloren vor mit all der Leere ringsherum. Jetzt weiß ich wenigstens, daß wir ein Ziel haben und daß wir die Leere beherrschen.«

Biron war angenehm überrascht. »Das mit der Beherrschung möchte ich nicht unbedingt unterschreiben.«

Sie machte eine abwehrende Handbewegung. »Ich weiß genau, daß Sie mit dem Schiff umzugehen verstehen.«

Und auf einmal hatte auch Biron das Gefühl, er werde es schaffen.

Artemisia, die ihre langen nackten Beine untergeschlagen

hatte, hockte ihm gegenüber und sah ihn unverwandt an. Sie hatte nur ihre hauchdünnen Unterkleider an, was sie jedoch gar nicht zu bemerken schien. Biron dagegen bemerkte es sehr wohl.

Unbekümmert fing sie an zu erzählen: »In der Koje war mir ganz komisch zumute, als ob ich schwebte. Das war auch einer der Gründe, warum ich solche Angst hatte. Jedesmal, wenn ich mich umdrehte, schien ich einen kleinen Luftsprung zu machen und dann langsam zurückzugleiten, wie ein Stehaufmännchen.«

»Sie haben wohl nicht in der obersten Koje geschlafen?«

»Doch. In den unteren bekomme ich einen Gefängniskoller. Die Matratzen direkt über meinem Kopf machen mich nervös.«

Biron lachte. »Die Erklärung ist ganz einfach. Die Schwerkraft des Schiffes ist in Bodennähe größer als in den oberen Regionen. In Ihrer Koje waren Sie vermutlich zwanzig bis dreißig Pfund leichter als gewöhnlich. Sind Sie schon einmal auf einem Passagierschiff gefahren? Einem ganz großen, meine ich.«

»Einmal. Als Vater und ich im vergangenen Jahr Tyrann besucht haben.«

»Auf den großen Passagierschiffen ist es so eingerichtet, daß sich die Gravitation in allen Teilen des Schiffes auf die Außenwände konzentriert, so daß die Längsachse des Schiffes immer ›oben‹ ist, wo man sich auch befinden mag. Darum sind die Motoren auf diesen großen Kästen auch zylindrisch rings um die Längsachse angeordnet. Die Schwerkraft ist dadurch aufgehoben.«

»Es muß doch eine Menge Energie kosten, diese künstliche Schwerkraft zu erzeugen.«

»Soviel, daß es für eine kleine Stadt ausreichen würde.«

»Besteht nicht die Gefahr, daß der Betriebsstoff einmal knapp werden könnte?«

»Absolut nicht. Die Schiffe werden doch durch die völlige Umwandlung von Masse in Energie angetrieben. Betriebsstoff ist das letzte, woran wir Mangel leiden könnten. Eher nützt sich die Außenwand ab.«

Ihr Gesicht war zu ihm emporgerichtet. Er merkte plötzlich, daß sie das Make-up entfernt hatte, und wunderte sich, wie ihr das wohl gelungen sei, wahrscheinlich mit einem Taschentuch und einem Minimum an Trinkwasser. Das Resultat war durchaus nicht unvorteilhaft für sie. Denn ihre klare weiße Haut bildete einen wundervollen Gegensatz zu ihrem schwarzen

Haar und den dunklen Augen. Sehr warme Augen, wie Biron feststellte.

Das Schweigen hatte schon ein wenig zu lange gedauert. Überstürzt nahm Biron das Gespräch wieder auf: »Sie reisen wohl nicht oft? Ich meine, weil Sie bloß einmal mit einem Passagierschiff gefahren sind.«

»Schon das eine Mal war zuviel. Wären wir nicht nach Tyrann gefahren, hätte mich dieser Dreckskerl, dieser Kammerherr, nicht gesehen und – ach, lassen wir das!«

Biron überging diesen wunden Punkt taktvoll und fragte weiter: »Ist das so üblich? Daß die Mitglieder regierender Häuser nicht reisen, meine ich.«

»Ich nehme es an. Vater ist natürlich dauernd unterwegs: Staatsbesuche, Ausstellungen eröffnen, Bauwerke einweihen. Gewöhnlich hält er dann eine Rede, die Aratap für ihn aufgesetzt hat. Bei uns anderen sehen es die Tyrannen viel lieber, wenn wir den Palast möglichst wenig verlassen. Armer Gillbret! Als er in Vaters Vertretung an den Krönungsfeierlichkeiten für den Khan teilgenommen hat, ist er das einzige Mal über Rhodia hinausgekommen. Danach haben sie ihn nie wieder auf ein Schiff gelassen.«

Gedankenverloren zupfte Artemisia an Birons Ärmel herum. Es dauerte eine ganze Weile, bis sie mit niedergeschlagenen Augen sagte: »Biron –«

»Ja – Arta!« Es hatte einige Überwindung gekostet, aber dann war der Name doch ganz geläufig von seinen Lippen gekommen.

»Glauben Sie, Onkel Gils Geschichte könnte wahr sein?«

»Wenn ich das wüßte!«

»Vielleicht hat er alles bloß erfunden? Seit Jahren beschäftigt er sich nur noch mit den Tyrannen. Dabei hat er nie etwas gegen sie unternehmen können, von seinen kindischen Überwachungsstrahlen abgesehen. Und daß die kindisch sind, weiß er ganz genau. Vielleicht hat er sich nur einen Wunschtraum vorgegaukelt und sich allmählich so hineinversponnen, daß er jetzt fest daran glaubt. Ich kenne ihn nämlich, müssen Sie wissen.«

»Schon möglich. Aber versuchen wir eben einmal, was dabei herauskommt. Lingane ist als Reiseziel so gut wie jedes andere.«

Es war völlig unlogisch, mußte sich Biron eingestehen. Eben hatten sie noch über Sprünge, Schwerkraft und Gillbret diskutiert, im nächsten Moment lag sie weich und seidig in seinen Armen, und er spürte sie weich und seidig auf seinen Lippen.

Sein erster Impuls war, sich bei ihr zu entschuldigen. Aber als er zu sprechen anfangen wollte, merkte er, daß sie gar nicht den Versuch machte, von ihm wegzurücken, sondern ihren Kopf in seinen rechten Arm gebettet hatte. Ihre Augen waren noch immer geschlossen. Darum sagte er lieber nichts und zog es vor, sie wieder zu küssen, langsam und gründlich. Es war das beste, was er tun konnte, wie er auf einmal genau wußte.

Nach geraumer Zeit sagte sie ein wenig verwirrt: »Du mußt doch Hunger haben? Ich hole dir etwas von dem Konzentrat und wärme es für dich auf. Wenn du dann ein bißchen schlafen willst, kann ich ja für dich Wache halten. Übrigens – ich muß mich erst einmal richtig anziehen.«

Als sie schon an der Tür war, drehte sie sich noch einmal um und verkündete ihm strahlend: »Diese konzentrierte Nahrung schmeckt übrigens ausgezeichnet, wenn man sich erst einmal daran gewöhnt hat. Vielen Dank, daß du sie besorgt hast!«

Das war der eigentliche Friedensschluß zwischen ihnen, mehr noch als die Küsse.

Als Gillbret ein paar Stunden später den Pilotenraum betrat, ließ er sich keinerlei Überraschung darüber anmerken, daß Biron den Arm um Artemisia geschlungen hatte und daß die beiden in ein Gespräch vertieft waren, das auf einen Außenstehenden reichlich albern wirken mußte.

»Wann springen wir, Biron?« fragte er sachlich.

»In einer halben Stunde.«

Die Kontrollgeräte waren eingestellt, und als die halbe Stunde sich ihrem Ende zuneigte, versickerte die Unterhaltung allmählich, bis sie ganz erstarb.

Als der große Augenblick gekommen war, holte Biron tief Atem und schwenkte einen Hebel von links nach rechts.

Es war anders als auf dem Passagierschiff. Die ›Unverzagt‹ war kleiner, wodurch der Sprung weniger glatt verlief. Biron taumelte, und für den Bruchteil einer Sekunde geriet alles ins Wanken. Doch gleich darauf zog das Schiff wieder ruhig seine Bahn.

Die Sterne auf dem Bildschirm waren andere geworden. Biron drehte das Schiff, so daß sich das Sternenfeld hob. Jeder

Stern beschrieb dabei einen erhabenen Bogen. Endlich erschien ein einziger Stern auf dem Bildschirm, strahlend weiß und immer deutlicher sichtbar werdend. Biron richtete das Teleskop auf diesen Punkt und schaltete das spektroskopische Zusatzgerät ein.

Noch einmal nahm er die ›Ephemeriden‹ zur Hand und schlug den Abschnitt ›Spektrale Merkmale‹ auf. Als er sich endlich vom Pilotensitz erhob, sagte er: »Es ist noch ganz hübsch weit bis dorthin, ich werde mich zusammennehmen müssen. Aber immerhin, was ihr dort seht, ist Lingane!«

Sein erster Sprung war ihm gelungen.

## Der Autarch kommt

Der Autarch von Lingane war in Nachdenken versunken. Sein gutgeschnittenes, abweisendes Gesicht veränderte sich dabei kaum.

»Warum haben Sie mir nicht eher Meldung gemacht, wenn Sie das schon seit achtundvierzig Stunden wissen?« fragte er schließlich kühl.

Rizzett antwortete unerschrocken: »Es lag kein Grund vor, Sie früher zu informieren. Wenn wir Sie mit allem Kleinkram belästigen wollten, kämen Sie überhaupt nicht zur Ruhe. Jetzt scheint es jedoch an der Zeit zu sein, daß Sie sich mit der Sache befassen. Sie ist reichlich merkwürdig, und wir können uns solche Merkwürdigkeiten nicht leisten.«

»Wiederholen Sie Ihren Bericht.«

Der Autarch legte die Beine auf das schimmernde Fensterbrett und blickte gedankenverloren ins Freie. Dieses Fenster stellte die vielleicht größte Eigentümlichkeit der linganischen Architektur dar. Es war mäßig breit und bildete den Abschluß einer ungefähr anderthalb Meter langen Nische. Außerordentlich klar, ungeheuer dick und sorgfältig geschwungen, war es mehr eine Linse als ein Fenster. Alles Licht im Zimmer wurde trichterartig davon aufgefangen, so daß man draußen ein Miniaturpanorama erblickte.

Von jedem Fenster im Schloß des Autarchen sah man auf diese Weise vom Zenit bis zum Nadir die Hälfte des Horizonts.

An den Fensterenden verzerrte sich das Bild etwas, aber das gab dem Schauspiel allenfalls erhöhten Reiz: das Miniaturgetriebe der Stadt, die Kurven der halbmondförmigen Stratosphärenrampen über dem Flughafen. Man konnte sich so daran gewöhnen, daß einem die mit bloßem Auge wahrnehmbare Wirklichkeit unnatürlich vorkam. Sobald der Stand der Sonne die Linse zu einem Brennglas machte, das Hitze und Licht ins Unerträgliche steigerte, öffneten sich die Fenster nicht etwa, sondern sie verdunkelten sich automatisch durch eine Veränderung der Polarisationseigenschaften des Glases.

Die Theorie, daß die Architektur eines Planeten dessen Bedeutung in der Galaxis widerspiegelte, schien sich an den linganischen Fenstern zu beweisen.

Wie seine Fenster bot ganz Lingane ein kleines, aber beherrschtes Panorama. Es war ein ›Planetenstaat‹ innerhalb der Galaxis, die sich längst über diesen ökonomischen und politischen Zustand hinaus entwickelt hatte, geblieben. Während die meisten Staatengebilde einen Zusammenschluß stellarer Systeme darstellten, war Lingane noch immer das, was es seit Jahrhunderten gewesen war: eine in sich abgeschlossene Welt. Diese Lebensform machte den Planeten keineswegs arm. Im Gegenteil, niemand konnte sich Lingane anders als reich vorstellen.

Es ist im voraus schwer zu sagen, ob eine Welt so günstig gelegen ist, daß viele Sprung-Routen sie zum Verkehrsknotenpunkt machen. Zu einem großen Teil hängt das auch von der Entwicklung der kosmischen Umgebung ab: in wessen Hände die von Natur aus bewohnbaren Planeten geraten, wie sie kolonisiert und bewirtschaftet werden.

Lingane fand rechtzeitig genug heraus, welche Rolle es spielen konnte, was einen Wendepunkt in seiner Geschichte darstellte. Weit wichtiger als das bloße Vorhandensein einer strategischen Position ist die Fähigkeit, diese Position zu erkennen und zu nützen. Lingane hatte im Laufe der Zeit einige Planetoiden besetzt, die weder Rohstoffquellen noch andere Möglichkeiten hatten, ihre Bevölkerung unabhängig zu machen. Sie dienten Lingane dazu, ein Handelsmonopol zu errichten. Die Planetoiden wurden zu Versorgungsstationen ausgebaut. Alles, was ein Schiff brauchen konnte, von hyperatomischen Ersatzteilen bis zu neuen Buchspulen, war dort erhältlich. Die Stationen entwickelten sich zu ausgedehnten Handelsniederlassungen. Alle nur erdenklichen Waren und Produkte aus den Nebula-Königreichen strömten hier zusammen: Pelze, Bodenschätze, Fleisch, Korn, Holz, Maschinen, Geräte, Medikamente und Fertigwaren aller Art.

Innerhalb der Galaxis bot Lingane das gleiche Bild wie ein Blick aus seinen Fenstern. Es war ein Planet für sich, der sehr wohl allein auskommen konnte.

Ohne sich vom Fenster abzuwenden, befahl der Autarch: »Beginnen Sie mit dem Postschiff, Rizzett. Wo hat es diesen Kreuzer erstmalig gesichtet?«

»Ungefähr hunderttausend Kilometer von Lingane entfernt. Die genaue Position spielt hierbei keine Rolle. Jedenfalls haben wir das Schiff seitdem ständig beobachtet, und es hat sich herausgestellt, daß der tyrannische Kreuzer unseren Planeten umkreist.«

»Offenbar haben sie nicht die Absicht zu landen, sondern sie scheinen auf etwas zu warten?«

»Ja.«

»Wie lange sie dieses Spiel schon treiben, läßt sich nicht feststellen?«

»Leider nicht. Aber sie sind von niemand anderem gesichtet worden. Das haben wir genau nachgeprüft.«

»Das soll uns im Augenblick nicht kümmern«, entschied der Autarch. »Sie haben unser Postschiff angehalten, was eindeutig eine Verletzung unseres Abkommens mit Tyrann darstellt.«

»Ich bezweifle, daß es sich um Tyrannen handelt. Ihre unsicheren Manöver lassen mehr auf flüchtige Gefangene schließen.«

»Wahrscheinlich will man uns das glauben machen. Auf jeden Fall hat ihre einzige offenkundige Aktion darin bestanden, daß sie mir eine direkte Botschaft übermitteln ließen.«

»Das stimmt.«

»Sonst nichts?«

»Gar nichts!«

»Sie haben das Postschiff nicht betreten?«

»Nein. Die Verständigung erfolgte über Bildschirm. Die Nachrichtkapsel wurde aus zwei Meilen Entfernung abgeschossen und vom Netz des Postschiffes aufgefangen.«

»Hat man die Leute nur gehört oder auch gesehen?«

»Die Bildschirmübertragung funktionierte ausgezeichnet, wie

ich schon sagte. Der Sprecher wird als ein junger Mann von ›aristokratischem Äußeren‹ beschrieben, wenn Sie sich darunter etwas vorstellen können.«

Eine Hand des Autarchen ballte sich unwillkürlich zur Faust. »Warum wurde keine Aufnahme gemacht? Das war entschieden ein Fehler.«

»Der Kapitän des Postschiffes konnte ja nicht ahnen, wie wichtig die ganze Angelegenheit sei. Wenn sie überhaupt wichtig ist! Werden Sie daraus klug, Exzellenz?«

Der Autarch gab keine Antwort. Nach einer Weile sagte er: »Das ist also die Botschaft?«

»Jawohl. Eine sehr aufschlußreiche Botschaft, kann man wohl sagen. Nur ein Wort! Daß wir sie Ihnen nicht gleich übermittelt haben, bedarf wohl keiner Erklärung. Die Kapsel hätte Spaltmaterial enthalten können. Es wäre nicht das erste Mal gewesen, daß man auf diese Weise jemanden umgebracht hätte.«

»Hm, das soll auch schon Autarchen passiert sein«, meinte der Autarch sinnend. »Gillbret. Nur dieses eine Wort: Gillbret.«

Es gelang dem Autarchen, äußerlich vollkommen ruhig zu bleiben. Dagegen vermochte er nicht, das Aufsteigen einer inneren Unruhe niederzukämpfen, die er als absolut ungehörig empfand. Ein solches Gefühl geziemte sich einfach nicht für den Autarchen von Lingane, dessen Machtvollkommenheit nur durch einige unumgängliche Naturgesetze eingeschränkt werden durfte.

Lingane war nicht von alters her von Autarchen regiert worden. In früheren Zeiten hatten reiche Kaufherrengeschlechter die Dynastie gebildet. Die Familien, die als erste die subplanetaren Versorgungsstationen aufgebaut hatten, galten als die Aristokratie des Landes. Sie verfügten nicht über großen Grundbesitz und konnten in dieser Hinsicht nicht mit den Vieh- und Kornbaronen der benachbarten Welten konkurrieren. Aber sie waren reich an flüssigem Kapital, was nicht selten dazu führte, daß sie zu Gläubigern und schließlich zu Besitznachfolgern der Grundherren wurden. So blieb es nicht aus, daß Lingane das übliche Schicksal eines derartig regierten – mißregierten – Planeten erlitt. Einander befehdende Familien machten sich ständig die Macht streitig. Stets befand sich irgendeine Gruppe im Exil. Intrigen und Palastrevolutionen waren an der Tagesordnung. Während das Direktorium von Rhodia als das Muster an Stabilität und Ordnung galt, war Lingane das Gegenbeispiel der Unruhe und Verworrenheit. Der Ausdruck ›So unbeständig wie Lingane‹ war in der gesamten Nebula-Region sprichwörtlich.

Spätere Historiker bezeichneten die Folgen als unvermeidlich. Nachdem sich die Nachbarplaneten zu Gruppenstaaten konsolidiert und dadurch einen erheblichen Machtzuwachs gewonnen hatten, kamen die Bürgerkriege auf Lingane dem Planeten immer teurer und gefährlicher zu stehen. Die Bevölkerung war schon lange mehr als bereit, für Ruhe und Sicherheit jedes Opfer zu bringen. Der Wechsel von der Plutokratie zu einer Autokratie und der damit verbundene, verhältnismäßig geringe Verlust an Freiheit vollzog sich daher ohne viel Aufhebens. Die Macht konzentrierte sich nunmehr in einer Hand, und dieser Machthaber war jeweils klug genug, das Volk für sich zu gewinnen, um es als Druckmittel gegen die hin und wieder aufsässigen Kaufherren zu verwenden.

Unter der Autarchenherrschaft vergrößerte Lingane seinen Reichtum und seine Stärke. Sogar den Tyrannen, die es vor dreißig Jahren, auf der Höhe ihrer Macht, angegriffen hatten, war ein Waffenstillstand abgerungen worden. Zwar hatten die Tyrannen keine Niederlage einstecken müssen, aber man hatte ihnen Einhalt geboten. Der Schock, den sie dadurch davongetragen hatten, war noch immer wirksam. Seit dem Angriff auf Lingane war kein weiterer Planet von den Tyrannen unterjocht worden.

Die anderen Planeten der Nebula-Königreiche waren regelrechte Vasallen von Tyrann, Lingane hingegen galt als theoretisch gleichberechtigter Bündnispartner, dessen Rechte durch einen Vertrag festgelegt waren.

Der Autarch verkannte die reale Situation keineswegs. Die linganischen Chauvinisten mochten sich in dem Wahn wiegen, noch freie Staatsbürger zu sein. Der Autarch wußte, daß die tyrannische Gefahr nur vorübergehend gebannt war.

Es war leicht möglich, daß sie jetzt zu dem schon lange fälligen letzten Schlag ausholten. Der Autarch hatten den Tyrannen selbst die Gelegenheit geboten, auf die sie von jeher lauerten. Die Organisation, die er aufgebaut hatte, so unwirksam sie auch sein mochte, war ein hinreichender Grund für Strafmaßnahmen seitens der Tyrannen. Formalrechtlich befände sich Lingane eindeutig im Unrecht.

War der Kreuzer der erste Fühler, den die Tyrannen ausstreckten? »Ist dem Schiff ein Wachtposten beigegeben worden?« fragte der Autarch nach einer längeren Pause.

»Ich erwähnte bereits, daß es beobachtet wird. Zwei unserer Frachter halten sich in Massometer-Reichweite.« Das Lächeln, womit Rizzett seine Worte begleitete, fand keinen Widerhall.

»Was halten Sie davon?«

»Ich weiß nicht. Der einzige Gillbret, den ich dem Namen nach kenne, ist Gillbret von Henrici aus Rhodia. Sind Sie persönlich mit ihm bekannt?«

»Bei meinem letzten Besuch auf Rhodia habe ich mit ihm gesprochen.«

»Sie haben ihm doch nichts erzählt?«

»Natürlich nicht.«

Rizzetts Augen zogen sich zu schmalen Schlitzen zusammen. »Ich fürchtete schon, Sie hätten es vielleicht an der nötigen Vorsicht fehlen lassen, und die Tyrannen als Nutznießer eines ähnlichen Mangels an Vorsicht von Gillbrets Seite – die heutigen Henrici sind weiter nichts als Schwächlinge – könnten Ihnen jetzt eine Falle stellen, um Sie ein für allemal unschädlich zu machen.«

»Das glaube ich nicht. Der Zeitpunkt gibt mir zu denken. Ich war mehr als ein Jahr im Ausland, vorige Woche bin ich erst zurückgekehrt, und in ein paar Tagen reise ich schon wieder ab. Ist es nicht merkwürdig, daß mir diese Botschaft gerade jetzt übermittelt wird, da ich für kurze Zeit erreichbar bin?«

»Sie halten das nicht für einen Zufall?«

»Ich glaube nicht an Zufälle. Außerdem habe ich eine Erklärung dafür, daß dies kein Zufall sein kann. Ich werde daher diesem Schiff einen Besuch abstatten. Und zwar allein.«

»Unmöglich, Exzellenz!« Rizzett war erregt. Die kleine Narbe an seiner rechten Schläfe färbte sich plötzlich hochrot.

»Seit wann haben Sie hier zu befehlen?« wies ihn der Autarch kühl in die Schranken.

Worauf Rizzett nichts anderes übrigblieb, als Haltung anzunehmen und »Wie Sie wollen, Exzellenz!« zu stammeln.

An Bord der ›Unverzagt‹ wurde das Warten immer aufreibender. Seit zwei Tagen kreisten sie nun schon auf derselben Umlaufbahn. Gillbret beobachtete die Kontrollgeräte mit unermüdlicher Aufmerksamkeit. Plötzlich fragte er gespannt: »Haben Sie nicht auch den Eindruck, daß sich etwas verändert hat?«

Biron blickte kurz auf. Er rasierte sich gerade, wobei er den tyrannischen Apparat mit übertriebener Sorgfalt handhabte.

»Ich bin nicht der Meinung«, bemerkte er. »Warum sollte sich etwas ändern? Sie beobachten uns, und das werden sie noch eine ganze Weile fortsetzen.«

Er konzentrierte sich auf die schwierige Aufgabe, seine Oberlippe zu bearbeiten, und verzog ungeduldig das Gesicht, als er den säuerlichen Geschmack des Sprühtonikums auf der Zunge verspürte. Ein Tyrann wußte mit dem Apparat äußerst geschickt umzugehen. Zweifellos war dies die schnellste und gründlichste Rasiermethode, die es gab. Der Apparat war nichts anderes als ein außerordentlich feines Schleifgebläse, das die Barthaare entfernte, ohne die Haut zu verletzen. Dabei hatte man nur das Empfinden, als wehte ein Luftzug über die Haut hinweg. Biron fühlte, wie immer bei dieser Art des Rasierens, eine leichte Übelkeit in sich aufsteigen. Jedesmal mußte er an das Gerücht – vielleicht war es auch eine Tatsache – denken, wonach Gesichtskrebs bei der tyrannischen Bevölkerung häufiger vorkomme als auf irgendeinem anderen bewohnten Planeten, was viele auf die tyrannische Rasiermethode zurückführten. Er spielte sogar mit dem Gedanken, sich das Gesicht ein für allemal enthaaren zu lassen. In einigen Teilen der Galaxis war das üblich. Doch gleich darauf verwarf er diesen Einfall wieder. Eine Depilation ließ sich nicht rückgängig machen, was sehr schade gewesen wäre, wenn plötzlich Bärte oder Bartkoteletten in Mode kämen.

Biron musterte sich gerade kritisch im Spiegel und versuchte sich vorzustellen, wie er wohl mit Bartkoteletten aussähe, als Artemisia im Türrahmen auftauchte und sagte: »Ich dachte, du wolltest dich ein bißchen hinlegen.«

»Das habe ich auch getan. Aber ich bin schon wieder munter.« Strahlend lächelte er sie an.

Sie streichelte sanft seine Wange.

»Wie glatt deine Haut ist! Man könnte dich für achtzehn halten.«

»Sieh dich vor, der Schein trügt!« erwiderte er neckend, haschte nach ihrer Hand und führte sie an die Lippen.

»Beobachtet man uns noch immer?« wollte Artemisia wissen.

»Leider. Es ist zu ärgerlich, daß man dadurch zur Untätigkeit verdammt ist.«

»Ich kann diese Art Untätigkeit gar nicht so ärgerlich finden.«

»Von diesem Gesichtspunkt aus hast du natürlich recht, Arta.«

»Warum landen wir denn nicht einfach auf Lingane?«

»Daran haben Gillbret und ich selbstverständlich auch schon gedacht. Aber das Risiko ist zu groß. Unser Wasservorrat ist noch groß genug, daß wir es uns leisten können, zu warten.«

»Ob Sie's nun glauben oder nicht, es hat sich etwas verändert«, warf Gillbret plötzlich mit lauter Stimme dazwischen.

Biron trat an das Schaltbrett und kontrollierte den Massometerstand. »Es könnte sogar stimmen«, sagte er kurz zu Gillbret.

Nachdem er sich kurze Zeit in einige Berechnungen vertieft hatte, kam er zu dem Schluß: »Nein, Gillbret, die beiden Schiffe haben ihre Position nicht verändert, aber es ist noch ein drittes hinzugekommen. Soweit ich feststellen kann, befindet es sich fünftausend Kilometer von uns entfernt, ungefähr sechsundvierzig Grad rho und hundertzweiundneunzig theta von der Linie Schiff-Planet, sofern ich die üblichen Rechts- und Linksdrehungen richtig berechnet habe. Wenn nicht, müßten die entsprechenden Zahlen dreihundertvierzehn und hundertachtundsechzig Grad sein.«

»Ich glaube, sie kommen näher«, murmelte Biron nach einer von eilig hingekritzelten Berechnungen erfüllten Pause. »Es ist ein kleines Schiff. Glauben Sie, daß Sie Verbindung damit aufnehmen könnten, Gillbret?«

»Ich will es versuchen.«

»Gut. Aber kein Bild, bitte, nur Ton, bis wir wissen, wen wir vor uns haben.«

Gillbret mit den Ätherwellen manipulieren zu sehen war ein erstaunliches Schauspiel. Offensichtlich hatte er ein Naturtalent dafür. Trotz aller Kontrollgeräte bleibt es eine diffizile Aufgabe, mit einem Richtstrahl einen isolierten Punkt im Weltraum anzupeilen. Gillbret kannte nicht die genaue Position des anderen Schiffes. Eine Differenz von plus oder minus hundert Meilen lag durchaus im Bereich der Möglichkeit. Von den angegebenen Winkelmaßen konnte eines – oder auch beide – um fünf bis sechs Grad in jeder Richtung abweichen.

Das Schiff bewegte sich demnach in einem Volumen von ungefähr zehn Millionen Kubikmeilen. Alles andere blieb dem menschlichen Fingerspitzengefühl überlassen. Man behauptete, ein geübter Radiofachmann spüre an den Kontrollgeräten, um wieviel der Richtstrahl sein Ziel verfehlt habe. Vom wissenschaftlichen Standpunkt aus war das natürlich Unsinn, aber manchmal gab es einfach keine andere Erklärung.

Es dauerte keine zehn Minuten, bis die ›Unverzagt‹ senden und empfangen konnte.

Nach weiteren zehn Minuten teilte Biron seinen beiden Gefährten mit: »Sie schicken jemanden an Bord.«

»Sollen wir das zulassen?« erkundigte sich Artemisia.

»Warum nicht? Mit einem Mann werden wir schon fertig. Wir sind ja bewaffnet.«

»Aber wenn ihr Schiff zu nahe an uns herankommt?«

»Unser Kreuzer ist ein tyrannisches Fahrzeug, Arta. Wir sind ihnen also weit überlegen, selbst wenn sie das beste Kriegsschiff nehmen, das Lingane aufzuweisen hat. Allzu gut dürfte es auch bei ihnen damit nicht bestellt sein – trotz ihres vielgepriesenen Paktes mit Tyrann. Außerdem haben wir fünf Kanonen schwersten Kalibers.«

»Verstehst du denn damit umzugehen?«

So leid es Biron tat, ihrer Bewunderung für ihn Abbruch tun zu müssen, gab er doch ehrlich zu: »Mit diesen Dingern kenne ich mich nicht aus, jedenfalls noch nicht. Aber das können die auf dem linganischen Schiff ja nicht wissen.«

Eine halbe Stunde später erschien ein Schiff auf dem Bildschirm. Es war eine kleine gedrungene Maschine mit zwei kompletten Sätzen von je vier Tragflächen, was vermuten ließ, daß sie oft zu Stratosphärenflügen benutzt wurde.

Nachdem Gillbret einen Blick durch das Teleskop geworfen hatte, rief er entzückt: »Das ist die Jacht des Autarchen.« Er strahlte übers ganze Gesicht. »Es ist bestimmt seine Privatjacht. Davon bin ich hundertprozentig überzeugt. Ich hab's ja gleich gesagt, daß die bloße Erwähnung meines Namens der sicherste Weg sei, seine Aufmerksamkeit zu erregen.«

Das linganische Schiff bremste jetzt seine Geschwindigkeit, so daß auf dem Bildschirm allmählich der Eindruck entstand, als hänge es reglos im All.

Aus dem Empfangsgerät ertönte eine dünne Stimme: »Alles klar an Bord?«

»Klar!« gab Biron zurück »Nur eine Person!«

»Eine Person!« kam prompt das Echo.

Schlangengleich entrollte sich das Seil aus Metallgeflecht. Wie eine Harpune schoß es von dem linganischen Schiff auf sie zu. Der Magnetzylinder am Ende des Seils tauchte auf dem Bildschirm auf und wurde immer größer.

Gleich darauf ertönte ein dumpfer Knall, das Zeichen dafür, daß sich der Zylinder an der ›Unverzagt‹ festgesogen hatte. Das Seil war ein Rotortau, das vom Augenblick des magnetischen Kontaktes an in unveränderter Schlingenstellung verharrte und keiner der sonst üblichen Gewichtsverlagerungen ausgesetzt war.

Leicht wie ein Vogel schwebend, entfernte sich das linganische Schiff und zog das Seil dabei vorsichtig immer fester. Schließlich spannte es sich straff, ein hauchdünner Faden durch den Weltraum, und glänzte in der linganischen Sonne. Es war ein Anblick von märchenhafter Zartheit.

Biron stellte die teleskopischen Geräte ein, wodurch das Schiff, ins Riesenhafte vergrößert, im Blickfeld erschien. Nun konnte man auch den Anfang der ungefähr achthundert Meter langen Verbindungsschnur sehen sowie die winzige Gestalt, die daran entlanghangelte.

Im allgemeinen ging man nicht auf diese Art an Bord eines Schiffes. Gewöhnlich manövrierten zwei Schiffe so nahe aneinander heran, daß dehnbare Halterungen von beiden Seiten ausgestreckt werden konnten, die sich unter intensivem magnetischem Druck miteinander verbanden. So entstand ein Tunnel im Weltraum, der ohne besondere Schutzkleidung passierbar war. Natürlich bedurfte es bei derartigen Besuchen des gegenseitigen Vertrauens.

Am Seil war ein Raumanzug unerläßlich. Der Linganer wirkte in seiner Rüstung aus Metallgewebe wie ein Ungeheuer. Selbst bei der verhältnismäßig noch großen Entfernung konnte Biron feststellen, daß keine geringe Muskelkraft dazu gehörte, in dieser hinderlichen Kleidung das Seil entlangzuturnen.

Die Geschwindigkeit der beiden Schiffe mußte sehr sorgfältig aufeinander abgestimmt werden. Eine unvorhergesehene Beschleunigung auf der einen Seite konnte das Losreißen des

Magnetzylinders zur Folge haben und den Weltraumwanderer der fernen Sonne entgegenschleudern. Und keine Macht der Welt hätte ihn von diesem Flug in die Ewigkeit zurückzuholen vermocht.

Doch der Linganer bewegte sich schnell und sicher auf die ›Unverzagt‹ zu. Was er machte, war kein einfaches Hangeln, wie sich herausstellte. Jedesmal, wenn die Hand an dem Seil Halt gefunden hatte, schwang er sich kühn ein paar Meter vorwärts, ehe er mit der anderen Hand nachgriff.

Eine artistische Glanzleistung im All!

»Wenn er nun abstürzt?« fragte Artemisia beklommen.

»Dazu scheint er zu gewandt zu sein«, beruhigte sie Biron.

Der Linganer war inzwischen ganz nahe an das Schiff herangekommen. Auf dem Bildschirm war er schon nicht mehr zu sehen. Wenige Sekunden später hörten die Insassen der ›Unverzagt‹ die Rüstung gegen die Außenwand scheppern.

Mit einem Hebeldruck schaltete Biron die Signallampen an der Außenbordseite des Schiffes ein. Ein herrisches Klopfen ertönte, darauf betrat der Linganer den Pilotenraum.

Sofort bedeckte sich der Raumanzug mit einer Eisschicht, das dicke Glas des Helmes beschlug, was dem Mann das Aussehen eines kleinen Gletschers gab. Biron stellte die Heizung an, worauf die Eisschicht zu schmelzen begann.

Ungeduldig fingerte der Linganer an den Helmverschlüssen herum. Als er das Ungetüm endlich abnahm, war sein Haar von der weichen Isolierschicht im Innern des Helmes in Unordnung geraten.

»Euer Exzellenz!« rief Gillbret triumphierend. Zu Biron gewandt fügte er hinzu: »Was habe ich Ihnen gesagt: Es ist der Autarch.«

Mit einer Stimme, die vergeblich um Festigkeit rang, stammelte Biron: »Jonti!«

Der Autarch schob den Raumanzug lässig zur Seite und machte es sich in dem größeren der beiden Polstersessel bequem.

Im Plauderton bemerkte er: »Ich bin schon eine ganze Weile aus der Übung. Aber es heißt ja, daß man diese Handgriffe nie verlernt, wie Figura zeigt. Hallo, Farrill! Guten Tag, Euer Durchlaucht. Und Sie sind, wenn ich mich recht erinnere, die Tochter des Direktors, Ihre Hoheit Artemisia.«

Er steckte sich eine lange Zigarette zwischen die Lippen und begann genießerisch zu rauchen. Der parfümierte Tabak erfüllte den Pilotenraum mit angenehmem Duft. »Ich hatte nicht erwartet, Sie so bald wiederzusehen, Farrill«, sagte er liebenswürdig zu Biron.

»Wahrscheinlich überhaupt nicht«, erwiderte dieser scharf.

»Das kann man nicht wissen«, lautete die ruhige Antwort. »Allerdings, nach einer Botschaft, die nur aus dem Wort ›Gillbret‹ bestand, obwohl dieser Gillbret kein Raumschiff steuern kann; ferner, nachdem ich einen jungen Mann nach Rhodia geschickt hatte, der sehr wohl in der Lage war, ein Raumschiff zu steuern und dem es in seiner Verzweiflung durchaus zuzutrauen war, daß er einen tyrannischen Kreuzer kaperte, um zu fliehen; außerdem, als ich hörte, ein Mitglied der Besatzung des Kreuzers sei ein junger Mann von aristokratischem Aussehen, lag die Schlußfolgerung auf der Hand. Ich bin also nicht überrascht, Sie hier zu treffen.«

»Das glaube ich Ihnen nicht«, brauste Biron auf. »Sie sind verdammt überrascht, mich hier zu sehen, Sie Meuchelmörder! Glauben Sie vielleicht, ich kann nicht auch logisch denken?«

»Ich habe eine sehr hohe Meinung von Ihnen, Farrill.«

Der Autarch zeigte sich nicht im geringsten erschüttert, wodurch sich Biron in seinem Zorn ungeschickt und töricht vorkam. Wütend wandte er sich an die beiden Henrici: »Dieser Mann ist Sander Jonti, der Sander Jonti, von dem ich Ihnen erzählt habe. Meinetwegen mag er Autarch von Lingane oder sonstwas sein. Mir ist das egal. Für mich bleibt er Sander Jonti.«

»*Er* ist also derjenige –«, begann Artemisia. Doch Gillbret unterbrach sie mit zitternder Stimme: »Nehmen Sie sich zusammen, Biron. Sind Sie verrückt geworden?«

»Er ist es, und ich bin durchaus nicht übergeschnappt«, schrie Biron. Mit Mühe zwang er sich zur Ruhe. »Gut. Es hat keinen Zweck, laut zu werden. Verlassen Sie mein Schiff, Jonti! Ich hoffe, ich habe mich deutlich genug ausgedrückt. Verlassen Sie augenblicklich mein Schiff!«

»Aber warum denn, mein lieber Farrill?«

Gillbret brachte einige unzusammenhängende Laute hervor, aber Biron schob ihn unwirsch beiseite, um dem noch immer gelassen dasitzenden Autarchen seine Meinung ins Gesicht sagen zu können. »Sie haben einen Fehler gemacht, Jonti. Zwar nur einen, aber der genügte. Sie konnten nicht ahnen, daß ich meine Armbanduhr vergessen würde, als ich mein Zimmer auf der Erde so überstürzt verließ. Mein Uhrarmband war aber zufällig ein Strahlenindikator.«

Der Autarch blies einen Rauchring in die Luft und lächelte freundlich.

Empört fuhr Biron fort: »Und dieses Uhrarmband färbte sich nicht blau, Jonti. Es war also damals gar keine Bombe in meinem Zimmer. Das alles war nur eine sehr sorgfältig geplante Falle. Wenn Sie das leugnen, sind Sie ein Lügner, Jonti, Autarch, oder wie immer Sie sich zu nennen belieben.

Mehr noch: Diese Falle wurde von Ihnen gelegt. Sie haben mich mit Hypnit eingeschläfert und dann die ganze übrige Komödie inszeniert. Ich weiß auch, warum. Hätte ich einfach die ganze Nacht durchgeschlafen, wäre es mir nie aufgefallen, daß etwas nicht stimmte. Darum haben Sie mich angerufen und aufgeweckt. Ich sollte ja unbedingt die Bombe entdecken, die Sie fein säuberlich neben das Zählrohr gelegt hatten, damit ich sozusagen darüber stolperte. Dann sprengten Sie meine Tür, ehe ich noch dahinterkommen konnte, daß die Bombe nur eine Attrappe war. Sie müssen sich in jener Nacht großartig amüsiert haben, Jonti.«

Biron machte eine Pause, um die Wirkung seiner Worte abzuwarten, aber der Autarch nickte nur höflich interessiert. Biron fühlte seinen Zorn wie eine heiße Welle in sich aufsteigen. Es war, als boxte er gegen Federkissen.

Mit rauher Stimme preßte er hervor: »Mein Vater sollte hingerichtet werden. Ich hätte es noch früh genug erfahren. Vielleicht wäre ich nach Nephelos zurückgekehrt, vielleicht auch nicht. Jedenfalls hätte ich in dieser Angelegenheit getan, was ich für richtig hielt. Ich wäre den Tyrannen offen entgegengetreten oder hätte etwas anderes unternommen, je nachdem. Auf jeden Fall hätte ich gewußt, was ich zu erwarten hatte, und ich hätte mich gegen unliebsame Zwischenfälle gesichert.

Aber Sie wollten mich zu Henrik nach Rhodia schicken. Logischerweise sahen Sie voraus, daß ich Ihren Wunsch nicht erfüllen würde. Darum mußten Sie eine Zwangslage konstruieren. Sie hatten nicht die geringsten Skrupel dabei.

Ich fand keine Erklärung für den Bombenanschlag. Aber Sie waren damit bei der Hand. Sie spielten sich als mein Lebensretter auf. An alles schienen Sie zu denken. Zum Beispiel auch daran, was ich als nächstes zu tun hätte. Und ich ging Ihnen auf den Leim!«

Atemlos wartete Biron auf eine Erwiderung. Sie blieb aus. Erregt fuhr er fort: »Sie sagten mir natürlich nicht, daß es ein rhodianisches Schiff war, womit ich die Erde verließ, und daß Sie dafür gesorgt hatten, daß der Kapitän wußte, wer ich sei. Sie verheimlichten mir auch, daß Sie von Anfang an beabsichtigt hatten, mich in die Hände der Tyrannen zu spielen, sobald ich auf Rhodia landete. Wollen Sie das etwa abstreiten?«

Eine lange Pause trat ein, während Jonti in aller Gemütsruhe seine Zigarette ausdrückte.

Gillbret rang die Hände. »Biron, Sie machen sich lächerlich. Nie würde der Autarch ...«

Aber Jonti unterbrach ihn gelassen: »Doch. Der Autarch würde nicht nur, er tat es. Ich gebe alles zu. Sie haben völlig recht, Biron, und ich beglückwünsche Sie zu Ihrem Scharfsinn. Die Bombe war eine Falle, die ich Ihnen selbst gestellt habe, und ich schickte Sie auch nach Rhodia in der Absicht, Sie von den Tyrannen verhaften zu lassen.«

Biron wurde leichenblaß. Gleich darauf trat ein gefährliches Leuchten in seine Augen: »Eines Tages, Jonti, rechnen wir miteinander ab. Gegenwärtig sind Sie der Autarch von Lingane und haben drei Schiffe hinter sich, dadurch bin ich ein wenig im Nachteil. Hier bin ich der Pilot. Ziehen Sie Ihren Anzug an und verschwinden Sie. Das Seil ist noch an seinem Platz.«

»Sie irren. Die ›Unverzagt‹ ist nicht Ihr Schiff. Sie sind ein Pirat und kein Pilot.«

»Formaljuristische Einwände gelten hier nicht. Ich gebe Ihnen fünf Minuten Zeit.«

»Werden Sie doch nicht dramatisch! Wir sind aufeinander angewiesen, und ich habe noch nicht die Absicht, das Schiff wieder zu verlassen.«

»Ich bin nicht auf Sie angewiesen, und wenn Sie die ganze tyrannische Flotte hinter sich hätten und sie jetzt herbeizaubern könnten.«

»Farrill«, versuchte Jonti ihn zu überreden, »Sie sprechen und benehmen sich wie ein dummer Junge. Ich habe Sie ausreden lassen. Jetzt bin ich an der Reihe.«

»Nein. Ich habe keine Lust, Ihnen zuzuhören.«

»Auch jetzt noch nicht?«

Artemisia schrie auf. Biron machte eine Bewegung, als wollte er auf den Autarchen zuspringen, doch er besann sich noch rechtzeitig. Mit rotem Kopf, weil dem anderen die Überrumpelung geglückt war, verharrte er hilflos auf seinem Platz.

»Ich pflege mich vorzusehen«, bemerkte Jonti kühl. »Es tut mir leid, daß ich Ihnen brutal mit einer Waffe drohen muß. Aber ich fürchte, daß Sie mich anders nicht anhören würden.« Die Pistole, die er in der Hand hielt, diente nicht nur der Einschüchterung. Ihre Schüsse verwundeten nicht, sie töteten!

»Seit Jahren baue ich in Lingane eine Organisation gegen die Tyrannen auf«, begann der Autarch. »Wissen Sie, was das heißt? Es ist keine Kleinigkeit. Ja, es grenzt ans Unmögliche. Von den Inneren Königreichen ist keine Hilfe zu erwarten, das hat uns die Erfahrung gelehrt. Die Nebula-Königreiche können sich nur retten, wenn sie sich selbst helfen. Doch unsere Regenten davon zu überzeugen, ist kein Kinderspiel. Ihr Vater hat dafür sein Leben lassen müssen. Bedenken Sie das bitte.

Ihres Vaters Verhaftung bedeutete aber auch für uns eine große Gefahr. Es ging um Leben und Tod. Widemos gehörte zum engsten Mitarbeiterstab, das heißt, daß uns die Tyrannen dicht auf den Fersen waren. Wir mußten sie auf eine falsche Fährte hetzen. Für umständliche Erklärungen blieb mir keine Zeit. Die Tyrannen sind keine Stümper.

Ich konnte nicht zu Ihnen kommen und sagen: ›Farrill, wir müssen den Tyrannen ein Schnippchen schlagen. Sie sind der Sohn des Ranchers und daher verdächtig. Machen Sie sich hier aus dem Staub und schwänzeln sie um Henrik von Rhodia herum, damit die Tyrannen von uns abgelenkt werden. Lingane muß unter allen Umständen aus dem Spiel bleiben. Es kann gefährlich für Sie werden, vielleicht sogar Ihren Kopf kosten, aber die Ideale, wofür Ihr Vater gestorben ist, sind wichtiger als Sie.‹

Vielleicht hätte ich Sie zu überzeugen vermocht, aber auf Experimente konnte ich mich nicht einlassen. Darum richtete ich es so ein, daß Sie unwissentlich taten, was notwendig war. Es ist mir schwergefallen, glauben Sie mir! Aber mir blieb keine andere Wahl. Ich hoffte, Sie würden mit heiler Haut davonkommen. Wenn nicht, so waren Sie entbehrlich, das gestehe ich ganz offen. Nun, Sie sind glücklicherweise am Leben geblieben, und ich bin sehr froh darüber. Außerdem war da noch die Sache mit dem Dokument . . .«

»Ich weiß nicht, wovon Sie sprechen«, warf Biron ein.

»Sie schalten zwar sehr schnell, lieber Farrill, aber Sie scheinen zu vergessen, daß Ihr Vater für mich arbeitete. Ich bin also im Bilde. Sie sollten das Dokument ausfindig machen. Anfänglich waren Sie auch der geeignete Mann für diese Aufgabe. Ihr Aufenthalt auf der Erde war behördlich genehmigt. Sie waren jung und wurden höchstwahrscheinlich nicht bespitzelt – anfänglich, wie gesagt!

Aber nachdem Ihr Vater verhaftet war, bildeten Sie eine Gefahr. Sie mußten ganz zwangsläufig den Verdacht der Tyrannen erregen, und wir konnten es uns nicht leisten, das Dokument in deren Hände fallen zu lassen. Wir mußten Sie von der Erde entfernen, ehe Sie Ihren Auftrag ausführen konnten. Sie sehen also, wie eins mit dem anderen zusammenhängt.«

»Dann haben Sie also jetzt das Dokument?« fragte Biron.

»Nein. Leider nicht. Ein Dokument, das aller Wahrscheinlichkeit nach das ist, worauf es uns ankommt, ist schon seit Jahren spurlos von der Erde verschwunden. Ich weiß nicht, wer es hat. – Darf ich jetzt übrigens das Schießeisen weglegen? Es ist ein wenig unhandlich.«

»Meinetwegen«, knurrte Biron.

Nachdem der Autarch die Pistole wieder eingesteckt hatte, fragte er beiläufig: »Was hat Ihnen Ihr Vater eigentlich über das Dokument mitgeteilt?«

»Nichts, das Sie nicht selbst wüßten. Er arbeitete ja für Sie.«

»Ausgezeichnet!« lobte ihn der Autarch. Sein Lächeln wirkte allerdings etwas gezwungen.

»Sind Sie mit Ihrer Erklärung fertig?« wollte Biron wissen.

»Ja.«

»Dann verlassen Sie das Schiff.«

»Einen Augenblick, Biron«, schaltete sich Gillbret ein. »Hier steht mehr auf dem Spiel als Ihre persönlichen Angelegenheiten. Artemisia und ich sind ja auch noch da, und wir möchten schließlich ein Wörtchen mitreden. Ich jedenfalls sehe die Beweggründe des Autarchen ein. Darf ich Sie daran erinnern, daß ich Ihnen auf Rhodia das Leben gerettet habe? Das dürfte mir immerhin das Recht geben, meine Meinung zu äußern.«

»Schön. Sie haben mir das Leben gerettet!« schrie Biron. »Verlassen Sie das Schiff mit ihm zusammen. Ich halte Sie nicht zurück. Sie wollten zum Autarchen. Bitte! Hier ist er. Ich habe Ihnen versprochen, Sie zu ihm zu bringen. Meine Mission ist damit beendet. Vorschriften lasse ich mir von Ihnen keinesfalls machen.«

Noch immer wutschnaubend, wandte er sich an Artemisia: »Und wie steht es mit Ihnen? Sie haben mir doch auch das Leben gerettet! Ich bin nur von Lebensrettern umgeben, scheint mir. Wollen Sie sich den beiden nicht anschließen?«

Ruhig erwiderte sie: »Legen Sie mir nichts in den Mund, Biron. Wenn ich gehen wollte, würde ich es bestimmt selbst sagen.«

»Nur keine Hemmungen! Mir ist's egal, ob Sie gehen oder bleiben.«

Ihr verletzter Gesichtsausdruck ließ ihn die Augen niederschlagen. Er wußte sehr wohl, daß er sich kindisch aufführte. Jonti hatte ihm diese Rolle aufgezwungen, hatte seinen Zorn bis zur Hilflosigkeit gesteigert. Warum nahm es eigentlich jedermann als gegeben hin, daß man Biron Farrill den Tyrannen zum Fraß vorwarf? Wie einem Hund einen Knochen, nur damit Jonti seine kostbare Haut nicht zu Markte zu tragen brauchte! Wen glaubten sie eigentlich vor sich zu haben?

Die Bombenfalle, das rhodianische Schiff, die Schreckensnacht auf Rhodia – das Selbstmitleid drohte ihn bei diesen Erinnerungen nahezu zu überwältigen.

»Nun, Farrill?« drängte der Autarch.

»Nun, Biron?« kam das Echo von Gillbrets Lippen.

»Was ist Ihre Meinung?« wandte sich Biron an Artemisia.

Ruhig gab sie ihm zur Antwort: »Ich meine, daß er noch

immer drei Schiffe hinter sich hat und außerdem der Autarch von Lingane ist. Die Qual der Wahl können Sie sich also ersparen.«

Der Autarch warf ihr einen langen, bewundernden Blick zu. »Sie sind ein intelligentes Mädchen, Euer Hoheit. Es ist erfreulich, daß so viel Geist in dieser angenehmen Hülle steckt.«

»Was wollen Sie von uns?« bequemte sich Biron zu fragen.

»Ich brauche Ihre guten Namen und Ihre Fähigkeiten. Als Gegenleistung werde ich Sie an einen Ort bringen, den Seine Durchlaucht Gillbret als die ›Rebellenwelt‹ bezeichnet.«

»Glauben Sie denn, daß es sie gibt?« fragte Biron mürrisch.

Doch Gillbret schnitt ihm das Wort ab: »*Sie* haben sie also aufgebaut?«

Der Autarch lächelte. »Ich glaube zwar, daß es die von Ihnen beschriebene Welt gibt, Durchlaucht, aber sie gehört leider nicht mir.«

»Nicht Ihnen«, murmelte Gillbret niedergeschlagen.

»Was macht das schon aus, wenn ich Sie hinführen kann?«

»Wie denn?« wollte Biron wissen.

»Das ist gar nicht so schwierig, wie Sie annehmen. Wenn wir von Gillbrets Erzählung als von einer Tatsache ausgehen, dann muß es eine Widerstandsbewegung gegen die Tyrannen geben. Sie kann sich nur irgendwo im Nebula-Sektor befinden, und sie ist seit zwanzig Jahren von den Tyrannen unentdeckt geblieben. Dafür gibt es aber nur eine Erklärung!«

»Und die wäre?«

»Liegt die Schlußfolgerung nicht auf der Hand? Eine solche Welt kann nur im eigentlichen Nebelgebiet existieren.«

»Das halten Sie für möglich?«

»Beim Kosmos, ein logischer Gedanke!« murmelte Gillbret.

Schüchtern warf Artemisia ein: »Kann es denn innerhalb der Nebel überhaupt organisches Leben geben?«

»Warum nicht?« belehrte sie der Autarch. »Sie scheinen eine falsche Vorstellung davon zu haben. Es handelt sich bei diesem Gebiet zwar um starke kosmische Nebel, aber nicht um Giftgase. Die unglaublich dünne Nebelmasse setzt sich aus Natrium, Kalium und Kalzium zusammen. Die Atome absorbieren und verdunkeln das Licht der Sterne, so daß der Beobachter nichts sieht. Im übrigen ist das Ganze harmlos. Wer sich dort ansiedelt, hat jedoch den Vorteil, so ziemlich unauffindbar zu sein.

Ich bitte um Entschuldigung, falls ich Sie langweilen sollte, aber ich habe die letzten paar Monate an der Erduniversität damit zugebracht, astronomische Daten über die Nebelregionen zusammenzutragen.«

»Warum gerade auf der Erde?« erkundigte sich Biron. »Meine Frage mag neugierig klingen, aber da ich dort Ihre Bekanntschaft machte, habe ich wohl ein Recht zu fragen.«

»Dabei ist kein Geheimnis. Ursprünglich habe ich Lingane aus anderen Gründen, die in diesem Zusammenhang keine Rolle spielen, verlassen. Vor ungefähr sechs Monaten besuchte ich Rhodia. Mein Agent – Ihr Vater, Biron – hatte bei dem Direktor, den wir auf unsere Seite zu ziehen hofften, keinen Erfolg gehabt. Ich wollte die Angelegenheit selbst regeln, erlitt aber ebenfalls Schiffbruch, weil Henrik – ich bitte um Entschuldigung, Euer Hoheit! – einfach nicht der Typ ist, den wir für unsere Arbeit brauchen können.«

»Hört, hört!« murmelte Biron.

»Aber ich hatte eine Unterredung mit Gillbret, wie er Ihnen sicherlich schon erzählt hat. Danach fuhr ich zur Erde, weil sie der Ursprungsplanet der Menschheit ist. Von der Erde gingen die ersten Erforschungen der Galaxis aus. Darum gibt es auf der Erde auch das meiste Nachschlagematerial. Der Pferdekopf-Nebel wurde sehr gründlich erforscht. Natürlich ist man zu keinem endgültigen Resultat gekommen, weil die Schwierigkeiten, ein Raumvolumen zu durchdringen, wo Sternbeobachtungen nicht möglich waren, sich als zu groß erwiesen. Was ich brauchte, waren aber nur die Forschungsergebnisse.

Und nun hören Sie mir bitte genau zu: Das tyrannische Schiff, womit Seine Durchlaucht Gillbret strandete, wurde nach dem ersten Sprung von einem Meteor beschädigt. Angenommen, die Reise von Tyrann nach Rhodia erfolgte auf der üblichen Handelsroute – und es besteht kein Grund, etwas anderes zu vermuten –, dann läßt sich auch der Punkt bestimmen, wo das Schiff von dieser Route abgewichen ist. Es dürfte zwischen den ersten zwei Sprüngen kaum mehr als eine dreiviertel Million Kilometer zurückgelegt haben. Auf dieser Strecke haben wir den bewußten Punkt zu suchen.

Außerdem haben wir noch einen anderen Ausgangspunkt. Da der Meteor das Schaltbrett beschädigte, hätte es leicht möglich sein können, daß er dabei die Richtung der Sprünge änderte.

Dazu hätte es bloß einer Beeinflussung des Cyroskops bedurft, was zwar schwierig, aber nicht unmöglich wäre. Um die hyperatomische Stoßkraft zu beeinträchtigen, hätten zuvor alle Maschinen zerstört werden müssen. Dazu war der Meteor aber nicht in der Lage.

Bei unverminderter Stoßkraft konnte also keine Veränderung der noch bevorstehenden Sprünge erfolgen. Ihre Länge und Richtung blieben unangetastet. Man könnte nach diesem Beispiel einen Test mit einem langen, gebogenen Draht machen, der in unbekannter Richtung und bei unbekannter Winkelweite auf einen Punkt zu weisen hätte. Die Position des Schiffes müßte dann irgendwo innerhalb eines imaginären Gebietes zu suchen sein, dessen Zentrum eben jener Punkt im Raum wäre, wo der Meteor aufprallte. Der Radius wäre dann die Vektorsumme der restlichen Sprünge.

Ich habe ein solches Gebiet ausfindig gemacht. Es erstreckt sich über einen großen Teil des Pferdekopf-Nebels. Ein Viertel davon liegt direkt in der Nebelzone. Wir brauchen jetzt nur noch einen Stern ausfindig zu machen, der zum Nebula-Bezirk gehört und ungefähr anderthalb Millionen Kilometer innerhalb des von mir erwähnten Gebietes liegt. Sie werden sich erinnern, daß Gillbrets Schiff im Bereich eines Sternes landete.

Mit wie vielen Sternen, glauben Sie, müssen wir wohl in diesem Gebiet rechnen? Bedenken Sie, daß es in der Galaxis einhundert Milliarden Leuchtsterne gibt.«

Gegen seinen Willen war Biron von dem Thema gefesselt. »Hunderte vermutlich«, schätzte er.

»Fünf!« erwiderte der Autarch triumphierend. »Nur fünf. Lassen Sie sich durch die Milliardenzahl nicht blenden. Die Galaxis hat ein Volumen von ungefähr sieben Billionen Kubiklichtjahren, so daß im Durchschnitt auf jeden Stern siebzig Kubiklichtjahre entfallen. Leider weiß ich nicht, welche von den fünf in Frage kommenden Sternen bewohnbare Planeten haben. Sonst würde sich die Zahl vielleicht noch verringern. Unglücklicherweise hatten die prähistorischen Forscher keine Zeit zu detaillierten Beobachtungen. Sie stellten nur die Positionen der Sterne fest, ihre genauen Bewegungen und die Spektraltypen.«

»Sie meinen also, daß die Rebellenwelt zu einem jener fünf Sternensysteme gehört?« fragte Biron.

»Es ist die einzige Schlußfolgerung, die wir aus den uns bekannten Fakten ziehen können.«

»Vorausgesetzt, daß Gils Geschichte stimmt.«

»Das setze ich allerdings voraus.«

»Ich schwöre, daß ich die Wahrheit gesagt habe«, wiederholte Gillbret eindringlich.

»Ich werde in wenigen Tagen aufbrechen, um Nachforschungen in den fünf Welten anzustellen. Meine Gründe dafür dürften klar sein. Als Autarch von Lingane möchte ich in diesem Kampf die mir gebührende Rolle spielen.«

»Und mit zwei Henrici und einem Widemos an Ihrer Seite sind Ihre Chancen für diese Rolle und späterhin für eine starke und gesicherte Position in einer neuen, freien Welt um so besser«, bemerkte Biron trocken.

»Ihr Sarkasmus stört mich nicht, Farrill. Sie haben durchaus recht. Bei einer erfolgreichen Rebellion möchte man natürlich auf der Seite der Sieger stehen.«

»Sonst könnte eines Tages ein Freibeuter oder Rebellenhauptmann daherkommen und mit der Autarkie von Lingane belehnt werden.«

»Oder mit der Baronie von Widemos. Sehr richtig!«

»Und wenn die Rebellion fehlschlägt?«

»Darüber brauchen wir uns erst den Kopf zerbrechen, wenn wir das, was wir suchen, gefunden haben.«

»Ich bin bereit, Sie zu begleiten«, sagte Biron nach einigem Zögern.

»Gut. Dann werde ich gleich alles Notwendige veranlassen, damit man Sie von Ihrem Schiff abholt.«

»Warum?«

»Es dürfte besser für Sie sein. Dieses Schiff ist ja mehr oder weniger nur ein Spielzeug.«

»Es ist ein tyrannisches Kriegsschiff. Wir wären töricht, wenn wir es nicht benützten.«

»Gerade weil es ein tyrannisches Kriegsschiff ist, machen wir uns mit ihm nur verdächtig.«

»Nicht im Nebula-Gebiet. Hören Sie zu, Jonti. Ich schließe mich Ihnen nur der Not gehorchend an. Sie sehen, ich kann genauso offen sein wie Sie. Ich will die Rebellenwelt finden. Aber von einer Freundschaft zwischen uns kann nicht die Rede sein. Ich bleibe mein eigener Herr.«

»Biron«, gab Artemisia leise zu bedenken, »das Schiff ist für uns drei zu klein.«

»So, wie es jetzt ist, bestimmt, Arta. Aber sie können uns einen Anhänger geben. Das weiß Jonti so gut wie ich. Dann haben wir genügend Platz und könnten trotzdem tun und lassen, was wir wollen. Außerdem wäre es eine gute Tarnung für die ›Unverzagt‹.«

Nach kurzem Überlegen entschied der Autarch: »Wenn es zwischen uns weder Freundschaft noch Vertrauen geben kann, Farrill, dann muß ich mich ebenfalls sichern. Sie sollen Ihren Anhänger mit allem Drum und Dran haben. Aber ich brauche eine gewisse Garantie dafür, daß Sie mir nicht plötzlich Schwierigkeiten machen. Darum muß wenigstens Ihre Hoheit mit mir kommen.«

»Auf keinen Fall!«

Der Autarch zog erstaunt die Augenbrauen in die Höhe: »So? Sind Sie sicher? Wollen wir nicht lieber die junge Dame selbst fragen?« Mit leicht bebenden Nasenflügeln wandte er sich Artemisia zu: »Ich darf Ihnen wohl versichern, daß Sie es bei mir äußerst bequem hätten, Hoheit!«

»Für Sie wäre es dagegen mehr als unbequem, das können Sie mir glauben«, entgegnete Artemisia schlagfertig. »Darum möchte ich Ihnen lieber die Unbequemlichkeit ersparen und hierbleiben.«

»Vielleicht überlegen Sie es sich noch...«, begann der Autarch abermals, wobei eine steile Falte an der Nasenwurzel die Gelassenheit seines Tones Lügen strafte.

»Wohl kaum«, unterbrach ihn Biron hochfahrend. »Ihre Hoheit hat sich bereits entschieden.«

»Und Sie unterstützen diesen Entschluß, Farrill?« Der Autarch hatte seine gewohnte überlegene Ruhe wiedergefunden.

»Vollkommen! Wir drei bleiben auf der ›Unverzagt‹. Darüber gibt es keine Debatte.«

»Sie wählen sich Ihre Freunde nach merkwürdigen Gesichtspunkten!«

»Was Sie nicht sagen!«

»Vielleicht muß ich mich etwas klarer ausdrücken.« Der Autarch schien in die Betrachtung seiner Fingernägel versunken. »Mir sind Sie böse, weil ich Sie getäuscht und Ihr Leben aufs Spiel gesetzt habe. Dagegen stehen Sie auf freundschaftlichem

Fuße mit der Tochter eines Mannes wie Henrici, der entschieden ein Meister des Verrats und mir weit überlegen ist.«

»Ich kenne Henrik gut genug, so daß Sie mir keine Vorträge über ihn zu halten brauchen.«

»Wissen Sie wirklich alles?«

»Ich sagte bereits, daß es mir genüge.«

»Wissen Sie auch, daß er Ihren Vater umgebracht hat?« Anklagend zeigte der Autarch auf Artemisia: »Wissen Sie, daß jenes Mädchen, das Sie unter allen Umständen beschützen wollen, die Tochter des Mörders Ihres Vaters ist?«

## Der Autarch beendet seinen Besuch

Einen Augenblick lang standen sie alle wie angewurzelt. Dann zündete sich der Autarch gelassen und mit unbewegtem Gesicht eine neue Zigarette an. Gillbret war, den Tränen nahe, auf den Pilotensitz gesunken. Der Sicherheitsgürtel baumelte schlaff zu beiden Seiten und erhöhte dadurch noch die klägliche Wirkung der gramgebeugten Gestalt.

Leichenblaß, mit geballten Fäusten stand Biron dem Autarchen gegenüber. Artemisia, deren schmale Nüstern bebten, hielt die Augen, ohne dem Autarchen auch nur einen Blick zu gönnen, unverwandt auf Biron gerichtet.

Plötzlich meldete sich das Radio. Die schwachen Töne wirkten in dem kleinen Pilotenraum wie Paukenschläge.

Erschrocken fuhr Gillbret zusammen. Doch der Autarch beruhigte ihn lässig: »Leider bin ich redseliger gewesen, als ich vorhatte. Rizzett hat Anweisung, sich nach mir zu erkundigen, sofern ich länger als eine Stunde ausbleibe.«

Inzwischen war Rizzetts Graukopf auf dem Bildschirm erschienen. »Er möchte Sie sprechen«, sagte Gillbret und machte dem Autarchen Platz.

»Alles in Ordnung, Rizzett. Ich bin hier vollkommen sicher«, meldete sich der Autarch.

Klar und deutlich ertönte jetzt die Stimme des Offiziers: »Wer befindet sich auf dem Kreuzer, Exzellenz?«

Ehe der Autarch antworten konnte, stand Biron neben ihm. »Hier spricht der Rancher von Widemos.«

Ein frohes Leuchten überzog Rizzetts Gesicht. Er grüßte ehrerbietig und sagte: »Das ist eine gute und willkommene Nachricht für uns alle!«

»Ich kehre gleich in Begleitung einer jungen Dame zurück«, schnitt ihm der Autarch das Wort ab. »Sorgen Sie dafür, daß alles für einen glatten Übergang vorbereitet wird.« Damit brach er die Verbindung brüsk ab.

»Ich habe es ihnen vorausgesagt, daß Sie sich auf dem Schiff befänden«, erklärte er Biron. »Sie wollten mich nämlich nicht allein herüberlassen. – Ihr Vater war bei meinen Leuten sehr beliebt.«

»Darum möchten Sie sich auch meines Namens bedienen, nicht wahr?«

Der Autarch zuckte nur die Achseln.

»Im übrigen ist Ihnen ein Fehler unterlaufen«, fuhr Biron fort. »Ihre Anweisung war nicht korrekt.«

»Inwiefern?«

»Artemisia von Henrici bleibt hier.«

»Nach allem, was ich Ihnen mitgeteilt habe?«

»Sie haben mir gar nichts mitgeteilt«, wies ihn Biron scharf zurecht. »Sie haben lediglich etwas behauptet, und ich denke nicht daran, Ihre unbewiesenen Anschuldigungen für bare Münze zu nehmen. Ich hoffe, daß ich mich deutlich genug ausgedrückt habe. Auf taktvolles Benehmen lege ich momentan keinen Wert.«

»Kommt Ihnen meine Behauptung wirklich so unglaublich vor? Ich kann mir nicht denken, daß Sie zu einem besonders günstigen Urteil über Henrik gekommen sind.«

Die Bemerkung hatte offenbar ins Schwarze getroffen. Biron gab keine Antwort.

Doch nun ergriff Artemisia das Wort: »Nichts von alledem ist wahr. Haben Sie Beweise?«

»Natürlich besitze ich keinen schriftlichen Beweis. Schließlich war ich ja nicht bei den Verhandlungen zwischen Ihrem Vater und den Tyrannen zugegen. Aber ich kann mit Tatsachen aufwarten, so daß Sie nur Ihre eigenen Schlußfolgerungen zu ziehen brauchen. Wie ich bereits erwähnte, besuchte der alte Rancher von Widemos Henrik vor sechs Monaten. Ich darf noch hinzufügen, daß er vielleicht etwas übereifrig in seinen Bemühungen war – oder er hat Henriks Diskretion überschätzt.

Auf jeden Fall war er redseliger, als er hätte sein sollen. Seine Durchlaucht Gillbret kann das bestätigen.«

Gillbret nickte bekümmert. Er wandte sich Artemisia zu, die ihn mit feuchten, zornigen Augen anstarrte. »Leider, leider, Arta, ist es wahr. Ich habe es dir schon einmal gesagt. Es war Widemos, der deinem Vater vom Autarchen erzählte.«

»Für mich war es jedenfalls sehr günstig, daß Seine Durchlaucht sich so lange mechanische Ohren zugelegt hatte, um ein wenig Anteil an des Direktors Staatsgeschäften zu nehmen. Dadurch warnte mich Gillbret, ohne es zu wissen. Ich machte mich daraufhin so schnell wie möglich aus dem Staube, aber der Schaden, den Widemos angerichtet hatte, war nicht wieder gutzumachen.

Zwar war es der einzige Fehler, der Widemos je unterlaufen ist, aber Henrik genießt nun einmal nicht den Ruf, ein sehr selbständiger und mutiger Mann zu sein. Noch vor Ablauf eines halben Jahres war Ihr Vater, Farrill, verhaftet. Wenn nicht durch Henrik, den Vater dieses Mädchens hier, durch wen dann?«

»Warum haben Sie ihn nicht gewarnt?«

»In unserem Metier, Farrill, hat jeder sein eigenes Risiko zu tragen. Trotzdem wurde er gewarnt. Danach hat er sich mit keinem von uns – weder direkt noch indirekt – wieder in Verbindung gesetzt. Er vernichtete alles, was auf einen Zusammenhang mit uns hätte hinweisen können. Einige von uns waren der Ansicht, er solle die Königreiche verlassen oder wenigstens ein sicheres Versteck aufsuchen. Er weigerte sich.

Ich glaube auch zu wissen, warum. Hätte er seine Lebensgewohnheiten geändert, so wäre der Verdacht der Tyrannen nur verstärkt und damit die gesamte Organisation gefährdet worden. Darum entschloß er sich, nur sein eigenes Leben aufs Spiel zu setzen.

Die Tyrannen warteten fast ein halbes Jahr auf einen Anhaltspunkt, der ihnen die Möglichkeit zum Eingreifen bot. Diese Leute haben eine unheimliche Geduld. Als nichts passierte und sie glaubten zupacken zu müssen, blieb Widemos ihre einzige Beute.«

»Sie lügen«, schrie Artemisia. »Ihre ganze Erzählung ist erstunken und erlogen. Wenn Sie die Wahrheit sprächen, dann müßten Sie ja ebenfalls bespitzelt werden. Dann könnten Sie hier nicht lächelnd herumsitzen und Ihre Zeit vergeuden.«

»Hoheit, ich vergeude keineswegs meine Zeit. Ich habe zum Beispiel nichts unversucht gelassen, um Ihren Vater als Informationsquelle in Mißkredit zu bringen, und zwar, wie ich mir schmeichle, nicht ganz ohne Erfolg. Außerdem werden es sich die Tyrannen in Zukunft überlegen, ob sie noch auf einen Mann hören können, dessen Tochter und Vetter offenkundige Verräter sind. Sollten Sie aber dennoch dazu geneigt sein, so kann mich das wenig kümmern. Ich gedenke im Nebel unterzutauchen, wo sie mich kaum finden werden. Sie sehen also, meine Handlungsweise ist eher dazu angetan, meine Worte zu bekräftigen als zu widerlegen.«

»Es wird das beste sein, wenn wir die Unterredung jetzt als beendet betrachten, Jonti«, mischte sich Biron ein. »Wir sind uns also einig, daß wir Sie begleiten und daß Sie uns mit der nötigen Ausrüstung versehen. Das genügt. Selbst wenn alles, was Sie gesagt haben, wahr wäre, so tut es doch nichts zur Sache. Die Tochter des Direktors von Rhodia ist nicht für dessen Verbrechen verantwortlich. Artemisia von Henrici bleibt also hier, vorausgesetzt, daß sie es selbst wünscht!«

»Etwas anderes kommt nicht in Frage«, erklärte Artemisia.

»Gut. Damit wäre alles geregelt. Lassen Sie sich zum Schluß noch einmal warnen. Nicht nur Sie sind bewaffnet. Ich bin es auch! Ihre Schiffe mögen Kampfeinheiten sein, meines ist ein tyrannischer Kreuzer.«

»Seien Sie doch nicht albern, Farrill. Meine Absichten sind absolut nicht feindselig. Wenn Sie das Mädel hierbehalten wollen – meinetwegen! Darf ich für meine Rückkehr einen Raumtunnel benutzen?«

Biron nickte. »Ich glaube, das können wir Ihnen zubilligen.«

Die beiden Schiffe manövrierten immer näher aufeinander zu, bis die dehnbaren Halterungen ausgestreckt werden konnten. Vorsichtig wurde der Zusammenschluß versucht. Gillbret hing die ganze Zeit am Radio. »In zwei Minuten probieren sie es noch einmal«, meldete er.

Dreimal war das Magnetfeld bereits ausgelöst worden, doch jedesmal hatten die Halterungen einander verfehlt.

»Zwei Minuten«, wiederholte Biron und wartete gespannt.

Der Sekundenzeiger rückte vor, und zum viertenmal klickte das Magnetfeld ein. Die Lichter flackerten, als die Kraft der Motoren plötzlich gedrosselt wurde. Wieder tasteten die Halterungen ins Leere hinaus. Auf einmal war im Pilotenraum ein leichtes Vibrieren zu vernehmen: der Kontakt war geschlossen, der Tunnel hergestellt.

Biron lehnte sich aufatmend zurück und fuhr sich mit der Hand über die Stirn. »Das hätten wir also«, sagte er befriedigt.

Der Autarch nahm seinen noch etwas feuchten Raumanzug über den Arm. »Vielen Dank.« Er nickte Biron mit freundlicher Herablassung zu. »Einer meiner Offiziere wird gleich kommen und alle Einzelheiten mit Ihnen besprechen.«

»Bitte, Gil, verhandeln Sie zunächst mit Jontis Offizier«, bat Biron. »Sowie er hier ist, unterbrechen Sie den Tunnelkontakt. Sie brauchen nur das Magnetfeld auszuschalten. Drücken Sie auf den Knopf dort drüben.«

Er drehte sich auf dem Absatz um und verließ den Pilotenraum. Das Bedürfnis, allein zu sein, war übermächtig in ihm geworden. Er brauchte unbedingt Zeit, um nachzudenken.

Aber eilige Schritte und ein paar geflüsterte Worte hielten ihn auf.

»Biron, ich muß mit dir sprechen!«

»Später, bitte, Arta.«

»Nein, sofort.« Flehend blickte sie ihn an. Sie machte eine Bewegung, als wollte sie ihn umarmen, doch dann schien ihr der Mut zu fehlen. »Du glaubst doch nicht etwa, was er über meinen Vater gesagt hat?«

»Das ist völlig nebensächlich.«

»Biron«, begann sie schüchtern. Die Worte wollten nur schwer über ihre Lippen, aber sie sprach tapfer weiter: »Biron, ich weiß, daß ein Teil dessen, was zwischen uns vorgefallen ist, damit zusammenhängt, daß wir aufeinander angewiesen waren, auf so engem Raum zusammenleben mußten und Gefahren geteilt haben, aber –«

»Wenn du damit sagen willst, daß du eine Henrici bist«, unterbrach sie Biron, »so kannst du dir deine Worte sparen, Arta. Ich weiß es, und du bist mir nicht im geringsten verpflichtet.«

»Das meine ich doch nicht!« Sie nahm seinen Arm und legte ihren Kopf an seine kräftige Schulter. Überstürzt fuhr sie fort:

»Du hast mich falsch verstanden. Mit Henrici und Widemos hat das überhaupt nichts zu tun. Ich – ich liebe dich, Biron.«

Sie hob den Kopf, um Biron in die Augen zu schauen. »Du liebst mich doch auch, nicht wahr? Wenn du nur vergessen könntest, daß ich eine Henrici bin, würdest du es bestimmt zugeben! Vielleicht fällt dir's jetzt leichter, nachdem ich es zuerst gesagt habe. Du hast doch dem Autarchen gesagt, daß ich für meines Vaters Taten nicht verantwortlich sei. Bitte mache mich auch nicht für sein Amt verantwortlich!«

Sie hatte die Arme um seinen Hals gelegt. Biron spürte die Weichheit ihres Körpers und die Wärme ihres Atems. Widerstrebend hob er die Hände und löste sanft ihre Arme von seinem Nacken. Dann trat er langsam einen Schritt zurück.

»Ich bin mit den Henrici noch nicht im reinen, Euer Hoheit.«

Verzweifelt rief sie: »Aber du hast doch dem Autarchen gesagt –«

»Verzeihung, Arta. Was ich dem Autarchen gesagt habe, spielt keine Rolle.« Er wich ihrem Blick aus.

Sie hätte laut aufschreien mögen. Wie gern hätte sie ihm gesagt, daß alles nicht wahr sei, daß ihr Vater niemals so etwas getan haben könne, daß sie auf jeden Fall . . .

Aber er ging in die Kabine und ließ sie auf dem Korridor stehen. Tränen der Wut und der Scham traten ihr in die Augen.

## Das Loch im All

Tedor Rizzett wandte sich sofort nach Biron um, als dieser den Pilotenraum wieder betrat. Er hatte graues Haar, einen kräftigen, wohltrainierten Körper und ein breites, rotes, humorvolles Gesicht. Mit einem Riesenschritt trat er auf Biron zu und schüttelte lange und herzlich dessen Hand.

»Bei den Sternen«, rief er fröhlich. »Sie brauchen mir nicht erst zu versichern, wer Sie sind: der alte Rancher, wie er leibte und lebte!«

»Wenn es nur so wäre!« erwiderte Biron düster.

Rizzetts Lächeln verschwand. »Wir alle, jeder einzelne von uns, wünschte, er wäre noch am Leben. Ich bin übrigens Tedor Rizzett, Oberst in der linganischen Armee. Aber bei unserem kleinen Sonderspiel gebrauchen wir keine Rangbezeichnung. Nur den Autarchen reden wir mit seinem Titel an. Dabei fällt mir ein: Auf Lingane haben wir keine Durchlauchten, Hoheiten oder Rancher. Ich hoffe, daß ich niemandem zu nahe trete, wenn ich einmal nicht die richtige Anrede benutze.«

Biron machte eine abwehrende Handbewegung. »Sie haben ganz recht. Titel sind bei unserem kleinen Spiel überflüssig. Wie steht es mit dem Anhänger? Wie mir gesagt wurde, soll ich darüber mit Ihnen verhandeln.«

Etwas unsicher blickte er sich um. Gillbret hörte aufmerksam ihrem Gespräch zu. Artemisia hatte ihm den Rücken zugewandt. Ihre schlanken, zarten Finger spielten nervös an einigen Schaltknöpfen herum. Rizzetts Stimme riß Biron aus seinen Gedanken.

»Es ist das erste Mal, daß ich ein tyrannisches Schiff von innen sehe«, bemerkte der Linganer nach einem prüfenden Rundblick. »Es beeindruckt mich nicht sonderlich. Jedenfalls scheinen Sie die Nothalterung am Heck zu haben. Die Kraftanlage dürfte sich demnach mittschiffs befinden.«

»Stimmt.«

»Gut. Dann gibt's überhaupt keine Schwierigkeiten. Von den alten Modellen haben einige die Maschinen im Heck, so daß Anhänger in einem Winkel vertäut werden müssen. Dadurch wird der Schwerkraftausgleich ein bißchen schwierig. Außerdem sinkt die Manövrierfähigkeit in der Atmosphäre nahezu auf den Nullpunkt.«

»Wie lange wird es dauern, bis alles fertig ist, Rizzett?«

»Nicht lange. Wie groß soll der Anhänger sein?«

»Das hängt davon ab, was Sie uns geben können.«

»Luxusklasse? Klar! Wenn's der Autarch versprochen hat, ist es eine Kleinigkeit. Sie können einen Anhänger haben, der mehr oder weniger ein komplettes Raumschiff ist. Er hat sogar Hilfsmotoren.«

»Und wie steht es mit den Kabinen?«

»Für Fräulein Henrici? Auf jeden Fall wesentlich besser als das, was Sie hier . . .« Erstaunt hielt Rizzett inne.

Bei der Erwähnung ihres Namens war Artemisia aufgestanden und hatte mit eisigen Mienen den Pilotenraum verlassen. Biron starrte ihr nach.

»O weh«, seufzte Rizzett, »ich hätte sie wahrscheinlich nicht einfach Fräulein Henrici nennen dürfen.«

»Das macht nichts. Sprechen Sie nur weiter.«

»Wo waren wir stehengeblieben? Ach so, bei den Kabinen. Es sind mindestens zwei größere mit einem angrenzenden Duschraum vorhanden. Im übrigen sind die auf Passagierschiffen üblichen sanitären Einrichtungen vorhanden. Die junge Dame wird sich also wohl fühlen.«

»Gut. Außerdem brauchen wir Verpflegung und Wasser.«

»Natürlich. Der Wassertank nimmt für zwei Monate Vorrat auf. Wenn Sie ein Schwimmbad an Bord haben wollen, ist es allerdings etwas weniger. Die Verpflegung besteht in tiefgekühlten Naturalien. Sie haben sich bisher mit tyrannischen Konzentraten behelfen müssen, nicht wahr?«

Rizzett verzog das Gesicht, als Biron nickte.

»Das Zeug schmeckt wie Sägemehl. Was brauchen Sie noch?«

»Kleider für Ihre Hoheit.«

Rizzett runzelte die Stirn. »Freilich. Aber das wird sie selbst erledigen müssen.«

»Keinesfalls. Wir geben Ihnen die notwendigen Maße, und Sie lassen dann alles besorgen.«

Rizzett schüttelte lachend den Kopf. »Rancher, damit dürfte sie kaum einverstanden sein! Kein einziges Kleidungsstück wird Gnade vor ihren Augen finden, das sie nicht selbst ausgesucht hat, auch dann nicht, wenn es ihrem Geschmack vollkommen entspräche. Ich spreche aus Erfahrung, verlassen Sie sich darauf!«

»Bestimmt haben Sie recht, Rizzett«, gab Biron bereitwillig zu. »Trotzdem wird alles so gemacht, wie ich's gesagt habe.«

»Nun, ich habe Sie jedenfalls gewarnt. Die Folgen haben Sie zu tragen. Sonst noch was?«

»Reinigungsmittel. Ach ja – und Kosmetika, Parfüm und alles, was eine Frau eben braucht. Wir werden das noch genau festlegen. Besorgen Sie vor allen Dingen erst mal den Anhänger.«

Jetzt verließ Gillbret wortlos den Pilotenraum. Biron mußte sich zusammennehmen. Henrici! Sie waren eben ›Henrici‹, alle beide. Daran ließ sich nichts ändern.

»Natürlich brauchen wir auch Kleidung für Herrn Henrici und mich. Aber das ist nicht so wichtig.«

»In Ordnung. Darf ich eben mal Ihr Radio benutzen? Ich bleibe nämlich am besten gleich hier, bis alles geregelt ist.«

Nachdem Rizzett die notwendigen Anweisungen gegeben hatte, wandte er sich wieder Biron zu: »Ich kann mich noch gar nicht damit abfinden, Sie hier lebendig vor mir zu haben. Sie gleichen Ihren Vater so sehr! Der Rancher hat oft von Ihnen gesprochen. Sie haben auf der Erde studiert, nicht wahr?«

»Ja. Wenn nicht inzwischen soviel passiert wäre, hätte ich vor ungefähr einer Woche mein Abschlußexamen gemacht.«

Rizzett sah Biron bekümmert an. »Bitte, tragen Sie es uns nicht nach! Ich meine, daß Sie nach Rhodia geschickt wurden und so weiter. Wir waren gar nicht damit einverstanden. Das bleibt natürlich unter uns. Viele von den Jungs waren stark dagegen. Natürlich hat uns der Autarch gar nicht erst gefragt. Das tut er nie. Aber bei Ihnen ist er ein bißchen sehr weit gegangen. Einige von uns – ich will keine Namen nennen – wollten sogar das rhodianische Schiff anhalten und Sie herausholen. Aber dann haben sie sich doch der Disziplin gefügt. Allerdings nur, weil wir nach langem Hin und Her zu dem Schluß gekommen sind, daß der Autarch wissen müsse, was er tue.«

»Es ist eine feine Sache, wenn jemand so viel Vertrauen bei seinen Untergebenen genießt.«

»Wir kennen ihn eben. Er hat's zweifellos hier.« Rizzett tippte sich bezeichnend gegen die Stirn. »Manchmal weiß niemand, warum er etwas so und nicht anders tut. Aber bisher ist's noch immer richtig gewesen. Er hat jedenfalls die Tyrannen ganz hübsch an der Nase herumgeführt, was anderen nicht gelungen ist.«

»Meinem Vater zum Beispiel.«

»An ihn habe ich dabei nicht gedacht. Aber in gewissem Sinne haben Sie recht. Den Rancher hat's erwischt, weil er ein ganz anderer Mann war als der Autarch. Er war offen und ehrlich. Hinterhältigkeit lag ihm nicht. Der Schlechtigkeit anderer war er einfach nicht gewachsen. Aber gerade das haben wir an ihm so geschätzt. Er behandelte alle gleich, müssen Sie wissen.

Nehmen Sie mich zum Beispiel. Ich bin ein einfacher Mann, wenn ich auch Oberst bin. Dem Rancher waren sowohl mein Rang als auch meine Herkunft egal. Wenn er den Maschinistenlehrling auf dem Korridor traf, dann trat er zur Seite und richtete ein paar freundliche Worte an ihn, und der Lehrling kam sich für den Rest des Tages wie ein Obermeister vor. So war Ihr Vater eben.

Nicht etwa, daß er ein Schwächling gewesen wäre. Im Gegenteil. Wer Strafe verdient hatte, bekam sie auch, aber nicht mehr als nötig war. Jeder wußte, daß er gerecht behandelt wurde. Und wenn's vorbei war, dann wurde kein Wort mehr darüber verloren. Nie hätte einem der Rancher bei einer späteren Gelegenheit Vergangenes vorgeworfen. Er war ein großartiger Mann.

Der Autarch dagegen ist ganz anders. Er besteht nur aus Intellekt. Gefühl spielt für ihn überhaupt keine Rolle. Er läßt auch niemanden an sich heran. Vor allen Dingen hat er nicht den geringsten Sinn für Humor. Es wäre mir zum Beispiel unmöglich, mich mit ihm so zu unterhalten wie augenblicklich mit Ihnen, so ohne Hemmungen – eben natürlich und ungezwungen. Bei ihm muß man ohne Umschweife berichten. Und wehe, wenn man nicht die formelle Phraseologie benutzt! Dann bekommt man gleich zu hören, man sei schlampig. Aber er ist nun mal der Autarch. Punktum.«

»Der Autarch ist wirklich außerordentlich intelligent. Darin stimme ich mit Ihnen überein. Wußten Sie, daß er bereits zu dem Schluß gekommen war, ich müsse auf diesem Schiff sein, noch ehe er einen Fuß daraufgesetzt hatte?«

»Tatsächlich? Da haben Sie's! Als er uns erklärte, er wolle ganz allein an Bord des tyrannischen Kreuzers gehen, kam uns das wie Selbstmord vor. Wir waren durchaus nicht damit einverstanden. Aber er mußte ja wissen, was er tat. Und wie sich nun herausstellte, wußte er's auch. Er hätte uns allerdings mitteilen können, daß er den Sohn des Ranchers an Bord anzutreffen hoffte. Schließlich hätte er sich denken können, daß die Nachricht von Ihrer Flucht eine Freudenbotschaft für uns gewesen wäre. Aber er hat kein Wort darüber verlauten lassen. Das ist typisch für ihn.«

Artemisia saß auf einem der unteren Betten in der Kabine. Sie mußte sich zusammenkauern, um sich nicht am Oberbett den Kopf einzurennen, aber das kümmerte sie im Augenblick wenig.

Mechanisch strich sie immer wieder ihr Kleid glatt. Sie kam sich schmutzig vor, müde war sie auch. Aber am schlimmsten war das Gefühl der inneren Leere.

Beinahe wäre sie aufgesprungen. Sie hatte schon ein scharfes Wort auf der Zunge. Er sollte es nicht wagen, ihr wieder unter die Augen zu kommen!

Aber es war nur Gillbret. Sie sank auf die Bettkante zurück. »Hallo, Onkel Gil«, war alles, was sie hervorbrachte.

Gillbret nahm ihr gegenüber Platz. Der abgespannte Ausdruck auf seinem schmalen Gesicht wich allmählich einem Lächeln. »Eine Woche Aufenthalt auf diesem Schiff ist auch für mich nicht sehr amüsant.«

»Lieber Onkel Gil, bitte probiere nicht gerade jetzt deine psychologischen Mätzchen an mir aus«, erwiderte sie gereizt. »Wenn du vielleicht glaubst, du kannst mir eine Verantwortung aufschwatzen, dann irrst du dich. Am liebsten würde ich um mich schlagen.«

»Wenn es dich erleichtert, bitte!«

»Sei vorsichtig, ich könnte dich beim Wort nehmen!«

»Offenbar hast du dich mit Biron gezankt. Weswegen?«

»Ich habe keine Lust, darüber zu diskutieren. Laß mich allein.«

Als eine ganze Weile verging und Gillbret sich nicht rührte, sagte sie plötzlich: »Er glaubt, Vater habe getan, was der Autarch von ihm behauptet hat. Ich hasse ihn deswegen.«

»Deinen Vater?«

»Nein! Diesen blöden, kindischen, scheinheiligen Narren!«

»Vermutlich soll Biron damit gemeint sein. So, so. Du haßt ihn also. Allerdings muß ich bemerken, daß es mir nach meinen bescheidenen Junggesellenerfahrungen eher vorkommt, als seist du bis über beide Ohren in ihn verliebt.«

»Onkel Gil, meinst du, er könnte es wirklich getan haben?«

»Biron? Was soll er getan haben?«

»Nein! Vater! Könnte er den Rancher denunziert haben?«

Gillbret sah seine Nichte ernst und nachdenklich an. »Ich weiß es nicht. Immerhin wollte er auch Biron den Tyrannen ausliefern.«

»Weil er wußte, daß es eine Falle war«, brauste sie auf. »Und es war ja auch eine! Dieser gräßliche Autarch hat es doch selbst zugegeben. Die Tyrannen wußten, wer Biron war, und haben ihn an Vater abgeschoben. Vater konnte da einfach nicht anders handeln. Das müßte jedem einleuchten.«

»Selbst wenn man deine Argumente gelten ließe, wie steht es

aber mit der Heirat, die er dir aufzwingen wollte? Wenn Henrik schon so weit zu gehen imstande ist, dann fürchte ich –«

»Auch dabei blieb ihm keine andere Wahl«, unterbrach sie ihn schroff.

»Mein liebes Kind, wenn du jeden Akt der Unterwürfigkeit gegenüber den Tyrannen als unerläßlich und notwendig bezeichnest, dann sehe ich nicht ein, warum es dir abwegig erscheint, daß er den Rancher angezeigt haben könne.«

»Weil das etwas ganz anderes ist. Du kennst Vater nicht so gut, wie ich ihn kenne. Er haßt die Tyrannen. Bestimmt! Ich weiß es genau. Freiwillig würde er ihnen nicht den kleinen Finger reichen. Ich gebe zu, daß er sich vor ihnen fürchtet und es nicht wagt, ihnen offen entgegenzutreten. Aber aus eigenem Antrieb wird er ihnen nie seine Hilfe anbieten.«

»Woher willst du wissen, daß er nicht auch bei dem Rancher unter Druck zu handeln glaubte?«

Sie schüttelte nur heftig den Kopf. Die Haarsträhnen, die ihr dabei über die Augen fielen, verbargen wenigstens die Tränen, die sie nicht mehr aufzuhalten vermochte.

Gillbret betrachtete sie einen Moment hilflos und verzagt, dann verließ er stumm die Kabine.

Der Anhänger wurde durch einen Schiebekorridor an die Heckhalterung der ›Unverzagt‹ angeschlossen. Er war ein paar dutzendmal größer als das tyrannische Schiff, wodurch ein etwas komisches Bild entstand.

Der Autarch schloß sich Biron bei der Übernahmeinspektion an. »Vermissen Sie noch irgend etwas?« fragte er höflich.

»Nein, danke. Es ist alles in bester Ordnung.«

»Rizzett hat mir übrigens berichtet, daß Ihre Hoheit sich nicht wohl fühlt, vielmehr, daß sie schlecht aussieht. Wenn sie ärztlicher Hilfe bedarf, dann wäre es doch besser, sie käme auf mein Schiff.«

»Sie ist völlig gesund«, knurrte Biron.

»Sie müssen es ja wissen. Ist es Ihnen recht, wenn wir in zwölf Stunden aufbrechen?«

»Von mir aus in zwei Stunden.«

Durch den Schiebekorridor, wo er sich ein wenig bücken mußte, kehrte Biron auf die ›Unverzagt‹ zurück.

Mit betonter Gleichgültigkeit sagte er: »Artemisia, Sie haben jetzt Ihre Privatkabinen dort hinten. Ich werde Sie nicht stören. Die meiste Zeit muß ich mich sowieso hier aufhalten.«

»Sie stören mich absolut nicht, Rancher«, entgegnete sie eisig. »Wo Sie sich aufhalten, ist mir völlig egal.«

Endlich wurde das Zeichen zum Start gegeben. Nach einem einzigen Sprung befanden sie sich am Rande des Nebula-Gebietes. Während auf Jontis Schiff noch die letzten Berechnungen vorgenommen wurden, trat eine Ruhepause von mehreren Stunden ein. Im Nebel würden sie dann soviel wie blind zu navigieren haben.

Finsteren Gesichts starrte Biron auf den Bildschirm. Es war absolut nichts darauf zu sehen, nur ausdruckslose Schwärze ohne den kleinsten Lichtstrahl. Zum erstenmal kam es Biron zum Bewußtsein, wie warm und freundlich die Sterne waren, wie sie den Weltraum mit ihrem Leuchten belebten.

»Man hat das Gefühl, durch ein Loch im All zu rutschen«, sagte Biron mürrisch zu Gillbret.

Dann war es soweit. Der Sprung in den Nebel konnte beginnen.

Fast zur gleichen Zeit hörte sich Simok Aratap, Hochkommissar des großen Khans und Kommandeur einer Flotte von zehn Schlachtkreuzern, den Bericht seines Steuermannes an und entschied: »Macht nichts! Wir halten weiterhin den gleichen Kurs.«

Nicht ganz ein Lichtjahr von dem Punkt entfernt, wo die ›Unverzagt‹ in den Nebel sprang, folgten zehn tyrannische Kriegsschiffe ihrem Beispiel.

## Hunde ...

Simok Aratap fühlte sich in seiner Uniform nicht ganz wohl. Die tyrannischen Uniformen waren aus ziemlich rauhem Stoff geschneidert und saßen nicht allzu gut. Natürlich wäre es unsoldatisch gewesen, sich über derartige Kleinigkeiten zu beschweren. Im Gegenteil, es gehörte zur tyrannischen Militärtradition, daß ein bißchen Unbequemlichkeit für die Disziplin des Soldaten nur förderlich sei. Aratap verstieß also gegen eine geheiligte Tradition, als er mißmutig bemerkte: »Dieser ekelhafte Kragen kratzt mich am Hals.«

Major Andros, dessen Kragen viel enger saß und den man seit Menschengedenken nie anders als in Uniform gesehen hatte, schnarrte: »Wenn Sie allein sind, ist es nicht vorschriftswidrig, den Kragen zu öffnen. In Gegenwart der Offiziere oder Mannschaften könnte eine Abweichung von der Vorschrift jedoch einen höchst unliebsamen Einfluß zur Folge haben.«

Aratap rümpfte die Nase. Der mehr oder weniger militärische Charakter dieser Expedition hatte einige unerfreuliche Veränderungen mit sich gebracht. Abgesehen von dem Uniformzwang mußte Aratap die Ratschläge seines immer selbstsicherer werdenden Adjutanten über sich ergehen lassen.

Angefangen hatte es schon, noch ehe sie Rhodia verlassen hatten. Sachlich hatte ihm Andros erklärt: »Kommissar, wir brauchen zehn Schiffe.«

Ärgerlich hatte Aratap den Major angesehen. Er war entschlossen, dem jungen Widemos mit nur einem Schiff zu folgen. Er legte die Kapseln beiseite, worin er gerade seinen Bericht an das Kolonialministerium des Khans verstauen wollte. Es war ja immerhin möglich, daß er von der Strafexpedition nicht zurückkehrte.

»Zehn Schiffe, Major?«

»Jawohl. Weniger zu nehmen hat keinen Zweck.«

»Warum?«

»Ich gedenke, so sicher wie möglich zu gehen. Der junge Mann muß doch so etwas wie ein Ziel haben. Sie behaupten, es existiere eine wohlorganisierte Verschwörung. Also dürften das zwei Seiten einer Medaille sein.«

»Na und?«

»Darum müssen wir uns auf einen Gegner gefaßt machen, der durchaus in der Lage sein könnte, mit einem einzigen Schiff fertigzuwerden.«

»Vielleicht auch mit zehn oder hundert. Der Umfang aller Sicherheit ist relativ.«

»Trotzdem muß man sich entscheiden. Die militärische Seite der Sache habe ich zu verantworten. Ich schlage zehn Schiffe vor«, erwiderte der Major in prägnantem Ton.

Arataps Kontaktgläser glänzten mehr als gewöhnlich, als er

die Augenbrauen in die Höhe zog. Diese Militärs waren eine Belastung. Theoretisch wurden in Friedenszeiten alle Entscheidungen von Zivilbeamten getroffen. Aber hier zeigte es sich wieder einmal, daß man die militärische Tradition nicht so einfach beiseite schieben konnte.

»Ich werde es mir noch überlegen«, sagte er daher vorsichtig.

»Danke. Falls Sie meine Empfehlungen nicht zu akzeptieren belieben – wobei ich Sie darauf hinweisen möchte, daß sie nur zu Ihrem eigenen Besten sind –, sehe ich mich gezwungen, meinen Abschied einzureichen.« Der Major machte eine korrekte Ehrenbezeigung, die aber, wie Aratap sehr wohl wußte, nur eine leere Geste war.

Aratap versuchte es daraufhin mit einem siegreichen Rückzug. »Es liegt mir völlig fern, mich in eine rein militärische Frage einmischen zu wollen, Major. Ich würde es allerdings begrüßen, wenn Sie mir bei politischen Entscheidungen in der gleichen Weise entgegenkämen.«

»Und das wäre?«

»Im Falle Henrik zum Beispiel. Sie waren gestern dagegen, als ich vorschlug, er solle uns begleiten.«

»Ich halte ihn für überflüssig«, erklärte der Major kurz und bündig. »Auf unsere Truppe würde die Anwesenheit von Ausländern höchstens demoralisierend wirken.«

Aratap seufzte. Auf seine Art war Andros zweifellos tüchtig. Es hatte keinen Zweck, den Mann unnötig zu verärgern. »Auch darin stimme ich mit Ihnen überein. Ich bitte Sie nur, die politische Seite der Angelegenheit zu bedenken. Sie wissen so gut wie ich, daß die Hinrichtung des alten Ranchers von Widemos politisch nicht sehr vorteilhaft für uns war. Die Königreiche sind dadurch nur unnötig aus ihrer Ruhe aufgescheucht worden. So unvermeidlich die Hinrichtung war, so wünschenswert ist es andererseits, daß wir mit dem Tod des Sohnes offiziell nichts zu tun haben. Die Bevölkerung von Rhodia wurde dahingehend informiert, daß der junge Widemos die Tochter des Direktors entführt habe. Das Mädchen ist, nebenbei bemerkt, außerordentlich populär in der Öffentlichkeit. Jedermann würde es daher verstehen und billigen, wenn der Direktor die Strafexpedition leitete.

Eine solche dramatische Geste entspräche durchaus dem rhodianischen Nationalgefühl. Natürlich müßte er um tyrannischen Beistand bitten, den wir ihm großmütig gewähren, aber das spielte dann eine untergeordnete Rolle. Es wäre jedenfalls leicht – von der Notwendigkeit ganz zu schweigen –, diese Expedition vor der Öffentlichkeit als eine rhodianische Angelegenheit hinzustellen. Sollten wir eine Verschwörung aufdecken, so wäre das eben ein rhodianisches Verdienst. Und die Hinrichtung des jungen Widemos werden ebenfalls unsere rhodianischen Freunde besorgen. Dadurch gibt es in den anderen Königreichen keine Schwierigkeiten.«

»Trotzdem geben wir den anderen ein schlechtes Beispiel, wenn wir rhodianischen Schiffen erlauben, eine tyrannische Strafexpedition zu begleiten«, wandte der Major ein.

»Wer spricht denn davon, mein lieber Major, daß Henrik ein Schiff befehligen soll? Sie dürften ihn doch gut genug kennen, um zu wissen, daß er dazu weder die Fähigkeit noch den Wunsch hat. Er bleibt natürlich bei uns. Außer ihm wird kein Rhodier an der Expedition teilnehmen.«

»Unter diesen Umständen ziehe ich meine Einwände zurück, Herr Kommissar.«

Den größten Teil der Woche hatte die tyrannische Flotte auf Beobachtungsposten, zwei Lichtjahre von Lingane entfernt, zugebracht.

Die Situation war allmählich unhaltbar geworden.

Major Andros sprach sich für eine sofortige Landung auf Lingane aus. »Der Autarch von Lingane läßt zwar nichts unversucht, um uns glauben zu machen, er sei dem Khan aufrichtig ergeben, aber ich traue diesen Burschen nicht, die dauernd im All umhergondeln müssen«, lautete sein Kommentar. »Sie setzen sich nur Flausen in den Kopf. Mir gibt es jedenfalls zu denken, daß der junge Widemos nichts Eiligeres zu tun hat, als den Autarchen sofort aufzusuchen, nachdem dieser kaum von seiner letzten Reise zurückgekehrt ist.«

»Der Autarch hat weder aus seinen Reisen noch aus seiner Rückkehr ein Hehl gemacht, Major. Ob Widemos eine Verabredung mit ihm hat, wissen wir noch nicht. Zunächst umkreist er Lingane nur. Warum landet er nicht?«

»Und warum hält er sich überhaupt in der Nähe von Lingane auf? Beschäftigen wir uns lieber damit, was er tut, und nicht damit, was er nicht tut.«

»Meines Erachtens ist sein Verhalten durchaus folgerichtig.«

Aratap versuchte vergeblich, mit einem Finger seinen Kragen etwas zu lockern. »Es ist doch anzunehmen, daß der junge Mann auf etwas oder jemanden wartet, nicht wahr?« begann er zu erläutern. »Es wäre lächerlich zu glauben, daß er jetzt einfach unentschlossen seine Zeit vertrödelt, nachdem er sich so schnell und zielstrebig – mit einem einzigen Sprung – nach Lingane begeben hat. Ich nehme daher an, daß er auf einen Freund oder mehrere Freunde wartet. Wenn die Verstärkung eingetroffen ist, wird er woandershin fliegen. Daß er nicht auf Lingane landet, scheint mir ein Zeichen dafür zu sein, daß er einen solchen Schritt nicht für zweckmäßig hält. Daraus läßt sich wiederum schließen, daß Lingane im allgemeinen – und der Autarch im besonderen – an der Verschwörung nicht beteiligt sind, was nicht ausschließt, daß einzelne Linganer sehr wohl daran teilhaben können.«

»Ich weiß nicht, ob man das, was klar auf der Hand zu liegen scheint, immer für die richtige Lösung halten sollte.«

»Mein lieber Major, hier handelt es sich um rein logische Folgerungen. Der Plan wird immer einleuchtender.«

»Mag sein. Sollte sich jedoch binnen vierundzwanzig Stunden nichts ändern, dann bleibt mir keine andere Wahl, als den Landungsbefehl für Lingane zu geben.«

Nachdem der Major die Tür hinter sich zugemacht hatte, zog Aratap eine Grimasse. Es war aufreibend, sowohl die aufrührerischen Besiegten als auch die engstirnigen Sieger im Zaum zu halten. Vierundzwanzig Stunden. Wenn sich nichts ereignete, würde er auf neue Auswege sinnen müssen, um Andros von übereilten Maßnahmen abzuhalten.

Als das Türsignal ertönte, blickte Aratap gereizt auf. Das konnte doch nicht schon wieder Andros sein! Im Türrahmen stand Henrik von Rhodia, die lange Gestalt wie immer etwas gebeugt. Dahinter tauchte der Wächter auf, der ihn auf Schritt und Tritt begleitete. Theoretisch besaß Henrik vollkommene Bewegungsfreiheit. Wahrscheinlich war er sogar davon überzeugt. Jedenfalls schien ihn der Wachtposten nicht im geringsten zu stören.

Mit einem geistesabwesenden Lächeln fragte Henrik: »Störe ich Sie, Herr Kommissar?«

»Durchaus nicht. Bitte, nehmen Sie Platz.« Aratap blieb stehen, was Henrik nicht zu bemerken schien.

»Ich möchte nämlich etwas Wichtiges mit Ihnen besprechen.« Er machte eine Pause und fügte dann in verändertem Ton hinzu: »Was für ein schönes, großes Schiff Sie haben!«

»Vielen Dank, Exzellenz!« Aratap lächelte etwas gezwungen. Die neun anderen Schiffe waren vom Typ der üblichen tyrannischen Kampfeinheiten: klein und ohne Komfort. Das Flaggschiff dagegen, auf dem sie sich befanden, war nach dem Muster der ehemaligen rhodianischen Flotte gebaut. Vielleicht war dies das erste Anzeichen der Verweichlichung, daß mehr und mehr solche Modelle in die tyrannische Flotte aufgenommen wurden. Die kämpfende Truppe wurde noch immer auf den winzigen Zwei- und Drei-Mann-Kreuzern untergebracht, aber die Kommandostellen wußten in zunehmendem Maße die Notwendigkeit großer Schiffe als Hauptquartier zu begründen.

Aratap beunruhigte das nicht weiter. Einige Militärs der älteren Generation erblickten darin eine Degenerationserscheinung. Er konnte es nur als ein Zeichen zunehmender Zivilisation betrachten. Eines Tages – darüber mochten noch Jahrhunderte vergehen – würden die Tyrannen vielleicht sogar aufhören, ein selbständiges Volk zu sein, sie würden mit den Völkern der eroberten Nebula-Königreiche verschmelzen – und selbst das konnte gut und nützlich sein.

Natürlich hütete er sich, eine solche Meinung je zu äußern.

»Ich wollte Ihnen etwas mitteilen«, begann Henrik von neuem. »Heute habe ich meinem Volk eine Botschaft zukommen lassen. Darin heißt es, daß ich wohlauf sei, den Verbrecher bald ergreifen und meine Tochter sicher heimbringen werde.«

»Sehr gut«, lobte Aratap den Direktor. Er hatte die Botschaft selbst aufgesetzt, aber es war nicht ausgeschlossen, daß Henrik sich inzwischen eingeredet hatte, er sei der Verfasser oder gar wirklich der Leiter der Expedition. Aratap konnte sich eines gewissen Mitleids nicht erwehren. Der Mann wurde immer wunderlicher, er verfiel sichtlich.

»Mein Volk ist sicherlich sehr aufgebracht wegen des frechen Überfalls dieser Banditengruppe auf meinen Palast«, setzte Henrik seine Rede fort. »Ich glaube, sie werden sehr stolz auf ihren Direktor sein, weil ich so schnell zum Gegenschlag ausgeholt habe. Meinen Sie nicht auch, Herr Kommissar? Jetzt merken sie doch wenigstens, daß noch der alte Kampfgeist in den Henrici steckt.« Er schien von seinem Triumph ganz beglückt zu sein.

»Bestimmt«, pflichtete ihm Aratap bei.

»Sind wir dem Feind schon näher gerückt?«

»Nein, Direktor. Der Feind hält sich noch immer in der Nähe von Lingane auf.«

»So? Dabei fällt mir ein, weswegen ich eigentlich herkam.« Eine gewisse Erregung hatte sich seiner bemächtigt. »Es ist sehr wichtig, Herr Kommissar. Ich muß es Ihnen sagen. Wir haben Verräter an Bord. Ich bin ihnen auf die Spur gekommen. Verräter . . .« Seine letzten Worte waren nur noch ein Flüstern.

Aratap wurde ungeduldig. Sosehr er es für seine Pflicht hielt, den armen alten Knaben ein wenig von seinem Kummer abzulenken, das hier ging entschieden zu weit. Es war reine Zeitverschwendung. Wenn Henrik so weitermachte, war er selbst als Marionette untragbar – leider!

»Von Verrat kann keine Rede sein, Exzellenz«, sagte er beruhigend. »Meine Leute sind treu und zuverlässig. Sie müssen sich geirrt haben. Außerdem sind Sie sicher sehr müde.«

»Durchaus nicht.« Henrik schob Arataps Hand beiseite, die dieser ihm auf die Schulter gelegt hatte. »Wo sind wir?«

»Auf dem Flaggschiff. Wo könnten wir sonst sein?«

»Das Schiff meine ich nicht! Ich habe den Bildschirm beobachtet. Kein Stern ist in der Nähe. Wir sind irgendwo tief im Weltraum, wußten Sie das?«

»Natürlich.«

»Lingane ist weit und breit nicht zu sehen. Haben Sie das auch schon gewußt?«

»Es ist zwei Lichtjahre entfernt.«

»Aha! – Kommissar, belauscht uns auch niemand? Sind Sie sicher?« Wohl oder übel mußte sich Aratap zu ihm beugen und sich von Henrik ins Ohr flüstern lassen: »Woher wollen wir dann wissen, daß sich der Feind bei Lingane aufhält? Auf diese Entfernung läßt sich das ja gar nicht feststellen. Man hintergeht uns. Ich wittere Verrat!«

Der Mann mochte zwar verrückt sein, aber seine Gedankengänge entbehrten nicht der Logik. »Wissen Sie, Direktor, das ist eine Sache, die eigentlich bloß Techniker verstehen. Leute von

Rang und Würden brauchen sich damit gar nicht zu beschäftigen. Ich bin selbst nicht hundertprozentig im Bilde.«

»Aber ich bin der Leiter der Expedition, ich muß über alles Bescheid wissen.« Verstohlen sah sich Henrik um. »Manchmal habe ich den Eindruck, als ob Major Andros nicht alle meine Anweisungen ausführte. Kann man ihm vertrauen? Ich erteile ihm ja nur selten Befehle. Es widerstrebt mir, einen tyrannischen Offizier herumzukommandieren. Andererseits muß ich meine Tochter finden. Sie heißt Artemisia. Man hat sie entführt. Nur weil ich meine Tochter wiederhaben will, habe ich diese Flotte ausgerüstet. Darum muß ich aber auch Bescheid wissen. Ich meine, ob sich der Feind wirklich bei Lingane aufhält. Dann ist meine Tochter nämlich auch dort. Sie kennen meine Tochter doch? Artemisia ist ihr Name.«

Flehend richtete sich sein Blick auf den tyrannischen Kommissar. Dann bedeckte er die Augen mit der Hand und murmelte einige unverständliche Worte, die wie eine Entschuldigung klangen.

Aratap mußte die Zähne zusammenbeißen. Er durfte nicht vergessen, daß dieser Halbirre ein schwergeprüfter Vater war, der des Trostes bedurfte.

Sich mit Geduld wappnend, begann er: »Ich will es Ihnen zu erklären versuchen. Sie wissen doch, was ein Massometer ist? Ein Instrument, womit man feststellen kann, ob sich Schiffe im Weltraum befinden.«

»Ja.«

»Es reagiert auf die Auswirkung der Schwerkraft. Können Sie mir folgen?«

»O ja. Was Schwerkraft ist, weiß ich.«

»Gut. Normalerweise zeigt ein Massometer nur die Schiffe an, die sich in beträchtlicher Nähe befinden. Im Umkreis von anderthalb Millionen Kilometern etwa. Außerdem muß man sich in einiger Entfernung von Planeten befinden, weil sonst die Schwerkraft des Planeten alle anderen Einflüsse unwirksam macht.«

»Die Schwerkraft eines Planeten ist eben viel größer«, bemerkte Henrik sachverständig.

»Sehr richtig.«

Der Direktor lächelte geschmeichelt, und Aratap fuhr fort: »Wir Tyrannen haben eine andere Methode entwickelt. Dabei handelt es sich um einen Sender, der den Hyperraum nach allen Richtungen durchdringt. Was er ausstrahlt, ist eine besondere Wellenlänge, die der Zusammensetzung des Weltraums angepaßt ist, aber keinen elektromagnetischen Charakter hat. Mit anderen Worten: Es ist weder Licht, Radio noch subätherisches Radio. Klar?«

Henrik gab keine Antwort. Er machte einen etwas verwirrten Eindruck. »Nun ja«, sprach Aratap schnell weiter, »worin der Unterschied besteht, tut nichts zur Sache. Jedenfalls können wir die Sendestrahlen so benutzen, daß wir stets wissen, wo sich ein tyrannisches Schiff befindet, selbst wenn es weit, weit weg in der Galaxis wäre oder sich auf der anderen Seite eines Sternes aufhielte.«

Henrik nickte ernst.

»Wäre nun der junge Widemos mit einem gewöhnlichen Schiff geflohen, hätten wir einige Schwierigkeiten gehabt, ihn ausfindig zu machen. Da er aber das Pech hatte, sich einen tyrannischen Kreuzer auszusuchen, wissen wir jederzeit genau, wo er sich aufhält, wovon er natürlich keine Ahnung hat. Es stimmt also, daß er jetzt in der Nähe von Lingane ist. Vor allen Dingen, wohin er sich auch wenden mag, entwischen kann er uns nicht, so daß wir Ihre Tochter ganz bestimmt retten werden!«

Henrik strahlte übers ganze Gesicht. »Ausgezeichnet, Herr Kommissar, ich gratuliere Ihnen! Eine hervorragende Kriegslist!«

Aratap gab sich keinen Illusionen hin. Henrik hatte kaum einen Bruchteil der Erklärung verstanden. Aber was machte es schon aus! Wenn er nur jetzt davon überzeugt war, daß er seine Tochter wiederbekommen werde. Vielleicht war sogar in seinem getrübten Verstand die Erkenntnis aufgedämmert, daß er das alles der tyrannischen Wissenschaft verdanke. Mehr war nicht zu erwarten.

Aratap versuchte sich einzureden, daß er sich die Mühe nicht nur aus Mitleid mit dem alten Mann gemacht habe. Immerhin sprachen politische Gründe dafür, Henrik vor einem völligen Zusammenbruch zu bewahren. Hoffentlich trug die Rückkehr der Tochter dazu bei, den Direktor wieder etwas aufzumuntern. Hoffentlich!

Wieder ertönte das Türsignal. Diesmal war es Major Andros,

der eintrat. Henrik richtete sich steif in seinem Sessel auf. In seinen Augen erschien ein gehetzter Ausdruck. Er erhob sich und begann: »Major Andros . . .«

Aber der Major beachtete ihn gar nicht, sondern wandte sich direkt an Aratap: »Kommisaar, die ›Unverzagt‹ hat ihre Position geändert.«

»Damit wollen Sie doch nicht sagen, daß sie auf Lingane gelandet sei?« erwiderte Aratap scharf.

»Nein. Sie hat einen Sprung gemacht, weit von Lingane weg.«

»Aha. Gut. Vermutlich hat sich ihr ein anderes Schiff angeschlossen.«

»Vielleicht auch mehrere. Wir können ja nur die ›Unverzagt‹ beobachten, wie Sie wissen.«

»Auf jeden Fall nehmen wir die Verfolgung wieder auf.«

»Der Befehl ist bereits erteilt. Ich möchte lediglich darauf hinweisen, daß sie bis zur Grenze des Pferdekopfs-Nebels gesprungen sind.«

»Wie bitte?«

»In jener Gegend existiert kein Planetensystem von Bedeutung. Daher ist wohl nur eine logische Folgerung möglich.«

Aratap fuhr sich mit der Zunge anfeuchtend über die Lippen und verließ eilig die Kabine. Der Major folgte ihm auf dem Fuße.

Henrik fand sich plötzlich allein in der Kabine. Eine ganze Weile betrachtete er nachdenklich die Tür. Dann nahm er achselzuckend wieder in dem Sessel Platz. Geraume Zeit blieb er unbeweglich und mit leerem Gesichtsausdruck sitzen.

»Die Raumkoordinaten der ›Unverzagt‹ sind von uns nachgeprüft worden, Exzellenz«, berichtete der Steuermann. »Sie befindet sich definitiv innerhalb des Nebels.«

»Das kann uns gleich sein. Wir folgen ihr auch dorthin«, befahl Aratap. Dann wandte er sich an Major Andros: »Sie sehen also, wie gut es ist, wenn man abwartet. Allmählich wird die Sache immer klarer. Das Hauptquartier der Verschwörung befindet sich also direkt im Nebelgebiet. Wo hätte es auch sonst sein können! An jeder anderen Stelle wären wir längst darauf gestoßen. Eine gute Idee!«

Worauf das Geschwader ebenfalls im Nebel verschwand.

Zum soundsovielten Male kontrollierte Aratap den Bildschirm, obwohl er wußte, daß es zwecklos war. Kein Stern war weit und breit zu sehen.

»Jetzt halten sie schon zum drittenmal, ohne zu landen«, brummte Major Andros. »Ich verstehe das nicht. Was wollen sie eigentlich? Wohinter sind sie her? Warum brauchen sie jedesmal mehrere Tage, wenn sie doch nicht landen?«

»Wahrscheinlich nimmt es so viel Zeit in Anspruch, bis sie den nächsten Sprung berechnet haben«, belehrte Aratap. »Sehen können sie ja nichts.«

»Meinen Sie?«

»Nein. Ihre Sprünge sind zu gut. Jedesmal manövrieren sie ihre Schiffe ganz in die Nähe eines Sternes. Wenn sie sich nur auf ihr Massometer verließen, wäre das ganz unmöglich. Sie müssen also die Position der Sterne schon im voraus kennen.«

»Warum landen sie aber nicht?«

»Ich glaube, sie halten nach bewohnbaren Planeten Ausschau. Wahrscheinlich wissen sie selbst nicht, wo sich das Zentrum der Verschwörung befindet. Zumindest wissen sie es nicht genau.« Aratap lächelte. »Wir brauchen ihnen bloß zu folgen.«

Der Steuermann salutierte. »Exzellenz!«

»Ja?« Aratap hob den Kopf.

»Der Feind ist auf einem Planeten gelandet.«

Aratap signalisierte nach Major Andros.

»Wissen Sie schon das Neueste, Andros?« empfing er den Major.

»Ja. Ich bin gerade dabei, alles für unsere eigene Landung vorzubereiten.«

»Abwarten! Bitte keine voreiligen Entschlüsse wie seinerzeit, als Sie auf Lingane landen wollten. Ich bin dafür, daß nur dieses Schiff landet.«

»Und Ihre Gründe dafür?«

»Wir brauchen Verstärkung. Sie bleiben zunächst mit den Kreuzern hier. Sollte es sich tatsächlich um ein nennenswertes Rebellenzentrum handeln, ist es besser, wir machen sie zunächst einmal glauben, nur mein Schiff sei zufällig auf sie gestoßen. Ich lasse Ihnen dann sofort Nachricht zukommen, und Sie kehren nach Tyrann zurück.«

»Verstehe ich recht? Ein Rückzug?«

»Nur, um mit einer genügend starken Flotte wiederzukommen.«

Andros überlegte eine Weile. »Nun gut. Dieses Schiff ist sowieso am wenigsten brauchbar. Viel zu groß.«

Als sie niederstießen, erschien endlich der Planet auf dem Bildschirm. »Scheint ziemlich öde zu sein, Exzellenz«, bemerkte der Steuermann.

»Haben Sie den genauen Standort der ›Unverzagt‹ ausfindig gemacht?«

»Zu Befehl, Exzellenz.«

»Dann landen Sie so nahe wie möglich, aber natürlich so, daß wir nicht entdeckt werden.«

Sie hatten jetzt die Atmosphäre erreicht. Als sie am Himmel entlangbrausten, tagte es gerade, wodurch die Hälfte des Planeten in leuchtendes Purpur getaucht schien. Aratap blickte gespannt auf die sich nähernde Oberfläche. Die lange Jagd ging ihrem Ende entgegen.

# ... und Hasen

Jemandem, der den Weltraum noch nicht bereist hat, mag die Erforschung eines stellaren Systems und die Suche nach bewohnbaren Planeten aufregend oder wenigstens interessant erscheinen. Für den Raumpiloten ist es eine höchst langweilige Aufgabe.

Einen Fixstern, jene ungeheure glühende Masse sich in Helium verwandelnden Wasserstoffs, zu lokalisieren, ist nahezu ein Kinderspiel. Selbst im dichtesten Nebel ist es nur eine Frage der Entfernung. Im Umkreis von sieben Milliarden Kilometern wird er stets ausfindig zu machen sein.

Anders ist es bei einem Planeten, der ein relativ kleines Volumen hat und nur angestrahlt wird, also sein Licht aus zweiter Hand bezieht. Es wäre durchaus denkbar, daß man ein Sternensystem unzählige Male in allen möglichen Richtungen durchstreifte, ohne jemals nahe genug an einen Planeten heranzukommen, um ihn zu erkennen. Es sei denn, ein glücklicher Zufall käme einem zu Hilfe.

Man muß also sehr methodisch vorgehen, wenn man einen entdecken will. Hat man erst einmal das fragliche Sternensystem erreicht, so bezieht man eine Position im All, die ungefähr zehntausendmal so weit von dem Stern entfernt ist, wie dessen Durchmesser beträgt. Aus den galaktischen Statistiken geht hervor, daß von fünfzigtausend Planeten höchstens einer weiter von seiner Lichtquelle entfernt ist. Ferner ist ein bewohnbarer Planet kaum weiter von seiner Sonne entfernt als das Tausendfache ihres Durchmessers.

Das heißt, daß von der angenommenen Position des Schiffes aus jeder bewohnbare Planet sich innerhalb sechs Grad des Sternes befinden muß. Damit ist eine Skala von nur einem Dreitausendsechshundertstel des Gesamthimmels gegeben. Dieser Abschnitt kann mit einem verhältnismäßig geringen Aufwand an Observationen abgesucht werden.

Die Bewegung der Fernkamera wird so eingerichtet, daß sie entgegengesetzt zur Kreisbewegung des Schiffes verläuft. Unter diesen Umständen hält eine Zeitaufnahme alle Konstellationen in der näheren Umgebung des Sternes fest. Natürlich muß man dafür sorgen, daß die Sonnenglut nicht unmittelbar darauf einwirken kann, aber das läßt sich leicht machen. Planeten haben bekanntlich einen ganz bestimmten, wahrnehmbaren Bewegungsrhythmus, so daß sie auf dem Film als winzige Streifen erscheinen.

Werden keine Streifen sichtbar, so besteht noch immer die Möglichkeit, daß Planeten sich auf der anderen Seite ihrer Lichtquelle befinden. Dann muß das Manöver von einer anderen Position aus wiederholt werden, meist etwas näher zum Stern hin.

Wie gesagt, das Ganze ist eine langweilige Prozedur, und wenn man sie dreimal bei drei verschiedenen Sternen erfolglos vorgenommen hat, so stellt sich unausweichlich eine gewisse Depression ein.

Gillbret zum Beispiel war außerordentlich niedergeschlagen. Nur selten fand er noch irgend etwas amüsant.

Als sie zum Sprung nach dem vierten Stern auf der Liste des Autarchen ansetzten, bemerkte Biron: »Jedenfalls sind wir bisher immer auf einen Stern gestoßen. Jontis Zahlen stimmen also wenigstens.«

»Nach der Statistik«, gab Gillbret zurück, »hat mindestens einer von drei Sternen ein Planetensystem.«

Biron nickte. Diese Art Statistik gehörte zur elementaren Galaktographie, die jedes Schulkind auswendig lernen mußte.

»Das heißt also«, spann Gillbret seinen Gedanken weiter, »daß wir uns geirrt haben müssen. Denn aufs Geratewohl drei Sterne zu finden, von denen kein einziger einen Planeten hat, wäre ein völliges Novum.«

»So? Was besagen schon Statistiken! Wir wissen doch, daß innerhalb eines Nebels ganz andere Bedingungen maßgebend sind. Vielleicht verhindern die Nebelpartikel die Bildung von Planeten, andererseits mag der Nebel auch das Resultat von Planeten sein, die nicht zusammenwachsen konnten.«

»Das ist doch nicht Ihr Ernst?« fragte Gillbret erschrocken.

»Natürlich nicht. Ich rede nur, um meine Stimme zu hören. Von Kosmogonie habe ich nicht die blasseste Ahnung. Warum entstehen überhaupt Planeten? Ich habe noch nie von einem gehört, wo es keine Reibereien und Unannehmlichkeiten gegeben hätte.« Biron war abgemagert und sah ziemlich verwildert aus. Noch immer beschäftigte er sich damit, die Schalttafeln mit Erläuterungsschildchen zu versehen.

»Jedenfalls ist technisch alles bestens vorbereitet.« Es fiel Biron schwer, nicht auf den Bildschirm zu sehen. Gleich würden sie wieder durch diese Nebelsuppe springen.

Zerstreut fragte er Gillbret: »Wissen Sie eigentlich, woher der Name ›Pferdekopf-Nebel‹ stammt?«

»Der Entdecker hieß Ferdinand Kopf oder so ähnlich, nicht wahr?«

»Auf der Erde hat man eine andere Erklärung dafür.«

»So?«

»Dort behauptet man, der Nebel hieße so, weil er wie ein Pferdekopf aussieht.«

»Was ist ein Pferd?«

»Ein Tier, das es auf der Erde gibt.«

»Eine amüsante Idee. Aber mir scheint der Nebel überhaupt keinem Tier zu gleichen, Biron.«

»Das kommt auf den Gesichtswinkel an. Von Nephelos aus hat man den Eindruck, es sei ein Arm mit drei Fingern. Dann habe ich mir den Nebel aber einmal vom Universitätsobservatorium der Erde aus angesehen, und ich muß schon sagen, daß er da ein bißchen Ähnlichkeit mit einem Pferdekopf hat. Also hat es vielleicht gar keinen Ferdinand Kopf gegeben, und der Nebel verdankt seinen Namen einem phantasievollen prähistorischen Astronomen.« Biron fand das Thema langweilig, aber es war besser, über irgend etwas zu schwätzen, als schweigend zu grübeln.

Wenn er eine Gesprächspause eintreten ließ, gab er Gillbret bloß Gelegenheit, auf ein Thema zu kommen, das er unbedingt vermeiden wollte, obwohl er unablässig daran denken mußte.

Und richtig, nach einem längeren Schweigen fragte Gillbret: »Wo ist Arta?«

»Irgendwo im Anhänger. Ich laufe doch nicht hinter ihr her!«

»Dafür tut es der Autarch. Er scheint sein Hauptquartier hierher verlegt zu haben.«

»Um so besser für Ihre Hoheit.«

Die feinen Runzeln in Gillbrets Gesicht vertieften sich. »Seien Sie doch nicht so dickköpfig! Artemisia ist eine Henrici. Sie kann über das, was Sie ihr gesagt haben, nicht ohne weiteres hinwegkommen.«

»Sprechen wir lieber von etwas anderem!«

»Nein. Ich habe schon lange genug auf eine Gelegenheit gewartet, mit Ihnen über diese Geschichte zu reden. Warum tun Sie ihr das an, Biron? Weil Henrik vielleicht für Ihres Vaters Tod verantwortlich ist? Henrik ist mein Vetter, aber mir gegenüber haben Sie Ihr Verhalten nicht geändert.«

»Na, also! Ich bin zu Ihnen nicht anders als sonst, das geben Sie selbst zu. Spreche ich vielleicht nicht mit Artemisia? Bin ich nicht höflich zu ihr?«

»Meinen Sie wirklich, Ihr Benehmen sei genauso wie vorher?«

Als Biron verstockt schwieg, warnte ihn Gillbret: »Sie treiben sie dem Autarchen direkt in die Arme.«

»Das ist ihre Sache.«

»Nein, es liegt einzig und allein bei Ihnen, Biron!« Beschwichtigend legte Gillbret seine Hand auf Birons Knie. »Bitte, verstehen Sie mich nicht falsch, es liegt mir absolut nicht, mich in derartige Dinge zu mischen. Aber sie ist nun mal das einzige Wertvolle, was wir Henrici heutzutage noch aufzuweisen haben. Vielleicht amüsiert es Sie, wenn ich sage, daß ich dieses Kind liebe? Ich habe ja sonst niemanden auf der Welt.«

»Ich bezweifle nicht, daß Sie sehr an ihr hängen.«

»Dann lassen Sie mich Ihnen um Artas willen einen guten Rat geben: Sorgen Sie dafür, daß der Autarch nicht soviel um sie herumschwänzelt.«

»Ich dachte, er genösse Ihr vollstes Vertrauen, Gil.«

»Als Autarch, ja. Als antityrannischer Politiker ebenfalls. Aber als Mann, vor allem als Mann für Artemisia – nein!«

»Sagen Sie ihr das.«

»Sie hört doch nicht auf mich.«

»Und Sie bilden sich ein, auf mich würde sie hören?«

»Wenn Sie die richtigen Worte fänden, bestimmt.«

Einen Augenblick schien Biron zu zögern, Doch dann wandte er sich brüsk ab und sagte mit schneidender Stimme: »Ich denke nicht daran, mit ihr darüber zu sprechen.«

»Vielleicht bereuen Sie es eines Tages«, erwiderte Gillbret traurig und enttäuscht.

Biron preßte die Lippen zusammen. Warum ließ ihn Gillbret nicht in Ruhe? Er hatte sich schon selbst oft genug gesagt, daß er alles vielleicht einmal bereuen werde. Es war gewiß nicht leicht für ihn. Aber was sollte er machen? Zurück konnte er jetzt nicht mehr.

Er mußte tief Atem holen, um das beklemmende Gefühl in seiner Brust loszuwerden.

Nach dem Sprung sah alles ganz anders aus. Biron hatte die Anweisungen, die er vom Piloten des Autarchen bekommen hatte, genau befolgt und alle Instrumente eingestellt. Die Routinehandgriffe sollte Gillbret übernehmen. Biron wollte während des Sprungs schlafen. Sehr bald wurde er aber von Gillbret wachgerüttelt.

»Was gibt's?« murmelte er schlaftrunken.

»Diesmal ist es ein F-2«, rief Gillbret erregt.

»Ein F-2? Sie meinen doch den neuen Stern?«

»Natürlich. Er sieht äußerst amüsant aus.«

Ungefähr 95 Prozent der Planeten innerhalb der Galaxis umkreisten Sterne der Spektraltypen F oder G mit einem Durchmesser von siebenhundertfünfzigtausend bis anderthalb Millionen Meilen und einer Oberflächentemperatur von fünf- bis zehntausend Grad Celsius. Die Sonne der Erde gehörte zum Typ G-O, die von Rhodia zu F-8, die von Lingane und Nephelos zu G-2. F-2 war ein bißchen warm, aber nicht zu heiß.

Die ersten drei Sterne, die sie aufgesucht hatten, waren vom Typ K gewesen, also ziemlich klein und rötlich glühend. Planeten, selbst wenn es welche gegeben hätte, wären wohl kaum bewohnbar gewesen.

Dagegen war so ein F- oder G-Typ eine gute Sache! Schon die ersten Fotografien hatten gezeigt, daß fünf Planeten vorhanden waren, von denen der nächste zweihundert Millionen Kilometer von der Lichtquelle entfernt lag.

Tedor Rizzett überbrachte persönlich die frohe Botschaft. Er besuchte die ›Unverzagt‹ ebenso häufig wie der Autarch. Wenn er kam, wurde es auf dem Schiff gleich heller und freundlicher. Mit seiner gewinnenden Herzlichkeit verscheuchte er alle schlechte Laune.

»Fünf Planeten!« keuchte er, noch etwas außer Atem vom Hangeln am Seil. »Ich weiß nicht, wie es der Autarch fertigbringt, daß man ihm nie die Anstrengung anmerkt. Na ja, er ist eben etliche Jährchen jünger als ich.«

»Sind Sie sicher, daß es fünf sind?« erkundigte sich Gillbret eifrig.

»Absolut sicher. Allerdings gehören vier davon zum Typ J.«

»Und der fünfte?«

»Der fünfte scheint in Ordnung zu sein. Jedenfalls enthält die Atmosphäre Sauerstoff.«

Gillbret stieß einen kleinen Triumphschrei aus.

Biron bemerkte nur sachlich: »Vier sind also vom Typ J. Na ja, einer wird wohl genügen.«

Biron fand das Verhältnis von vier zu eins annehmbar. Die Mehrzahl der umfangreichen Planeten in der Galaxis hatten wasserstoffhaltige Atmosphäre. Schließlich bestehen ja die Sterne zum größten Teil aus Wasserstoff, und sie liefern nun einmal den Grundstock für die Planetenbildung. Planeten vom Typ J haben Atmosphären aus Methan und Ammoniak, manchmal mit Wasserstoffmolekülen vermengt, außerdem mit einer erheblichen Beigabe von Helium. Diese Atmosphären sind unerhört stickig. Die Planeten selbst haben meistens einen Durchmesser von ungefähr vierzigtausend Kilometern und eine Tiefsttemperatur von zirka fünfzig Grad unter Null. Sie sind völlig unbewohnbar. Auf der Erde hatte Biron gelernt, daß diese Planeten J-Typ genannt wurden, weil der Jupiter, der zum Sonnensystem der Erde gehört, das Musterbeispiel für diesen Typ sei. Außerdem gab es noch den Typ E, der nach der Erde benannt war.

E-Typen waren verhältnismäßig klein. Ihre geringere Schwerkraft vermochte nicht, Wasserstoff oder wasserstoffhaltige Gase zu binden, zumal diese Planeten gewöhnlich der Sonne näher und daher wärmer waren. Ihre Atmosphären waren dünn und enthielten meist Sauerstoff und Stickstoff mit einer gelegentlichen Beimischung von Chlorgas, was sich sehr übel auswirkte.

»Ist Chlorgas festgestellt worden?« fragte Biron.

Rizzett zuckte die Achseln »Das kann man von hier aus noch nicht sagen. Wenn es Chlorgas gäbe, dann würde es sich ja in den unteren atmosphärischen Schichten konzentrieren. Warten wir also ab!«

Er schlug Biron kräftig auf die Schulter: »Wie wär's mit einem kleinen Umtrunk in Ihrer Kabine, alter Knabe?«

Gillbret schaute ihnen mißbilligend nach. Seitdem der Autarch Artemisia den Hof machte und Rizzett sich immer mehr mit Biron anfreundete, war die ›Unverzagt‹ allmählich zu einer linganischen Filiale geworden. War Biron sich darüber klar?

Doch der Gedanke an den neuen Planeten drängte bald alle anderen Überlegungen Gillbrets in den Hintergrund.

Als sie in die Atmosphäre eindrangen, kam Artemisia in den Pilotenraum. Lächelnd und offensichtlich in bester Laune trat sie ein. Biron warf ihr verstohlene Blicke zu. Er hatte sie mit einem »Guten Tag, Artemisia« begrüßt, doch keine Antwort erhalten.

Strahlend hatte sie sich an Gillbret gewandt: »Onkel Gil, ist es wahr, daß wir landen?«

Händereibend hatte Gillbret erwidert: »Es scheint so, mein Herz. In ein paar Stunden können wir das Schiff verlassen und endlich wieder auf festem Boden umherspazieren. Eine amüsante Vorstellung, nicht wahr?«

»Hoffentlich haben wir den richtigen Planeten erwischt. Sonst fände ich es gar nicht amüsant.«

»Immerhin haben wir ja noch einen Stern in Reserve«, tröstete Gillbret seine Nichte, aber sein Gesicht hatte sich dabei umwölkt.

Urplötzlich drehte sich Artemisia zu dem völlig verdatterten Biron um und fragte kühl: »Hatten Sie etwas gesagt, Herr Farrill?«

»Nicht, daß ich wüßte«, stammelte Biron.

»Dann muß ich mich wohl geirrt haben.«

Sie ging so dicht an ihm vorbei, daß ihr Kleid ihn streifte und er den Duft ihres Parfüms spürte. Er biß die Zähne zusammen.

Rizzett war noch immer auf der ›Unverzagt‹. Einer der Vorteile des Anhängers war, daß er eine Gästekabine zum Übernachten hatte. »Wir haben jetzt einige Angaben über die Atmosphäre«, sagte der Oberst. »Viel Sauerstoff, fast dreißig Prozent, außerdem Stickstoff und Edelgase. Ganz normal also. Kein Chlor.«

»Hm«, fügte er nach einer Pause hinzu, »allerdings auch kein Kohlendioxyd. Das ist weniger angenehm.«

»Warum?« wollte Artemisia, die wieder ihren Beobachtungsposten vor dem Bildschirm eingenommen hatte, wissen.

»Kein Kohlendioxyd – keine Vegetation«, belehrte sie Biron kurzangebunden.

»Oh?« Sie sah ihn mit einem warmen Lächeln an.

Ohne es zu wollen, lächelte Biron zurück, und im selben Moment, er hätte nicht erklären können, wie sie das fertigbrachte, ging ihr Lächeln an ihm vorbei, als ob er Luft wäre.

Er mußte ihr aus dem Wege gehen, eine andere Möglichkeit gab es nicht. In ihrer Gegenwart schmolzen alle seine Vorsätze zu einem Nichts zusammen.

Gillbret war niedergeschlagen. Sie setzten jetzt zur Landung an. In den dicken unteren Schichten der Atmosphäre erwies sich der Anhänger als ein schweres aerodynamisches Hindernis für die ›Unverzagt‹.

Biron hatte alle Hände voll zu tun. »Kopf hoch, Gil!«, versuchte er den alten Herrn zu trösten.

Er war selbst nicht in sonderlich vergnügter Stimmung. Alle Radiosignale waren ohne Widerhall geblieben. Wenn dies hier aber *nicht* die Rebellenwelt war, dann konnte er nicht mehr länger warten. Er mußte handeln, koste es, was es wolle!

»Sieht nicht so aus, als ob es die Rebellenwelt wäre«, sagte Gillbret kleinlaut. »Eine einzige Felsenwüste. Wasser ist kaum vorhanden. Hat man noch einmal festzustellen versucht, ob es Kohlendioxyd gibt, Rizzett?«

Rizzetts gemütliches rotes Gesicht war ausnahmsweise ernst. »Ja. Eine winzige Kleinigkeit. Ein Promille oder so ähnlich.«

»Voraussagen läßt sich gar nichts«, bemerkte Biron. »Vielleicht haben sie sich gerade eine Welt wie diese ausgesucht, weil sie so unscheinbar ist.«

»Ein paar Bauernhöfe habe ich entdeckt«, meinte Gillbret, der schon wieder ein wenig Hoffnung schöpfte.

»Na also! Man kann sich doch gar kein richtiges Bild von einem Planeten machen, wenn man ihn bloß ein paarmal umkreist. Sie wissen ebensogut wie ich, Gil, daß sie, wer immer sie auch sein mögen, bestimmt nicht genug Leute haben, um einen ganzen Planeten damit zu bevölkern. Vielleicht haben sie sich irgendwo ein Tal ausgesucht, wo Kohlendioxyd, sagen wir durch Vulkanausbrüche, aufgespeichert ist und wo es auch genug Wasser gibt. Es ist absolut nicht ausgeschlossen, daß wir ihnen schon ganz nahe waren, ohne es gemerkt zu haben. Natürlich werden sie nicht so ohne weiteres auf Radioappelle reagieren.«

»Es ist nicht so einfach, Kohlendioxyde an einer Stelle zu konzentrieren«, murmelte Gillbret, aber seine Augen waren unverwandt auf den Bildschirm geheftet.

Biron überkam plötzlich der unbändige Wunsch, es möge doch die ›falsche‹ Welt sein. Er wollte nicht länger waren. Jetzt und hier mußte reiner Tisch gemacht werden!

Es war ein merkwürdiges Gefühl!

Die künstliche Beleuchtung war ausgeschaltet worden, und zu allen Öffnungen strömte jetzt ungehindert Sonnenlicht herein. Zwar war es dadurch auf dem Schiff nicht so hell wie sonst, aber die Freude über die Abwechslung überwog alles andere. Es war herrlich, wieder einmal frische Luft zu atmen.

Rizzett hatte zwar Einwände erhoben, weil er meinte, der Mangel an Kohlendioxyd könne die Körperatmung beeinträchtigen, aber Biron war der Ansicht gewesen, daß eine derartige Erfrischungspause, wenn sie nicht allzulange dauere, bestimmt nicht schädlich sei.

Als Gillbret zu ihnen trat, fuhren die beiden, die bis dahin eifrig die Köpfe zusammengesteckt hatten, jäh auseinander.

Gillbret lachte. Dann blickte er seufzend zur offenen Tür hinaus: »Felsen!«

Sanft entgegnete Biron: »Wir wollen auf dem Plateau einen Sender errichten. Von dort aus haben wir eine größere Reichweite. Diese Hemisphäre müßte man auf jeden Fall erfassen können. Wenn sich nichts rührt, versuchen wir's halt noch mal auf der anderen Seite des Planeten.«

»Haben Sie und Rizzett gerade darüber gesprochen?«

»Ja. Der Autarch und ich werden das machen. Er hat es selbst vorgeschlagen, glücklicherweise. Andernfalls wäre ich mit demselben Vorschlag gekommen.« Biron warf Rizzett einen flüchtigen Seitenblick zu. Doch dessen Gesicht war völlig ausdruckslos.

Biron erhob sich. »Ich glaube, ich ziehe am besten das Futter aus meinem Raumanzug an.«

Rizzett nickte zustimmend. Es war zwar sonnig auf diesem Planeten, die Luft war wolkenlos und infolge des Wassermangels kaum dunstig, aber es war bitterkalt.

Der Autarch war pünktlich zur Stelle. Er trug einen federleichten Mantel aus Schaumstoff, der einen nahezu idealen Kälteschutz darstellte. Auf seiner Brust baumelte ein kleiner Kohlendioxydbehälter, der ständig so viel Gas ausströmte, daß der Autarch stets von genügend $CO_2$-Dämpfen umgeben war.

»Wenn's Ihnen Spaß macht, können Sie mich gern untersuchen, Farrill«, sagte er, die Hände hochhebend, wobei ein leicht belustigter Ausdruck über sein hageres Gesicht glitt.

»Nicht nötig«, lehnte Biron das Anerbieten ab. »Aber wenn Sie mich auf Waffen untersuchen wollen, bitte!«

»Ich denke nicht daran.«

Ihre Höflichkeit war so eisig wie das Wetter.

Biron trat in das grelle Sonnenlicht hinaus, wo der Koffer mit den Zubehörteilen für den Sender bereitstand. Biron und der Autarch packten ihn an den beiden Handgriffen und nahmen ihn in die Mitte.

»Das Zeug ist wenigstens nicht allzu schwer«, stellte Biron fest. Als er sich noch einmal umwandte, sah er Artemisia regungslos in der Tür stehen.

Sein erster Impuls war, zu ihr hinzueilen, sie in die Arme zu nehmen – statt dessen nickte er ihr nur kurz zu. Ihr Abschiedslächeln galt dem Autarchen.

Fünf Minuten später war das Schiff nicht mehr zu sehen. Der ganze Horizont war nur mit kahlen Felszacken bedeckt.

Biron dachte an das, was ihm bevorstand. Würde er Artemisia je wiedersehen – und wenn nicht, würde es ihr etwas ausmachen?

## Sieg . . .

Artemisia schaute ihnen nach, bis die beiden winzigen Gestalten ihrem Blick gänzlich entschwunden waren. Einer von den beiden hatte sich noch einmal umgesehen, aber sie hatte nicht mehr erkennen können, wer es gewesen war.

Nicht ein Wort hatte er ihr zum Abschied gesagt! Kein einziges Wort. Sie wandte der Sonne und den Felsen den Rücken und kehrte in das Metallgehäuse des Schiffes zurück. Sie fühlte sich einsam, schrecklich einsam. Noch nie in ihrem Leben war sie sich so verlassen vorgekommen. Wahrscheinlich zitterte sie deshalb so, aber um keinen Preis der Welt hätte sie sich das eingestanden. Es war natürlich die Kälte, die sie zusammenschauern ließ.

Gereizt fragte sie: »Onkel Gil, warum machst du die Türen nicht zu? Man friert sich ja zu Tode.« Obwohl die Heizkörper des Schiffes auf Hochtouren liefen, zeigte das Thermometer nur sieben Grad Celsius über Null an.

»Meine liebe Arta«, entgegnete Gillbret milde, »wenn du auch weiterhin so lächerlich dünnes Zeug zu tragen gedenkst wie dies hier, dann ist es kein Wunder, wenn du frierst.« Dennoch drückte er gehorsam auf einige Knöpfe, worauf sich sofort alle Türen und Fenster schlossen. Gleich darauf wurde das dicke Glas undurchsichtig. Gillbret schaltete die Schiffsbeleuchtung ein, und die Schatten verschwanden.

Artemisia nahm auf dem dicken gepolsterten Pilotensitz Platz. Scheinbar absichtslos glitten ihre Finger über die Armlehnen. Wie oft hatten *seine* Hände darauf geruht! Die sanfte Wärme, die sie gleich darauf durchflutete, rührte selbstverständlich von der Heizung her, die jetzt, nachdem der Wind nicht mehr durch sämtliche Luken fegte, ihre volle Kraft entfalten konnte.

Die Zeit kroch wie eine Schnecke. Das Stillsitzen fiel Artemisia immer schwerer. Wäre sie doch mit ihm gegangen. Kaum hatte sie sich bei diesem unpassenden Gedanken ertappt, als sie auch schon das ›Ihm‹ in ›Ihnen‹ verbesserte.

»Warum wollen sie einen Sender aufstellen, Onkel Gil?«

»Wie bitte?« fragte Gillbret, zerstreut vom Bildschirm aufblickend, an dessen Knöpfen er herumgespielt hatte.

»Wir haben doch schon vom Weltraum aus versucht, Kontakt zu bekommen. Nachdem das nichts genützt hat, kann ich nicht einsehen, was man mit einem Sender hier auf dem Planeten erreichen könnte.«

Gillbret zog ein bekümmertes Gesicht. »Wir dürfen eben nichts unversucht lassen, Kindchen. Wir müssen die Rebellenwelt finden! Unbedingt.« Beide schwiegen, bis Gillbret murmelte: »Ich kann sie nicht entdecken.«

»Wen?«

»Biron und den Autarchen. Die Felsenklippen versperren mir die Sicht, da kann ich die Außenspiegel drehen, wie ich will. Schau!«

Sie sah nichts als besonnte Felsenlandschaft.

Nach einer Weile stellte Gillbret seine vergeblichen Bemühungen sein. »Hier ist das Schiff des Autarchen. Lassen wir's dabei.«

Artemisia warf einen geringschätzigen Blick auf den Bildschirm. Das Schiff lag etwas tiefer im Tal, ungefähr anderthalb Kilometer entfernt. Es glitzerte in der Sonne, daß ihr die Augen davon weh taten. Plötzlich hatte sie das Gefühl, als wäre dort und nicht bei den Tyrannen der eigentliche Feind zu suchen. Wären sie doch nie nach Lingane gefahren! Wären sie alle drei allein im Weltraum geblieben! Was für glückliche, frohe Tage das gewesen waren, trotz der Enge und Unbequemlichkeit! Jetzt dagegen hatte sie nur den Wunsch, *ihm* weh zu tun. Sie konnte einfach nicht anders, obwohl sie doch so gern –

»Was will der denn?« hörte sie Gillbret plötzlich sagen.

»Wer?« Sie mußte ein paarmal blinzeln, um den feuchten Schleier von ihren Augen zu verscheuchen.

»Rizzett. Das ist doch Rizzett, nicht wahr? Wohin geht er?«

Artemisia war an den Bildschirm getreten. »Schärfer!« herrschte sie ihren Onkel an.

»Bei dieser kurzen Entfernung läßt sich das Gerät nicht schärfer einstellen«, widersprach ihr Gillbret.

»Schärfer, sage ich, verflixt noch mal!«

Murrend drehte Gillbret an den Knöpfen. Plötzlich rief Artemisia aufgeregt: »Er ist bewaffnet! Hast du's gesehen, Onkel Gil?«

»Nein.«

»Bestimmt! Er hatte ein Gewehr bei sich.«

Verzweifelt rüttelte sie an der Tür.

»Arta! Was hast du vor?«

Sie löste bereits das Futter aus einem Raumanzug. »Ich muß ihnen nach. Rizzett ist dorthin unterwegs. Verstehst du, was das heißt? Der Autarch denkt gar nicht daran, einen Sender zu bauen. Er hat Biron in eine Falle gelockt.«

Keuchend zwängte sie sich in die rauhe Hülle.

»Du phantasierst ja, Arta. Laß doch den Unsinn!«

Doch sie beachtete Gillbret nicht. Mit weißem, verkrampftem Gesicht starrte sie vor sich hin. Sie hätte längst merken müssen, daß Rizzett diesen Narren an der Nase herumführte. Oh, dieser gefühlsselige Dummkopf! Rizzett hatte bloß seinen Vater zu loben brauchen, ihm immer wieder weismachen müssen, was für ein großer Mann der Rancher gewesen sei, und schon war ihm Birons Herz zugeflogen. Alles, was er tat, war ja nur von der Erinnerung an seinen Vater diktiert. Das war schon eine Monomanie bei ihm geworden.

»Ich kann die Tür nicht aufkriegen. Bitte, mache sie sofort auf!« befahl sie.

Gillbret schüttelte den Kopf.

Gleich darauf sah er sich einer neuronischen Peitsche gegenüber; sie hatte in dem Raumanzug gesteckt, den Artemisia seines Futters beraubt hatte. »Onkel Gil, du bekommst sie zu fühlen, verlaß dich darauf!«

Er zwang sich zu einem Lächeln. »Nicht so stürmisch, junge Dame!«

»Die Tür!« keuchte sie.

Es blieb ihm nichts anderes übrig, als ihr zu gehorchen. Mit einem Satz war sie draußen. Der Wind pfiff ihr um die Ohren. Das Blut pochte in ihren Schläfen. Sie hatte sich genauso unmöglich benommen wie er. Nur um ihren albernen Stolz zu befriedigen, hatte sie vor seinen Augen mit dem Autarchen kokettiert. Wie dumm sie gewesen war! Dabei war der Autarch so manieriert, so blutlos, so nichtssagend. Sie schüttelte sich vor Abscheu.

Sie hatte jetzt das Plateau erklommen. Noch war niemand weit und breit zu sehen. Stur wanderte sie weiter, die neuronische Peitsche fest umklammernd.

Biron und der Autarch hatten unterwegs kein Wort miteinander gewechselt. Auf der Hochebene machten sie halt. Sonne und Wind hatten das Gestein im Laufe der Jahrtausende gespalten. Direkt vor ihnen lag eine uralte Schlucht, deren eine Seite sich gesenkt hatte, so daß ein Felsvorsprung von ungefähr dreihundert Metern Höhe entstanden war.

Biron näherte sich vorsichtig der Schlucht und blickte hinunter. Sie fiel in einer steilen Schräge ab. Den Boden bedeckten Klippen und Geröll, das von gelegentlichen Regenfällen überallhin verstreut worden war.

»Sieht ziemlich hoffnungslos aus, Jonti«, bemerkte Biron.

Der Autarch teilte Birons Interesse für die Umgebung nicht im geringsten. Die Felsenschlucht schien für ihn gar nicht zu existieren. Er sagte lediglich: »Das ist genau die Stelle, die mir schon vor der Landung aufgefallen ist. Sie ist für unsere Zwecke geradezu ideal.«

Für deine Zwecke bestimmt! dachte Biron. Er trat von dem Felsvorsprung zurück und setzte sich. Ein Weilchen lauschte er dem leisen Zischen des Kohlendioxydbehälters, dann sagte er mit ruhiger Stimme: »Was werden Sie eigentlich Ihren Leuten erzählen, wenn Sie auf das Schiff zurückkehren, Jonti? Soll ich mal raten?«

Der Autarch hielt im Öffnen des Gerätekoffers inne und richtete sich auf. »Darf ich fragen, wovon Sie sprechen?«

»Natürlich über den Zweck Ihres Hierseins.«

»Es wäre mir lieber, wir machten uns an die Arbeit, anstatt zu diskutieren, Farrill. Das ist nur Zeitverschwendung.«

»Sie wollen ja gar keinen Sender aufstellen! Warum auch? Wir haben doch schon alle Möglichkeiten ohne Erfolg ausprobiert. Außerdem sind wir beide keine Radioexperten. Warum sind Sie also hergekommen, Jonti?«

Der Autarch setzte sich Biron gegenüber. Mit einer Hand fuhr er lässig über den Koffer. »Wenn Sie Zweifel hegen, warum sind Sie dann überhaupt mitgegangen?«

»Um die Wahrheit herauszufinden. Ihr Rizzett hat mir von diesem Ausflug erzählt und mir geraten, mich Ihnen anzuschließen. Vermutlich hatte er von Ihnen Anweisung, mir einzureden, daß ich mich bei dieser Gelegenheit davon überzeugen könne, daß Sie hinter meinem Rücken keine Informationen erhalten. Ein sehr einleuchtendes Argument, nur wußte ich von vornherein, daß Sie sowieso keine Verbindung zu den Rebellen haben. Ich ließ Rizzett aber in seinem Glauben und schloß mich Ihnen an.«

»Um die Wahrheit herauszufinden?« äffte ihn Jonti spöttisch nach.

»Sehr richtig. Allerdings habe ich die Wahrheit bereits erraten.«

»Dann legen Sie nur los. Ich möchte sie auch gern erfahren.«

»Sie wollen mich umbringen! Wir sind hier allein, und wenn ich von jener Klippe abstürze, so bedeutet das meinen sicheren Tod. Niemand könnte Ihnen vorsätzlichen Mord nachweisen. Es gäbe keinerlei Anzeichen von Gewaltanwendung. Sie würden mit einer rührseligen Geschichte zum Schiff zurückkehren, wonach ich ausgerutscht und abgestürzt wäre. Sie würden sogar selbst die Suchaktion leiten und mir ein erstklassiges Begräbnis zukommen lassen. Das alles wäre sehr zu Herzen gehend, aber ohne das geringste Verschulden Ihrerseits passiert.«

»Das bilden Sie sich ein, und dennoch sind Sie gekommen?«

»Da ich darauf gefaßt bin, können Sie mich nicht überrumpeln. Wir sind beide unbewaffnet, und an Muskelkraft dürften Sie mir kaum überlegen sein.«

Jonti lachte nur. »Wollen wir uns nicht doch lieber mit unserem Sender beschäftigen, da Sie anscheinend unbesiegbar sind?«

»Ich bin noch nicht fertig. Sie sollen zugeben, daß Sie mit der Absicht hergekommen sind, mich umzubringen.«

»So? Sie bestehen also darauf, daß ich meine mir zugewiesene Rolle in dem von Ihnen improvisierten Drama spiele? Wie wollen Sie mich dazu zwingen? Wollen Sie ein Geständnis aus mir herausprügeln? Hören Sie gut zu, Farrill. Sie sind noch sehr jung. Aus diesem Grund und wegen Ihres Namens und Ihrer Herkunft bin ich bereit, Ihnen eine ganze Menge nachzusehen.

Aber ich muß Ihnen gestehen, daß Sie mir allmählich lästig zu werden beginnen.«

»Aha. Vor allem, weil ich trotz Ihrer gegenteiligen Bemühungen am Leben geblieben bin, nicht wahr?«

»Wenn Sie damit wieder auf die Ereignisse in Rhodia anspielen, so kann ich Ihnen nur erwidern, daß ich keine Lust habe, meine Erklärungen zu wiederholen.«

Biron erhob sich. »Ihre Erklärung hat nicht gestimmt. Sie enthielt einen kleinen Fehler, der mir sofort aufgefallen ist.«

»Tatsächlich?«

»Tatsächlich! Stehen Sie auf und hören Sie mir zu, sonst werde ich Ihnen Beine machen!«

Die Augen des Autarchen verengten sich zu schmalen Schlitzen, während er sich erhob. »Ich warne Sie, Bürschchen! Gewaltanwendung dürfte Ihnen schlecht bekommen.«

»Passen Sie gut auf!« donnerte Biron. »Sie haben behauptet, mich nach Rhodia geschickt zu haben, weil der Direktor für eine antityrannische Verschwörung gewonnen werden sollte.«

»Das stimmt genau.«

»Es stimmt eben nicht. Ihr Hauptanliegen war, mich aus dem Wege zu räumen. Warum haben Sie den Kapitän informiert? Sie wollten gar nicht, daß ich bis zu Henrik vorgelassen wurde!«

»Wenn ich Sie hätte töten wollen, Farrill, dann hätte ich ja bloß eine richtige Bombe in Ihr Zimmer zu legen brauchen.«

»Es hätte Ihnen aber besser in den Kram gepaßt, wenn die Tyrannen die Kastanien für Sie aus dem Feuer geholt hätten.«

»Und warum habe ich Sie nicht umgebracht, als ich das erste Mal an Bord der ›Unverzagt‹ kam?«

»Sie haben bestimmt mit dem Gedanken gespielt. Sie kamen mit einer Pistole bewaffnet. Einmal haben Sie mich ja auch damit bedroht. Sie hatten damit gerechnet, daß ich an Bord sei, aber Ihren Leuten haben Sie kein Wort davon gesagt. Als dann Rizzett anrief und mich gesehen hatte, war es zu spät, mich zu erschießen. Außerdem haben Sie auch dabei einen Fehler gemacht. Mir haben Sie erzählt, Sie hätten Ihre Leute darauf vorbereitet, daß vermutlich ich es sei, der die ›Unverzagt‹ gechartert habe. Etwas später erfuhr ich dann von Rizzett, daß es gar nicht stimmte. Sie müssen Ihre Leute besser instruieren, Jonti, damit man Sie nicht unwissentlich Lügen straft!«

Jontis von der Kälte blutleeres Gesicht schien noch weißer geworden zu sein. »Sie verdienten es, Farrill, daß ich Sie jetzt auf der Stelle wegen Ihrer verdammten Lügenmärchen umlegte! Was hätte denn meine Hand vom Abzug zurückgehalten, ehe Rizzett im Bildschirm erschien und Sie sah?«

»Politik, Jonti! Artemisia von Henrici war an Bord, und sie war Ihnen sofort wichtiger als ich. Ich gebe zu, daß Sie sehr schnell schalten können. Mich in Ihrer Gegenwart zu erschießen, hätte unter Umständen bedeutende Zukunftspläne durchkreuzen können.«

»Dann hätte ich mich also in das Mädchen verliebt?«

»Warum nicht, wenn es sich dabei um eine Henrici handelt? Zuerst ließen Sie nichts unversucht, um sie auf Ihr Schiff zu lokken, und als das fehlschlug, wollten Sie mir weismachen, Henrik habe meinen Vater auf dem Gewissen. Dadurch mußte ich sie verlieren und Ihnen früher oder später das Feld räumen. Nun, da sie bereits auf Ihrer Seite steht, ist sie kein Hindernis mehr, und Sie können Ihren alten Plan wieder aufgreifen und mich umbringen, ohne fürchten zu müssen, dadurch die Aussicht auf den Thron der Henrici zu verlieren.«

Jonti seufzte. »Es wird immer kälter und ungemütlicher, Farrill. Die Sonne scheint schon unterzugehen. Sie sind unsagbar töricht und langweilen mich entsetzlich. Ehe wir dieses unsinnige Gewäsch abbrechen, möchte ich aber gern noch von Ihnen hören, warum ich es eigentlich auf Sie abgesehen haben soll. Vorausgesetzt, daß Sie einen Grund für Ihren offensichtlichen Verfolgungswahn angeben können.«

»Es ist derselbe Grund, weswegen Sie meinen Vater umgebracht haben.«

»Was faseln Sie da?«

»Haben Sie allen Ernstes angenommen, ich hätte Ihnen auch nur einen Augenblick lang geglaubt, Henrik sei der Verräter gewesen? Wie käme dieser notorische Schwächling dazu? Mein Vater war doch kein Narr! Nie hätte er sich in Henrik getäuscht, daß er ihm etwas anvertraut hätte, was diese Marionette als Beweismaterial für Hochverrat gegen ihn hätte verwenden können. Nein, Jonti. Derjenige, der meinen Vater denunziert hat, muß ein Mann gewesen sein, dem Vater vertraut hat.«

Jonti trat einen Schritt zurück, wobei er dem Koffer einen

Fußtritt versetzte. Beinahe hätte der Autarch das Gleichgewicht verloren, doch er hatte sich schnell wieder in der Gewalt. »Ihre Anschuldigung ist so niederträchtig, daß es nur eine Erklärung gibt: Sie sind vollkommen wahnsinnig.«

»Mein Vater war bei Ihren Leuten sehr beliebt, Jonti. Zu beliebt. Ein Autarch kann aber keinen Nebenbuhler dulden. Darum schafften Sie sich den Konkurrenten vom Hals. Und ich sollte der nächste sein, damit ich weder an seine Stelle treten noch ihn rächen konnte. Das stimmt doch, Jonti?« Bei den letzten Worten hatte Biron seine Stimme so erhoben, daß sie von den Felsen widerhallte.

»Nein.«

Jonti beugte sich über den Koffer. »Ich werde Ihnen beweisen, daß Sie im Irrtum sind.« Er schlug den Koffer auf. »Da sehen Sie selbst! Radiozubehör. Bitte überzeugen Sie sich.« Er nahm einzelne Gegenstände heraus und warf sie Biron vor die Füße.

»Was wollen Sie damit beweisen?« fragte Biron ungeduldig.

»Den Beweis werden wir gleich haben.« Jonti richtete sich auf.

»Schauen Sie genau her!«

Mit vor Anstrengung weißen Fingerknöcheln umspannte er eine Sprengpistole. Alle Gelassenheit war aus seiner Stimme verschwunden. »Ich habe es satt mit Ihnen«, schrie er. »Aber ich werde mich nicht mehr lange mit Ihnen herumzuärgern brauchen.«

Tonlos sagte Biron: »Sie hatten also eine Pistole unter dem Material versteckt?«

»Was dachten Sie denn? Glaubten Sie vielleicht, ich würde Sie mit eigener Hand die Klippe hinabstürzen? Halten Sie mich für einen Hausknecht oder einen Bergarbeiter? Ich bin Autarch von Lingane! Der scheinheilige, dumme Idealismus der Rancher von Widemos hängt mir zum Hals heraus.« Flüsternd fügte er hinzu: »Los! Zurück zur Klippe!« Er ging energisch einen Schritt auf Biron zu.

Mit erhobenen Händen, die Augen unverwandt auf die Pistole gerichtet, bewegte sich Biron langsam rückwärts. »Sie haben also meines Vaters Tod auf dem Gewissen?«

»Jawohl! Finden Sie sich damit ab, daß der Mann, der dafür gesorgt hat, daß Ihr Vater in einer Sprengkammer endete, nun auch Sie ins Jenseits befördern wird. Das Henrici-Mädchen und alles, was damit zusammenhängt, wird mir gehören, bedenken Sie das bitte! Dafür lasse ich Sie gern noch eine Minute länger zappeln. Aber halten Sie Ihre Hände ruhig, sonst sprenge ich Sie in Stücke, ungeachtet der Fragen, die mir meine Leute stellen könnten.« Nachdem alle Tünche von ihm abgefallen war, machte der Autarch gar nicht mehr den Versuch, seinen lodernden Haß zu verbergen.

»Sie geben also zu, schon vorher den Versuch gemacht zu haben, mich aus dem Weg zu räumen?«

»Ja. Alle Ihre Vermutungen stimmen. Sind Sie nun zufrieden? Zurück!«

»Nein«, rief Biron. Er ließ die Arme sinken. »Schießen Sie doch, wenn Sie können!«

»Denken Sie vielleicht, ich traue mich nicht?«

»Schießen Sie nur!«

»Worauf Sie sich verlassen können!«

Der Autarch zielte auf Birons Kopf und drückte ab.

## ... und Niederlage

Vorsichtig kam Tedor Rizzett hinter einer Felskante hervor. Er durfte noch nicht gesehen werden, doch es war schwierig, in dieser kahlen Landschaft verborgen zu bleiben.

Von seinem jetzigen Standpunkt aus konnte er die beiden Gestalten erkennen. Er lehnte sein Gewehr an einen Felsen. Die Sonne schien Rizzett auf den Rücken – selbst ihre schwache Wärme war wohltuend. Sollten die beiden zufällig in seine Richtung blicken, dann hätten sie Gegensonne und könnten ihn nicht sehen.

Ihre Stimmen drangen scharf an sein Ohr. Bei dem Gedanken an die Radioübertragung mußte er lächeln. Bis jetzt war alles nach Plan verlaufen. Seine Anwesenheit war im Plan natürlich nicht vorgesehen, aber es war besser so. Der Plan war ein bißchen zu vertrauensselig, und das Opfer war schließlich kein Dummkopf. Das Schießeisen, das er mitgebracht hatte, könnte sich im entscheidenden Moment als nützlich erweisen.

Er wartete. Gleichmütig sah er zu, wie der Autarch die Pistole auf Biron richtete.

Artemisia bemerkte nichts von alledem. Sie hatte die zwei Gestalten auf dem Felsplateau noch gar nicht gesehen. Unentwegt war sie hinter Rizzett hergelaufen.

Es war fast unmöglich, mit ihm Schritt zu halten. Vor ihren Augen flimmerte es. Ohne sich dessen bewußt zu werden, fiel sie zweimal hin. Als sie sich vom zweiten Sturz unsicher wieder erhob, blutete sie am Handgelenk, wo eine scharfe Felskante sie verletzt hatte.

Rizzett hatte wieder einen Vorsprung gewonnen, und sie mußte alle Kraft zusammennehmen, um ihm auf den Fersen zu bleiben. Als er in einem glitzernden Geröllfeld ihren Blicken entschwand, schluchzte sie verzweifelt auf. Erschöpft lehnte sie sich gegen einen Felsen.

Plötzlich tauchte seine winzige Gestalt in der Ferne auf. Rizzett war stehengeblieben. Er hielt ihr den Rücken zugekehrt. So schnell sie konnte, stolperte sie über das unebene Gelände, die neuronische Peitsche vor sich herschwingend. Ihr Blick war starr auf den Lauf seines Gewehrs gerichtet.

Wenn sie zu spät käme!

Sie mußte ihn ablenken. »Rizzett!« rief sie, »Rizzett! Nicht schießen!« Wieder fiel sie hin. Sie fühlte ihre Sinne schwinden. Fest hielt sie die Peitsche umklammert. Wenn sie nur noch so lange bei Bewußtsein bliebe, um einmal richtig zuschlagen zu können!

Arme umklammerten sie und richteten sie auf. Sie versuchte, die Augen zu öffnen, aber es gelang ihr nicht.

»Biron?« flüsterte sie fast unhörbar.

Die Antwort war unverständlich – aber es war Rizzetts Stimme. Sie wollte etwas erwidern, vermochte aber kein Wort hervorzubringen. Sie hatte versagt!

Nun war alles aus.

Der Autarch verharrte sekundenlang in regloser Überraschung. Biron stand ihm ebenso starr und steif gegenüber, die Augen unverwandt auf den Pistolenlauf geheftet, aus dem soeben ein wirkungsloser Schuß auf ihn abgefeuert worden war. Langsam senkte sich die Hand mit der Pistole.

»Ihre Waffe scheint nicht in Ordnung zu sein. An Ihrer Stelle würde ich sie einmal untersuchen«, riet Biron dem Autarchen mit ironischem Lächeln.

Jontis Augen in dem blutleeren Gesicht wanderten abwechselnd von Biron zu der Pistole. Er hatte auf eine Distanz von anderthalb Metern gezielt. Eigentlich hätte alles schon vorüber sein müssen. Er löste sich gewaltsam aus seiner Erstarrung und begann, mit flinken Fingern die Pistole zu prüfen.

Die Energiekapsel war nicht vorhanden. An ihrer Stelle befand sich eine wertlose Metallhülse. Rasend vor Zorn schleuderte der Autarch das Stück Metall beiseite. Es rollte davon und zerschellte mit leisem Klirren an einer Felsenklippe.

»Mann gegen Mann!« forderte Biron mit vor Erregung zitternder Stimme.

Wortlos trat der Autarch einen Schritt zurück.

Biron kam ihm unerbittlich näher. »Ich könnte Sie auf verschiedene Arten töten, aber nur eine erscheint mir angemessen. Wenn ich Sie erschießen würde, spürten Sie zu wenig von Ihrem Tod. Und das wäre schade. Die etwas langsamere Methode der Anwendung menschlicher Muskelkraft dürfte in Ihrem Fall zufriedenstellender sein.«

Biron ließ seine sportgestählten Muskeln spielen, doch noch ehe er zum Sprung ansetzen konnte, zeriß ein Schrei, hoch, schrill und von panischer Furcht durchzittert, die Luft: »Rizzett! Rizzett! Schießen Sie nicht!«

Biron fuhr herum. Im selben Moment warf sich der andere mit ganzer Kraft auf ihn. Unter der Last des aufprallenden Körpers ging Biron in die Knie.

Der Autarch hatte seinen Sprung gut berechnet. Seine Knie umklammerten Birons Hüften, seine Fäuste bearbeiteten das Genick des jungen Widemos.

Biron keuchte vor Anstrengung. Geistesgegenwärtig warf er sich auf die Seite. Der Autarch sprang auf, um zum nächsten Schlag auszuholen, während Biron sich mit gespreizten Beinen auf den Rücken rollte.

Er hatte gerade noch Zeit genug, die Knie anzuziehen, als der Autarch sich schon wieder auf ihn stürzte. Jonti prallte an Birons Knien ab. Diesmal waren sie gleichzeitig auf den Füßen. Eiskalter Schweiß perlte ihnen die Wangen entlang.

Langsam kamen sie aufeinander zu. Biron schob seinen

Kohlendioxydbehälter zur Seite. Auch der Autarch streifte sein Gerät über den Kopf, hielt das Band aus Metallgewebe einen Moment sinnend in der Hand, dann machte er einen raschen Schritt auf Biron zu und holte zum Schwung aus.

Biron ging blitzschnell zu Boden. Pfeifend sauste der Behälter über seinen Kopf hinweg.

Ehe der Autarch sein Gleichgewicht wiedergewonnen hatte, war Biron über ihm. Mit einer Hand hielt er den Gegner am Boden, während die andere Faust einen wohlgezielten Schwinger in des Autarchen Gesicht landete. Biron wartete, bis der Autarch wieder zu sich kam.

»Stehen Sie auf«, kommandierte er. »Von der Sorte habe ich noch einiges in Reserve. Aber ich hab's nicht eilig damit.«

Mit der behandschuhten Hand tastete der Autarch sein Gesicht ab. Angeekelt betrachtete er die Blutspuren auf dem Handschuh. Er kniff die Lippen zusammen und griff nach dem Kohlendioxydbehälter, der seiner Hand entglitten war. Biron trat kräftig zu, und der Autarch heulte vor Schmerz auf.

»Sie sind zu nahe am Klippenrand, Jonti!« warnte Biron. »Stehen Sie auf! Dort drüben geht der Kampf weiter.«

Doch da ertönte Rizzetts Stimme: »Aufhören!«

Der Autarch kreischte: »Schießen Sie ihn zu Brei, Rizzett! Erschießen Sie ihn! Zuerst die Arme, dann die Beine und nach und nach alles übrige!«

Rizzett brachte sein Gewehr in Anschlag.

»Wer hat eigentlich Ihre Pistole unschädlich gemacht, Jonti?« fragte Biron.

»Wie bitte?« Der Autarch starrte ihn verständnislos an.

»Ich hatte keine Möglichkeit dazu, Jonti! Wer war es also? Wer hat jetzt die Waffe auf Sie gerichtet? Nicht auf mich, Jonti, auf Sie!«

Der Autarch wandte sich um und schrie Rizzett an: »Verräter!«

Mit leiser, deutlicher Stimme antwortete Rizzett: »Nicht ich bin ein Verräter. Der Mann ist es, der den Tod des treuen, ehrlichen Ranchers von Widemos auf dem Gewissen hat.«

»Ich war es nicht«, rief der Autarch. »Wenn er Ihnen das eingeredet hat, so hat er gelogen.«

»Sie haben es uns selbst mitgeteilt. Ich habe nicht nur Ihre Waffe entleert, ich habe auch die Wellenlänge Ihres Radios geändert, so daß ich und alle anderen jedes Wort, das Sie gesagt haben, mithören konnten. Wir wissen jetzt genau über Sie Bescheid.«

»Ich bin Ihr Autarch!«

»Und außerdem der größte Verräter, den es gibt.«

Eine ganze Weile blickte der Autarch die beiden Männer wortlos mit flackernden Augen an. Ihre ernsten, zornigen Gesichter verhießen nichts Gutes. Dann riß er sich mit äußerster Nervenkraft zusammen.

Sein Ton war beinahe so kühl und beherrscht wie gewöhnlich, als er sagte: »Wenn alles wahr wäre, was würde es Ihnen schon helfen? Wir haben noch eine Planeten vor uns. Nur dort kann die Rebellenwelt sein, nur dort. Und ich bin der einzige, der die Koordinaten kennt.«

Irgendwie hatte er seine Würde wiedergefunden. Seine Hand baumelte hilflos an dem gebrochenen Gelenk. Seine Oberlippe war bis zur Unkenntlichkeit geschwollen, und seine Wangen waren blutüberströmt. Dennoch ging von ihm das hoheitsvolle Fluidum des geborenen Herrschers aus.

»Sie werden uns schon die notwendigen Angaben machen«, meinte Biron.

»Glauben Sie nicht, daß ich unter allen Umständen dazu bereit bin. Wie ich Ihnen schon sagte, entfallen auf jeden Stern durchschnittlich siebzig Kubiklichtjahre. Wenn Sie ohne mich experimentieren, besteht die Möglichkeit von eins zu zweihundertfünfzig Trillionen, daß Sie innerhalb eines Umkreises von einer Milliarde Kilometer in die Reichweite jedes beliebigen Sternes geraten.«

In Birons Gehirn ertönte ein Signal.

»Bringen Sie ihn auf die ›Unverzagt‹ zurück, Rizzett!« ordnete er an.

»Ihre Hoheit Artemisia . . .«, flüsterte ihm Rizzett zu.

»Dann habe ich mich nicht verhört«, unterbrach ihn Biron. »Wo ist sie?«

»Keine Aufregung! Sie ist in Sicherheit. Sie ist ohne Kohlendioxydbehälter davongelaufen. Natürlich bekam sie Atembeschwerden, als der $CO_2$-Vorrat in ihrem Blutkreislauf knapp wurde. Da sie gerannt ist und nicht vernünftig genug war, tief Luft zu holen, ist sie ohnmächtig geworden.«

Birons Gesicht verfinsterte sich. »Wollte sie Ihnen in die

Quere kommen, damit ihrem Schatz kein Haar gekrümmt würde?«

»Allerdings. Aber sie dachte, ich stünde auf des Autarchen Seite und wollte Sie erschießen! – Ich werde jetzt diesen Schurken hier zurückbringen, aber, Biron . . .«

»Was ist?«

»Kommen Sie so bald wie möglich. Immerhin ist er der Autarch, und es wird nötig sein, mit den Leuten zu sprechen. Ein von Kindesbeinen anerzogener Gehorsam läßt sich nicht ohne weiteres auslöschen. – Das Mädchen liegt hinter dem Felsen dort. Beeilen Sie sich, sie wird schon halb erfroren sein.«

Ihr Gesicht war fast ganz von der Kapuze bedeckt, und ihre Gestalt verlor sich in den Falten des dicken Raumanzugfutters.

Biron beschleunigte seinen Schritt. »Wie fühlst du dich?« fragte er, sich über sie beugend.

»Danke, besser«, flüsterte sie. »Verzeih, wenn ich dir Ungelegenheiten bereitet habe.«

Schweigend sahen sie einander in die Augen. Der Gesprächsstoff schien nach diesen beiden Bemerkungen erschöpft zu sein.

Endlich begann Biron: »Ich weiß, daß man Geschehenes nicht ungeschehen machen kann. Trotzdem möchte ich, daß du mich verstehst.«

»Warum legst du so viel Wert auf mein Verständnis?« Ihre Augen flammten. »Seit Wochen versuche ich nichts anderes, als dich zu verstehen. Willst du wieder von meinem Vater anfangen?«

»Nein. Ich weiß, daß dein Vater nichts mit der Sache zu tun hat. Von Anfang an hatte ich den Autarchen im Verdacht, aber ich wollte mir Gewißheit verschaffen. Es ging nicht anders, ich mußte ihm ein Geständnis abringen, Arta! Dazu konnte es aber nur kommen, wenn ich ihn in eine Falle lockte. Er sollte den Versuch machen, mich umzubringen, und dazu gab es nur ein Mittel.«

Biron kam sich unsagbar gemein vor. Aber jetzt hieß es, den bitteren Kelch leeren, koste es, was es wolle. »Was ich getan habe, war schlecht, fast so schlecht wie das, was der Autarch mit mir gemacht hat. Ich wage gar nicht zu hoffen, daß du es mir verzeihen kannst.«

»Ich weiß nicht, was du meinst.«

»Mir war sofort klar, daß er es auf dich abgesehen hatte, Arta. Politisch gesehen, warst du für ihn ein ideales Heiratsobjekt. Der Name Henrici war für ihn wertvoller als der Name Widemos. Konnte er dich gewinnen, war ich überflüssig. Darum habe ich ihm dich förmlich aufgedrängt, Arta. Ich hoffte, du würdest dich ihm zuwenden. War er deiner erst einmal sicher, dann würde er nicht zögern, mich so schnell wie möglich loszuwerden. Auf dieser Überlegung bauten Rizzett und ich unsere Falle auf.«

»Und du gibst vor, mich dennoch zu lieben?«

»Fällt es dir so schwer, das zu glauben, Arta?«

»Du wolltest also deine Liebe dem Andenken deines Vaters und der Ehre eures Namen opfern. Wie heißt doch der alte Knittelvers? ›Du liebtest mich nur halb so sehr, liebtest du mehr nicht deine Ehr'!‹«

Verzweifelt flehte Biron: »Bitte, Arta! Ich bilde mir nicht ein, rühmlich gehandelt zu haben. Aber ich sah keinen anderen Ausweg.«

»Du hättest mich in deinen Plan einweihen, mich zu deiner Verbündeten, anstatt zu deinem Werkzeug machen sollen.«

»Es war nicht deine Sache. Wenn mein Plan mißlungen wäre – und das war durchaus möglich –, dann wärest du in nichts verwickelt gewesen. Hätte mich der Autarch getötet, dann hätte es dir weniger weh getan, nachdem ich mich dir entfremdet hatte. Vielleicht hättest du ihn sogar geheiratet und wärest glücklich geworden.«

»Nachdem du nun also gewonnen hast, müßte ich also über seine Niederlage traurig sein.«

»Du bist es aber nicht.«

»Woher willst du das wissen?«

»Arta! Versuche doch wenigstens, meine Beweggründe zu verstehen! Ich gebe ja zu, daß ich töricht, verbrecherisch töricht gehandelt habe. Willst du nicht wenigstens versuchen, mich nicht zu hassen?«

»Ich habe versucht, dich nicht zu lieben, und es ist mir, wie du siehst, nicht gelungen«, kam es weich von ihren Lippen.

»Dann verzeihst du mir also?«

»Warum? Weil ich dich verstehe? Wenn es sich um einfaches Verstehen, um ein Begreifen deiner Beweggründe handelte, würde ich dir nie im Leben verzeihen. Aber es geht ja um viel mehr! Ich verzeihe dir, Biron, weil ich nicht anders kann. Wie könnte ich dich bitten, zu mir zurückzukehren, wenn ich dir nicht verziehe?«

Und dann lag sie in seinen Armen, das von der Kälte halb erstarrte Gesicht liebevoll zu ihm emporgewandt. Die unförmigen Hüllen richteten eine Schranke zwischen ihnen auf. Seine behandschuhten Hände fühlten nichts von der Geschmeidigkeit des Körpers, den er umarmte, aber seine Lippen küßten ihr weißes, zartes Gesicht wieder und immer wieder, unersättlich.

Endlich fragte er besorgt: »Die Sonne ist bald ganz verschwunden, wird es dir auch nicht zu kalt?«

»Wie merkwürdig«, flüsterte sie mit einem sanften Lächeln, »mir kommt es jetzt viel wärmer vor.«

Hand in Hand traten sie den Rückweg zum Schiff an.

Biron trug der Mannschaft gegenüber in weit größerem Maße Zuversicht und Sicherheit zur Schau, als er in Wirklichkeit empfand. Das liganische Schiff war groß. Die Besatzung bestand aus fünfzig Leuten. Die saßen nun vor ihm. Fünfzig Gesichter! Fünfzig Linganer, die von der Wiege an zu unbedingtem Gehorsam gegenüber ihrem Autarchen erzogen worden waren.

Einige hatte Rizzett überzeugen können, ein paar anderen hatte die Radioübertragung die Augen geöffnet. Aber wie viele waren noch darunter, die zauderten oder gar feindlich eingestellt waren?

Bisher hatte Birons Rede kaum gezündet. Jetzt lehnte er sich vor, sein Ton wurde eindringlicher: »Wofür kämpft ihr? Wofür setzt ihr euer Leben aufs Spiel? Eine freie Galaxis, nicht wahr? Eine Galaxis, in der jede Welt entscheiden kann, welcher Weg der beste für sie ist, wo jeder Planet seine Reichtümer zu seinem eigenen Nutzen verwenden kann, niemandes Sklave, niemandes Herr ist. Habe ich recht?«

Ein gedämpftes Murmeln war die Antwort. Es mochte Zustimmung bedeuten. Begeisterung war jedoch keinesfalls daraus zu entnehmen.

»Und wofür kämpft der Autarch?« fuhr Biron fort. »Nur für sich selbst. Er ist Autarch von Lingane und möchte gern Autarch der Nebula-Königreiche werden. Ihr würdet also nur den Khan durch einen Autarchen ersetzen. Was für einen Sinn hätte das? Lohnt es sich, dafür zu sterben?«

»Es wäre wenigstens einer von uns und kein dreckiger Tyrann!« kam es aus der Zuhörerschaft.

Ein anderer rief: »Der Autarch wollte sich den Rebellen anschließen. Nennen Sie das Ehrgeiz?«

»Was verstehen Sie denn unter Ehrgeiz?« schrie Biron zurück. »Er wollte sich den Rebellen anschließen, jawohl, aber mit einer organisierten Streitmacht als Druckmittel. Er hatte Lingane hinter sich und außerdem, wie er glaubte, das Prestige eines Bündnisses mit den Henrici. Er war ziemlich davon überzeugt, daß er letzten Endes mit der Rebellenwelt machen könne, was er wolle. So sah sein Ehrgeiz aus!

Und wenn die Sicherheit der Freiheitsbewegung seinen eigenen Plänen zuwiderlief, zögerte er dann auch nur einen Moment, euer Leben seinem Ehrgeiz zu opfern? Mein Vater stand ihm im Wege. Mein Vater war ehrlich und freiheitsliebend. Außerdem war er beim Volk beliebt, darum wurde er verraten. Durch diesen Verrat hätte der Autarch die ganze Organisation zerschlagen und euch mit hochgehen lassen können. Wie kann es noch persönliche Sicherheit für euch geben, wenn euer Führer mit den Tyrannen gemeinsame Sache macht, sobald es ihm in den Kram paßt? Wer kann sich unter einem feigen Verräter sicher fühlen?«

»So ist es besser«, flüsterte Rizzett ihm zu. »Bleiben Sie dabei! Geben Sie ihnen Zunder!«

Wieder ertönte eine Stimme aus dem Hintergrund: »Der Autarch weiß aber, wo die Rebellenwelt ist. Wissen Sie es auch?«

»Darüber werden wir noch sprechen. Zunächst sollt ihr euch einmal überlegen, daß wir unter der Führung des Autarchen dem sicheren Untergang geweiht wären. Noch ist es Zeit, noch können wir uns retten, indem wir uns von ihm abwenden und einen besseren und anständigeren Weg beschreiten, der uns aus der Niederlage –«

»Es gibt nichts anderes als Niederlage für Sie, mein lieber junger Freund«, erklang eine gelassene Stimme hinter des Redners Rücken. Zu Tode erschrocken fuhr Biron herum.

Unter der Schiffsbesatzung entstand ein erregtes Durcheinander. Es hätte nicht viel gefehlt, und die fünfzig Mann hätten sich auf den Eindringling gestürzt, aber sie waren unbewaffnet zu der Versammlung gekommen. Rizzett hatte darauf bestanden. Im nächsten Moment drängte eine Abteilung tyrannischer Soldaten, die Waffen schußbereit im Anschlag, durch die verschiedenen Eingänge.

Simon Aratap, in jeder Hand eine Sprengpistole haltend, stellte sich dicht hinter Biron und Rizzett.

## Wo?

Eingehend musterte Simon Aratap die vier Gesichter und versuchte, zu einem Urteil über die Charaktere derer zu kommen, die ihm gegenüber saßen. Es würde ein harter Kampf werden, obwohl er nun fast alle Fäden in der Hand hatte. Er war froh, daß Major Andros mit seinen Kreuzern nicht mehr da war.

Er selbst, sein Flaggschiff und seine Mannschaft genügten. Er haßte übertriebenen Aufwand.

»Hoheit, meine Herren«, begann er mit freundlicher Stimme, »das Schiff des Autarchen befindet sich unter dem Geleit von Major Andros bereits auf dem Wege nach Tyrann. Die Leute des Autarchen kommen vor Gericht, und falls sie schuldig gesprochen werden, erhalten sie die Strafe, die auf Hochverrat steht. Sie sind gewöhnliche Verschwörer und werden auch entsprechend behandelt. Was aber soll ich mit Ihnen machen?«

Neben ihm saß Henrik von Rhodia, das Gesicht gramzerfurcht. »Bedenken Sie, daß meine Tochter noch ein halbes Kind ist«, flehte er. »Sie ist gegen ihren Willen in die Sache verstrickt worden. Artemisia, sag dem Kommissar, daß du –«

»Ihre Tochter«, unterbrach ihn Aratap, »kann sicherlich auf Freispruch rechnen. Wie ich gehört habe, soll sie die Gattin eines hohen tyrannischen Hofbeamten werden. Das wird man bestimmt berücksichtigen.«

»Ich werde ihn heiraten«, sagte Artemisia, »wenn Sie auch alle übrigen freilassen.«

Biron wollte aufspringen, aber Aratap verwies ihn mit einer Handbewegung auf seinen Platz zurück.

Lächelnd wandte sich der tyrannische Kommissar an Artemisia: »Hoheit! Ich will zugeben, daß ich berechtigt bin, gewisse

Konzessionen zu machen. Aber ich bin nicht der Khan, sondern nur einer seiner Untertanen. Darum muß ich über jedes meiner Zugeständnisse Rechenschaft ablegen. Was haben Sie also anzubieten?«

»Meine Zustimmung zu dieser Heirat.«

»Darüber haben nicht Sie zu entscheiden. Ihr Vater hat es bereits getan, das genügt. Haben Sie sonst noch irgendwelche Vorschläge?«

Aratap wartete auf ein allmähliches Nachlassen des Widerstandswillens. Die Tatsache, daß er sich in seiner Rolle nicht sehr wohl fühlte, hinderte ihn nicht daran, sie gut zu spielen. Das Mädchen zum Beispiel mußte gleich in Tränen ausbrechen, was nicht ohne Wirkung auf den jungen Mann bleiben würde. Offensichtlich waren die beiden ineinander verliebt. Er ertappte sich bei dem Gedanken, ob der alte Pohang sie unter diesen Umständen noch würde haben wollen, und kam zu dem Schluß, daß es diesem Wüstling wahrscheinlich egal wäre. Der Alte machte noch immer ein gutes Geschäft dabei. Das Mädchen war übrigens recht attraktiv, stellte er nebenbei fest.

Und sie hielt sich ausgezeichnet. An einen Zusammenbruch war gar nicht zu denken. Aratap mußte ihr im stillen Anerkennung zollen. Sie schien einen eisernen Willen zu haben. Wahrscheinlich war Pohang gar nicht so sehr zu beneiden.

»Wollen Sie für Ihren Vetter ein gutes Wort einlegen?« fragte er Henrik.

Der Direktor bewegte tonlos die Lippen.

»Für mich braucht niemand zu bitten«, rief Gillbret dazwischen. »Ich will keinem Tyrannen zu Dank verpflichtet sein. Vorwärts! Lassen Sie mich erschießen!«

»Sie sind übererregt«, beschwichtigte ihn Aratap. »Sie wissen doch, daß Sie ohne Gerichtsverhandlung nicht erschossen werden können.«

»Er ist mein Vetter«, flüsterte Henrik.

»Auch das wird berücksichtigt werden. Trotzdem werden Sie, meine Herren vom Adel, eines Tages einsehen müssen, daß der Wert, den Sie für uns darstellen, seine Grenzen hat. Ich hoffe, Ihr Vetter hat das inzwischen begriffen, Exzellenz.«

Aratap war mit Gillbrets Verhalten zufrieden. Dieser Mann wünschte sich nichts sehnlicher als den Tod. Die Bürde des

Lebens war zu schwer für ihn. Ihn am Leben zu lassen, würde völlig genügen, um seinen Charakter zu brechen.

Nachdenklich musterte er Rizzett. Das war einer von den Leuten des Autarchen. Ihm war ein wenig unwohl bei diesem Gedanken. Zu Beginn der Jagd hätte er darauf schwören mögen, daß der Autarch nichts mit der ganzen Sache zu tun habe. Nun, es war ganz heilsam, hin und wieder einen Denkfehler zu machen. So etwas bewahrte vor Überheblichkeit.

»Sie sind also der Narr, der einem Verräter gedient hat«, sagte er zu Rizzett. »Sie hätten lieber zu uns kommen sollen.«

Rizzett errötete bis unter die grauen Haarwurzeln.

»Ihr guter Ruf als Offizier dürfte nunmehr dahin sein«, fuhr Aratap fort. »Da Sie nicht dem Adel angehören, können Sie auch kaum mit mildernden Umständen aus politischen Gründen rechnen. Ihre Gerichtsverhandlung wird in aller Öffentlichkeit stattfinden, und jedermann wird erfahren, daß Sie das Werkzeug einer Marionette waren. Keine erfreulichen Aussichten für Sie!«

»Vermutlich wollen Sie mir einen Vorschlag machen?« erwiderte Rizzett.

»Und der wäre?«

»Ein Gnadenakt des Khans zum Beispiel? Sie haben bis jetzt ja nur eine Handvoll von uns. Möchten Sie nicht alle übrigen Zusammenhänge erfahren?«

Aratap schüttelte den Kopf. »Nein. Wir haben ja noch den Autarchen als Informationsquelle. Und selbst wenn das nicht der Fall wäre, brauchten wir nur Lingane zu zerstören. Danach bliebe bestimmt von der ganzen Revolte nicht mehr viel übrig. Sie sehen also, wir zwei können kein Geschäft miteinander machen.«

Jetzt war der Junge an der Reihe. Ihn hatte sich Aratap bis zuletzt aufgehoben, weil er der Klügste von allen war. Aber seine Jugend konnte ihm zum Verhängnis werden. Junge Leute hatten meist nicht die nötige Geduld.

Biron wartete nicht ab, bis er gefragt wurde, sondern ging gleich selbst zum Angriff über. »Wie sind Sie uns auf die Spur gekommen? Hat *er* mit Ihnen Hand in Hand gearbeitet?«

»Der Autarch? In diesem Falle nicht. Meiner Ansicht nach hat er versucht, den Baum auf beiden Schultern zu tragen. Dazu war er aber viel zu ungeschickt, wie sein Ende beweist.«

Mit geradezu kindlichem Eifer fiel ihm Henrik ins Wort: »Die Tyrannen haben eine Erfindung, die es ihnen ermöglicht, Schiffe auch im Hyperraum zu verfolgen.«

»Euer Exzellenz«, wies ihn Aratap scharf zurecht, »ich wäre Ihnen sehr verbunden, wenn Sie sich jeglicher Zwischenrufe enthalten wollten.« Henrik fiel sofort in seine unterwürfige Haltung zurück.

Zwar konnte eine solche Bemerkung keinen Schaden mehr anrichten. Denn keiner von den vieren würde je wieder gefährlich werden können. Dennoch wollte es Aratap vermeiden, daß der Junge sich irgendwelche Rosinen in den Kopf setzte.

»Lassen Sie uns offen miteinander reden oder gar nicht«, begann Biron von neuem. »Sie haben uns nicht um unserer schönen Augen willen herbestellt. Warum befinden wir uns nicht, zusammen mit den anderen, auf dem Wege nach Tyrann? Weil Sie nicht wissen, wie Sie uns beseitigen sollen! Zwei von uns sind Henrici, ich bin ein Widemos. Rizzett ist ein bekannter Offizier der linganischen Flotte. Und Ihr fünfter Gefangener, der in Ihren Kreisen so geschätzte Feigling und Verräter, ist immerhin noch Autarch von Lingane. Keinen einzigen von uns können Sie um die Ecke bringen, ohne in den Königreichen, von Tyrann bis an die Grenze des Nebelgebiets einen Sturm der Entrüstung zu entfachen. Sie müssen unter allen Umständen zu einer Art Übereinkunft mit uns gelangen.«

»Sie haben nicht ganz unrecht«, entgegnete Aratap. »Lassen Sie mich Ihnen einen Plan entwickeln. Wir haben Sie aufgespürt, gleichgültig wie. Die reichlich übertriebene Phantasievorstellung des Direktors lassen wir dabei lieber aus dem Spiel. Sie haben bei drei Sternen haltgemacht, ohne auf einen Planeten zu landen. Erst beim vierten fanden Sie einen Planeten, wo Ihnen eine Landung ratsam erschien. Wir machten es Ihnen nach, beobachteten Sie und warteten unsere Zeit ab. Wir hatten das Gefühl, unser Warten könne sich lohnen, was ja auch der Fall war. Sie hatten einen Streit mit dem Autarchen. Die weithin vernehmliche Radioübertragung kam auch uns zugute. Wir konnten jedes Wort mithören.

Der Autarch sagte, daß nur noch ein intranebularer Planet vorhanden sei und daß sich dort die Rebellenwelt befinde. Das ist natürlich sehr interessant für uns. Eine Rebellenwelt! Sie können wohl verstehen, daß diese Nachricht meine Neugier erregt hat. Wo liegt also dieser fünfte und letzte Planet?«

Ein langes Schweigen trat ein, das Aratap mit keinem Wort unterbrach. Er setzte sich und betrachtete interessiert und ohne das geringste Anzeichen von Erregung die Gesichter seiner Gefangenen – eines nach dem anderen.

»Es gibt keine Rebellenwelt«, brach Biron schließlich als erster das Schweigen

»Sie haben demnach nichts gesucht?«

»Absolut nichts.«

»Machen Sie sich nicht lächerlich.«

Biron zuckte gleichgültig die Achseln. »Sie machen sich höchstens selbst lächerlich, wenn Sie eine andere Antwort erwarten.«

»Bedenken Sie bitte, daß diese Rebellenwelt der Mittelpunkt des Spinnennetzes sein muß«, drängte Aratap. »Sie zu finden ist der einzige Grund, weswegen ich Sie hierbehalten habe. Sie alle haben etwas zu gewinnen: Hoheit, ich könnte vielleicht diese Heirat rückgängig machen. Für Sie, Durchlaucht, ließe sich ein Laboratorium einrichten, wo Sie ungestört experimentieren könnten. Sie sehen, wir wissen mehr über Sie, als Sie ahnen.« Hastig wandte sich Aratap Rizzett zu. Wie peinlich! Hoffentlich fing dieser Gillbret nicht noch an zu flennen! »Oberst Rizzett, Ihnen würde die Demütigung einer Aburteilung vor einem Kriegsgericht und alle damit verbundenen Folgen erspart bleiben: Und Sie, Biron Farrill, könnten wieder in Ihre Rechte als Rancher von Widemos eingesetzt werden. Vielleicht würden wir sogar das Urteil gegen Ihren Vater aufheben.«

»Wollen Sie ihn wieder lebendig machen?«

»Wir werden seine Ehre wieder herstellen.«

»Seine Ehre beruht auf den Taten, die zu seiner Verurteilung und zu seinem Tode führten. Es liegt außerhalb Ihrer Macht, dieser Ehre etwas hinzuzufügen oder zu nehmen.«

Aratap ließ nicht locker. »Will nicht wenigstens einer von Ihnen vernünftig sein und mir sagen, wo diese Welt liegt, die Sie suchen? Wer es auch sei, er bekommt, was ich ihm versprochen habe. Alle übrigen werden verheiratet, eingesperrt, hingerichtet – jedenfalls so bestraft, wie es für jeden einzelnen am zweckmäßigsten ist. Ich warne Sie, ich kann notfalls auch sadistisch sein.«

Er machte eine Pause. »Nun, wer will sprechen? Niemand? Dann lasse ich den anderen holen. Sie haben Ihre letzte Chance verwirkt, und ich bekomme trotzdem die Informationen, die ich brauche.«

»Bemühen Sie sich nicht weiter, es ist zwecklos«, nahm Biron wieder das Wort. »Es gibt keine Rebellenwelt.«

»Der Autarch behauptet es aber.«

»Dann fragen Sie ihn doch.«

Aratap runzelte die Stirn. Der Junge trieb den Bluff entschieden zu weit.

»Ich möchte aber lieber mit einem von Ihnen verhandeln.«

»Sie haben es doch früher mit dem Autarchen so gut gekonnt. Halten Sie sich nur auch weiterhin an ihn. Sie haben nichts zu verkaufen, was wir Ihnen abzunehmen gewillt wären.« Biron blickte sich im Kreise seiner Gefährten um. »Stimmt's?«

Artemisia rückte näher zu ihm hin und drückte ihm stumm die Hand. Rizzett nickte kurz, und Gillbret murmelte: »Einverstanden!«

»Wie Sie wollen«, beendete Aratap das Gespräch und drückte auf einen Knopf.

Der rechte Arm des Autarchen ruhte in einer Schiene aus Leichtmetall, die magnetisch an einem metallenen Leibgurt befestigt war. Seine linke Gesichtshälfte war geschwollen und von einem Bluterguß dunkelblau gefärbt. Eine durch Bestrahlung frischverheilte Wunde zog sich als feuerrot gezackter Streifen mitten hindurch. Nachdem er seinen gesunden Arm mit einem Ruck aus der Pranke seines Begleiters, eines bewaffneten Leibwächters, befreit hatte, wandte er sich an Aratap mit der Frage: »Was wollen Sie von mir?«

»Das werden Sie gleich hören«, erwiderte der Kommissar gelassen. »Zunächst bitte ich Sie, sich Ihr Auditorium genau anzusehen. Da haben wir zum Beispiel den jungen Mann, den Sie gern ins Jenseits befördert hätten, der aber die Stirn hatte, am Leben zu bleiben, Sie zum Krüppel zu schlagen und alle Ihre Pläne zu durchkreuzen, obgleich Sie Autarch sind und er nur ein Verbannter auf der Flucht ist.«

Es war schwer zu sagen, ob sich in dem entstellten Gesicht des Autarchen etwas regte.

Aratap nahm sich auch nicht die Mühe, darauf zu achten.

Leidenschaftslos, beinahe im Ton eines unbeteiligten Berichterstatters, fuhr er fort: »Dann ist hier noch Gillbret von Henrici, der dem jungen Mann das Leben rettete und ihn auf Sie aufmerksam machte. Neben ihm sitzt Ihre Hoheit Artemisia, der Sie, wie ich gehört habe, in Ihrer so überaus charmanten Art den Hof gemacht haben, ohne viel damit zu erreichen, weil sie unbegreiflicherweise den jungen Bengel vorzuziehen scheint. Und zum Schluß wäre noch Oberst Rizzett zu erwähnen, Ihr Adjutant, der Ihr absolutes Vertrauen mit Verrat vergolten hat. Was schulden Sie diesen Leuten, Autarch?«

»Was wollen Sie von mir?« lautete die stereotype Gegenfrage.

»Eine Auskunft. Wenn ich sie von Ihnen erhalte, können Sie Autarch bleiben. Ihre früheren Gefälligkeiten uns gegenüber würden Ihnen am Hofe des Khans zugute gehalten werden. Andernfalls ...«

»Andernfalls?«

»Andernfalls lasse ich mir die Auskunft von denen da geben. Dann können diese ihren Kopf retten, Sie dagegen werden hingerichtet. Darum fragte ich Sie, ob Sie diesen Leuten in irgendeiner Art verpflichtet seien. Denn sollten Sie unbegreiflicherweise starrköpfig sein, dann geben Sie Ihren Feinden nur die Möglichkeit, mit dem Leben davonzukommen!«

Der Autarch brachte ein schmerzverzogenes Lächeln zustande. »Unmöglich. Keiner von Ihnen kann seinen Kopf auf meine Kosten retten. Sie wissen nicht, wo die Welt liegt, die Sie suchen. Aber ich weiß es.«

»Ich habe noch nicht gesagt, was für eine Auskunft ich von Ihnen haben möchte, Autarch.«

»Es gibt nur eine!« Jontis Stimme klang rauh, beinahe unverständlich. »Sie versprechen mir also, daß ich in alle meine Rechte als Autarch von Lingane wieder eingesetzt werde, wenn ich Ihnen die Auskunft gebe?«

»Mit einigen Einschränkungen natürlich«, verbesserte ihn Aratap.

»Wenn Sie ihm glauben, häufen Sie nur Verrat auf Verrat, und zum Schluß werden Sie doch umgebracht!« schrie Rizzett dazwischen.

Der Wächter wollte auf Rizzett zuspringen, aber Biron kam ihm zuvor. Mit Gewalt schleppte er Rizzett auf seinen Sitz zurück. »Seien Sie kein Narr«, murmelte er. »Sie sehen doch, daß Sie nichts machen können.«

»Es geht mir weder um mein Amt noch um meine Person, Rizzett«, versetzte der Autarch. Dann wandte er sich wieder Aratap zu: »Werden diese Leute zum Tode verurteilt? Das müssen Sie mir auf jeden Fall versprechen.« In seinem entstellten Gesicht zuckte es grauenerregend: »Vor allen anderen der da!« Er wies mit dem Finger auf Biron.

»Diese Bedingung kann erfüllt werden.«

»Wenn ich sein Henker sein könnte, so wäre mir das Belohnung genug. Aber mir genügt auch die Gewißheit, daß er sterben und mit anhören muß, wie ich Ihnen die Auskunft gebe, die er Ihnen unter allen Umständen verheimlichen möchte. Die genauen Zahlen nach rho, theta und phi sind: 7352.43, 1.7836 und 5.2112. Damit können Sie die Position jener Welt innerhalb der Galaxis errechnen.«

»Das wär's also«, sagte Aratap und notierte sich die Zahlen.

Im selben Moment riß sich Rizzett von Biron los und stürzte sich mit dem Ruf: »Verräter! Verräter!« auf den Autarchen.

Biron versuchte ihn zurückzuhalten, verlor jedoch dabei das Gleichgewicht und fiel hin.

Mit wutverzerrtem Gesicht boxte Rizzett den Leibwächter nieder. Noch ehe jemand hinzuspringen konnte, hatte er dem Mann die Pistole entwunden. Mit Klauen und Zähnen verteidigte er sich gegen die ihn umringenden tyrannischen Soldaten. Biron drängte sich durch den Knäuel kämpfender Leiber, packte Rizzett an der Gurgel und versuchte, ihn zurückzuhalten.

»Verräter«, keuchte Rizzett, riß sich los und zielte auf den Autarchen, der vergeblich versuchte, ihm auszuweichen. Dann krachte ein Schuß. Gleich darauf wurde Rizzett entwaffnet und zu Boden geworfen.

Die rechte Schulter des Autarchen und die Hälfte seines Oberkörpers waren weggesprengt worden. Der Anblick des frei in der Magnetschiene baumelnden Unterarms war schauerlich. Einen Augenblick schien noch Leben in Jontis Augen zu flakkern, doch dann wurde der Blick starr und gläsern, und der verstümmelte Körper sackte zusammen.

Artemisia verbarg schwer atmend ihr Gesicht an Birons Brust. Biron zwang sich, einen letzten Blick auf den Mörder seines Vaters zu werfen, dann wandte auch er die Augen ab. Henrik, der ziemlich weit vom Schauplatz der Ereignisse entfernt in einer Ecke des Raumes saß, murmelte kichernd zusammenhangloses Zeug vor sich hin.

Nur Aratap war völlig ruhig geblieben. »Man entferne die Leiche!« befahl er.

Der Fußboden wurde kurze Zeit mit einem Heißluftgerät bestrahlt, worauf sämtliche Blutflecke verschwanden. Nur ein paar verkohlte Stellen waren noch zu sehen.

Die Soldaten stellten Rizzett wieder auf die Beine, der Biron sofort wütend anfuhr: »Warum mußten Sie sich einmischen? Beinahe hätte ich den Schweinehund verfehlt.«

»Sie sind Aratap auf den Leim gegangen, Rizzett«, wehrte ihn Biron verdrossen ab.

»Wieso? Immerhin habe ich dem Schuft den Garaus gemacht!«

»Genau das war beabsichtigt. Sie haben Aratap damit einen Gefallen getan.«

Rizzett schwieg. Auch Aratap sagte keinen Ton. Er hatte dem Wortwechsel mit einem gewissen Wohlwollen zugehört. Der Junge besaß einen scharfen Verstand.

»Wenn Aratap wirklich das mitbekommen hat, was er gehört zu haben vorgibt«, erklärte Biron dem verständnislos dreinblikkenden Rizzett, »dann mußte er auch wissen, daß er die gewünschte Auskunft nur von Jonti bekommen konnte. Es war doch klar, daß Aratap uns nur ausgequetscht hat, um uns durcheinanderzubringen, damit wir zu gegebener Zeit unüberlegt handelten. Bei Ihnen ist es ihm jedenfalls gelungen.«

»Eigentlich hatte ich damit gerechnet, daß Sie den Kopf verlieren würden«, warf Aratap mit sanfter Stimme ein.

»Ich hätte auf Sie geschossen«, erwiderte Biron grob. Dann wandte er sich wieder Rizzett zu: »Kapieren Sie denn nicht, daß der Autarch um keinen Preis am Leben bleiben sollte? Die Tyrannen sind Reptile. Für den dort war der Autarch nur noch als Informationsquelle wichtig, an eine Belohnung hat er von vornherein nicht im entferntesten gedacht. Aber er traute sich auch nicht, den Autarchen selbst um die Ecke zu bringen. Das haben Sie für ihn besorgt.«

»Ausgezeichnet«, lobte Aratap, »und meine Auskunft habe ich obendrein.« In der Ferne ertönten plötzlich Alarmsignale.

»Meinetwegen«, grollte Rizzett, »vielleicht habe ich ihm einen Gefallen getan, aber mir jedenfalls auch.«

»Nicht unbedingt«, belehrte ihn der Kommissar. »Die Analyse unseres jungen Freundes geht nämlich noch nicht tief genug. Sie haben soeben ein weiteres Verbrechen begangen. Solange Sie nur des Hochverrats gegen Tyrann angeklagt waren, handelte es sich politisch um eine ziemlich kitzlige Angelegenheit. Nun aber, nachdem Sie den Autarchen von Lingane ermordet haben, können Sie nach linganischem Gesetz angeklagt, verurteilt und hingerichtet werden. Tyrann bleibt dabei völlig aus dem Spiel. Das kommt uns sehr gelegen, denn –«

Stirnrunzelnd brach Aratap mitten im Satz ab. Der Alarm war an sein Ohr gedrungen. Verärgert über die Störung ging der Kommissar zur Tür und fragte den Soldaten, der davor Wache stand: »Was ist passiert?« Der Soldat salutierte vorschriftsmäßig. »Alarm, Exzellenz. Vorratsräume.«

»Feuer?«

»Bis jetzt ist noch nichts Näheres bekannt.«

Aratap machte auf dem Absatz kehrt und überfiel die anderen mit der Frage: »Wo ist Gillbret?«

Erst jetzt merkten sie, daß dieser das allgemeine Durcheinander dazu benutzt hatte, um unauffällig zu verschwinden.

Man fand ihn im Maschinenraum, zwischen den dort eingebauten Metallungetümen zusammengekauert. Alles Sträuben half ihm nichts, er wurde in die Kajüte des Kommissars zurückgeschleppt.

»Auf einem Schiff gibt es kein Entrinnen, Durchlaucht«, bemerkte Aratap kühl. »Auch der Alarm hat Ihnen nichts genützt. Die Aufregung, die er hervorruft, hält nur eine begrenzte Zeit an.«

»Ich glaube, wir können Schluß machen«, fuhr er, zu den anderen gewandt, fort. »Den von Ihnen gestohlenen Kreuzer, Farrill – mein Fahrzeug! –, haben wir an Bord. Er wird uns gute Dienste leisten, um die Rebellenwelt ausfindig zu machen. Wir begeben uns, sobald der Sprung berechnet worden ist, an die Stelle, die der leider allzu früh verstorbene Autarch bezeichnet hat. Damit steht uns ein Abenteuer bevor, das in unserer bequem gewordenen Zeit Seltenheitswert hat.«

Unwillkürlich mußte er an seinen Vater, den Welten erobernden Geschwaderführer, denken. Wie gut, daß er Andros weggeschickt hatte! Dieses Erlebnis wollte er mit keinem anderen teilen.

Gleich darauf wurde die Sitzung aufgehoben. Artemisia durfte ihren Vater begleiten. Rizzett und Biron wurden in entgegengesetzter Richtung abgeführt. Gillbret schlug laut schreiend um sich.

»Ich will nicht allein bleiben! Steckt mich nicht in Einzelhaft!«

Aratap seufzte. Der Großvater dieses Mannes war, wenn man den Geschichtsbüchern Glauben schenken durfte, ein hervorragender Herrscher gewesen. Ohne seinen Abscheu ganz verbergen zu können, befahl Aratap: »Stecken Sie einen der beiden anderen zu Seiner Durchlaucht in die Zelle.«

Es war Biron, dem dieses Los zufiel. Sie wechselten kein Wort miteinander, bis es auf dem Raumschiff ›Nacht‹ wurde, das heißt, als die Lichter zu einem schwachen Purpurrot verdämmerten. Diese Beleuchtung war gerade noch hell genug, daß die Wachen, die einander schichtweise ablösten, ihre Gefangenen auf dem Bildschirm im Auge behalten konnten, andererseits war für Biron und seine Gefährten jetzt wenigstens an Schlaf zu denken.

Jedoch Gillbret schlief nicht.

»Biron!« flüstere er. »Biron!«

»Was ist los? murmelte Biron schlaftrunken.

»Biron, ich hab's geschafft! Nun ist alles in Ordnung.«

»Versuchen Sie zu schlafen, Gil!«

Aber Gillbret ließ sich nicht beschwichtigen. »Ich hab's geschafft! Aratap mag gerissen sein, doch diesmal habe ich ihn überlistet. Ist das nicht amüsant? Machen Sie sich keine Sorgen mehr, Biron. Wirklich, Sie brauchen sich keine Gedanken zu machen. Ich habe alles geregelt.« In fieberhafter Aufregung rüttelte er den jungen Farrill wach.

»Was haben Sie eigentlich?« fragte Biron, sich die Augen reibend.

»Nichts. Gar nichts. Es ist alles in Ordnung. Ich hab's geschafft.« Gillbret lächelte wie ein kleiner Junge, der seinem Lehrer einen Streich gespielt hat.

»Was haben Sie geschafft?« Biron war aufgesprungen und

hatte den anderen bei den Schultern gepackt. »Los, antworten Sie mir!«

»Man hat mich im Maschinenraum gefunden«, sprudelte Gillbret hervor. »Sie dachten, ich wollte mich dort verstecken. Das stimmte aber gar nicht. Den Alarm für die Vorratsräume habe ich nur ausgelöst, um ein paar Minuten ungestört allein zu sein – ich brauchte ja nur wenige Minuten. Biron, ich habe die Hyperatommotoren gedrosselt.«

»Wie bitte?«

»Es war ganz leicht. Hat nur eine Minute gedauert. Die Tyrannen haben keine Ahnung davon. Sie werden's erst merken, wenn sie zum Sprung ansetzen, und dann ist's zu spät. Aller Heizstoff wird in einer Kettenreaktion zu Energie werden, und von dem Schiff, uns, Aratap und dem Wissen um die Rebellenwelt bleibt nur noch ein schmaler Kondensstreifen.«

Mit weit aufgerissenen Augen prallte Biron zurück. »Das haben Sie getan?«

»Ja.« Wankend schlug Gillbret die Hände vors Gesicht. »Wir alle werden dabei draufgehen, Biron. Ich habe keine Angst vor dem Sterben, aber ich kann nicht allein bleiben. Ich muß jemanden bei mir haben, und ich bin froh, daß Sie es sind. Es tut ja nicht weh. Ganz schnell wird alles vorüber sein. Es tut bestimmt nicht weh. Ganz bestimmt nicht!«

»Sie Narr! Sind Sie wahnsinnig?« brüllte Biron ihn an. »Aratap hätte höchstwahrscheinlich auch ohne diesen Blödsinn den kürzeren gezogen.«

Gillbret hörte ihm nicht zu. Er war viel zu sehr mit sich selbst beschäftigt.

Biron raste zur Tür. »Wache!« schrie er. »Wache!«

Waren es Stunden oder bloß Minuten, die er Zeit zum Handeln hatte?

# Hier?

Dröhnend kam der Soldat den Korridor entlang. »Ruhe! Zurücktreten!« Seine Stimme klang scharf und drohend.

Auge in Auge standen sie einander gegenüber. Die kleinen Kabinen im untersten Deck des Schiffes, die als Gefängniszellen dienten, hatten keine Türen. Sie waren durch ein Kraftfeld zugesperrt. Biron konnte es mit der Hand fühlen. Zunächst gab es ein bißchen nach, als ob man Gummi bis an die Grenze des Möglichen dehnte, doch gleich darauf wurde es unnachgiebig wie Stahl.

Biron prickelte es in den Händen. Er wußte sehr wohl, daß dieses Kraftfeld, das niemand durchdringen konnte, so durchlässig wie Luft sein würde, wenn es sich um den Energiestrahl einer neuronischen Peitsche handelte. Und der Wächter hatte eine Peitsche in der Hand.

»Ich muß sofort Kommissar Aratap sprechen«, verlangte Biron.

»Deshalb machen Sie solchen Lärm?« Der Wachtposten war nicht besonders guter Laune. Nachtwachen übernahm niemand gern. Außerdem hatte er gerade eine Pechsträhne beim Kartenspiel. »Morgen früh können Sie sich melden lassen.«

»Die Angelegenheit duldet keinen Aufschub.« Biron war der Verzweiflung nahe. »Es ist sehr wichtig.«

»Trotzdem müssen Sie warten. Treten Sie zurück, sonst bekommen Sie die Peitsche zu schmecken!«

Aber Biron ließ nicht locker. »Dieser Mann hier ist Gillbret von Henrici. Er ist krank. Wenn ein Henrici auf einem tyrannischen Schiff stirbt, bloß weil Sie mich nicht mit Ihren Vorgesetzten sprechen lassen haben, dürften Sie hinterher der Dumme sein.«

»Was fehlt ihm?«

»Das weiß ich nicht. Sputen Sie sich gefälligst! Oder sind Sie lebensmüde?«

Eine Verwünschung murmelnd, trottete der Wächter davon.

Biron starrte ihm nach, bis die Gestalt in dem Dämmerlicht nicht mehr zu erkennen war. Er spitzte die Ohren, ob sich vielleicht am Maschinengeräusch feststellen ließe, daß die Energiezusammenballung einen vorzeitigen Sprung verursachte, aber er konnte nichts Außergewöhnlcihes hören.

Er kehrte zu Gillbret zurück. Sanft hob er dessen Kopf in die Höhe, so daß er ihm in die Augen sehen konnte. Gillbret erkannte ihn nicht. Sein Gesicht war angstverzerrt.

»Wer sind Sie?«

»Ich bin es – Biron. Geht es Ihnen wieder besser?«

Es dauerte eine Weile, bis Gillbret begriff. Endlich kam etwas Leben in seine Züge: »Biron? Ach ja, Biron! Beginnt jetzt der Sprung? Das Sterben tut nicht weh, Biron!«

Biron ließ Gillbrets Kopf wieder sinken. Es hatte keinen Sinn, dem Mann zu grollen. Nach all dem, was Gillbret glaubte annehmen zu müssen, hatte er eine heroische Tat begangen, zumal er der seelischen Belastung nicht gewachsen war.

Aber warum ließ man ihn, Biron Farrill, hier vergeblich warten? Warum durfte er nicht mit Aratap sprechen? Warum holte man ihn nicht? In ohnmächtiger Wut hieb er mit der Faust gegen eine Wand. Wenn es nur eine Tür gäbe, er hätte schon damit fertig werden wollen!

Doch gegen dieses verflixte Kraftfeld war nichts zu machen. Wieder rief er gebieterisch nach dem Wächter.

Schritte erklangen. Blitzschnell huschte Biron zu der trügerischen Öffnung, durch die es kein Entrinnen gab.

Der Wachtposten tauchte wieder auf, diesmal von einem Offizier begleitet. »Zurücktreten!« schnauzte der Soldat Biron an. »Hände hoch!«

Biron gehorchte. Die neuronische Peitsche war zu gefährlich.

»Sie haben nicht Aratap mitgebracht«, beschwerte er sich. »Ich will den Kommissar sprechen.«

»Wenn Gillbret von Henrici krank ist«, ergriff der Offizier das Wort, »brauchen Sie nicht den Kommissar, sondern einen Arzt.«

Ein bläuliches Flimmern zeigte an, daß der Kontakt des Kraftfeldes unterbrochen sei. Der Offizier betrat die Zelle, wobei Biron an den Schulterstücken feststellen konnte, daß der Mann tatsächlich Mediziner war.

Er versperrte dem Arzt den Weg und sprudelte aufgeregt hervor: »Hören Sie zu, das Schiff darf keinen Sprung machen. Ich muß unter allen Umständen den Kommissar sprechen. Verstanden? Sie sind Offizier. Lassen Sie ihn sofort wecken.«

Der Arzt wollte Biron beiseite schieben, doch dieser versetzte ihm einen kräftigen Hieb auf den Arm. Der Doktor stieß einen

Schmerzensschrei aus, dann herrschte er den Soldaten an: »Wache, schaffen Sie mir den Mann vom Hals!«

Biron duckte sich geistesgegenwärtig, als sich der Wächter auf ihn stürzen wollte. Krachend fielen beide zu Boden. So gut es ging, tastete sich Biron bis zu der Hand vor, deren Gelenk er umklammern mußte, um die Peitsche unschädlich zu machen. Während er noch mit dem Wächter rang, schielte er zu dem Offizier hinüber, der auf den Alarmknopf zueilen wollte. Biron erhaschte ihn mit der freien Hand am Fußknöchel. Der Arzt trat wild um sich und machte dadurch den Soldaten kampfunfähig, der sich schon fast aus Birons Umklammerung befreit hatte.

Mit der Kraft der Verzweiflung brachte Biron den Offizier zu Fall, wodurch die Peitsche der Hand des Soldaten entglitt.

Biron warf sich darüber, rollte ein Stück von den beiden anderen weg und richtete sich dann blitzschnell auf. Die Peitsche schwang er drohend in der Hand.

»Keinen Ton!« keuchte er. »Wagt es nicht, euch zu mucksen! Werft alles weg, was ihr bei euch habt!«

Der Wächter erhob sich taumelnd. Seine Uniform war zerrissen. Haßerfüllt starrte er Biron an, zog einen kurzen, metallschweren Platikknüppel aus der Tasche und warf ihn Biron vor die Füße. Der Arzt war unbewaffnet.

Biron hob den Knüppel auf. »Es tut mir leid«, sagte er. »Ich kann Sie weder fesseln noch knebeln, außerdem habe ich keine Zeit.«

Zweimal blitzte die Peitsche kurz auf. Erst sackte der Soldat, dann der Doktor zusammen. Beide boten einen grotesken Anblick. Völlig starr lagen sie am Boden.

Nun wandte sich Biron Gillbret zu, der mit ausdruckslosen, leeren Augen die Szene verfolgt hatte.

»Verzeihen Sie mir, Gil, aber es geht nicht anders«, bat Biron bekümmert, dann blitzte die Peitsche ein drittes Mal auf.

Das Kraftfeld war noch immer außer Betrieb, so daß Biron ungehindert den Korridor betreten konnte. Er begegnete niemandem. Es war eben ›Nacht‹ auf dem Raumschiff.

Jetzt konnte er keine Zeit damit vergeuden, Arataps Kajüte ausfindig zu machen. Er mußte auf schnellstem Wege in den Maschinenraum. Ein Mann in einem Arbeitsanzug hastete an ihm vorbei.

»Wann findet der nächste Sprung statt?« rief ihm Biron nach.

»In ungefähr einer halben Stunde«, entgegnete der Maschinist, ohne sich umzudrehen.

»Zum Maschinenraum geht es doch geradeaus?«

»Und dann die Rampe hinauf.« Plötzlich blieb der Mann stehen. »Wer sind Sie eigentlich?«

Biron antwortete nicht. Zum viertenmal trat die Peitsche in Aktion. Noch eine halbe Stunde.

Als er die Rampe emporstürmte, hörte er Stimmengewirr. Hier brannten die Lampen weiß, nicht dunkelrot. Ein kurzes Zögern, dann schob er die Peitsche in die Tasche. Im Maschinenraum waren alle so beschäftigt, daß man ihn wohl kaum beachten würde.

Rasch trat er ein. Wie Zwerge huschten die Männer um die riesigen Energie-Konverter herum. Der Raum starrte von Meßgeräten, Hunderttausenden von Augen, die ihre Informationen an jeden weitergaben, der in ihnen zu lesen verstand. Ein Schiff dieser Größe, beinahe so groß wie ein Passagierschiff, unterschied sich erheblich von dem winzigen Kreuzer, den er gesteuert hatte. Dort hatten alle Maschinen automatisch funktioniert. Hier, wo es so viele gab, daß eine ganze Stadt mit Strom hätte versorgt werden können, bedurften sie der Überwachung.

Biron befand sich jetzt auf einer Galerie, die um den ganzen Maschinenraum herumführte. In einer Ecke war ein kleiner Verschlag, worin zwei Männer hockten, die mit fieberhafter Eile Rechenmaschinen bedienten.

Während Maschinisten achtlos an ihm vorbeiliefen, hastete Biron auf den Verschlag zu.

Die beiden Kalkulatoren blickten von ihren Tabellen auf.

»Wo fehlt's?« fragte der eine. »Sie haben hier nichts zu suchen, gehen Sie wieder an Ihre Arbeit!« Er trug die Rangabzeichen eines Leutnants.

»Hören Sie«, rief Biron, »die Hyperatommotoren sind gedrosselt worden. Sie müssen sofort repariert werden.«

»Moment mal«, rief der zweite Kalkulator, »den Mann kenne ich doch. Natürlich! Es ist einer der Gefangenen: Halte ihn hier fest, Lancy!« Er sprang auf und wollte den Verschlag verlassen, aber Biron war mit einem Satz über den Schreibtisch hinweg, packte den Kalkulator am Gürtel und zog ihn in den Raum zurück.

»Sie haben recht«, sagte er, »ich bin einer der Gefangenen. Mein Name ist Biron von Widemos. Aber, was ich Ihnen erzählt habe, stimmt. Die Hyperatommotoren sind gedrosselt. Lassen Sie sofort nachsehen, wenn Sie mir nicht glauben.«

Der Leutnant fand sich unversehens einer neuronischen Peitsche gegenüber. »Das ist unmöglich«, erklärte er Biron. »Ohne Anweisung des diensttuenden Offiziers oder des Kommissars ist da nichts zu machen. Wir würden ja alle Berechnungen für den Sprung über den Haufen werfen, was eine stundenlange Verzögerung mit sich brächte.«

»Dann benachrichtigen Sie sofort Ihren Vorgesetzten, oder noch besser, lassen Sie den Kommissar holen.«

»Darf ich den Meldeapparat benutzen?«

»Ja, aber ein bißchen dalli, bitte!«

Der Leutnant streckte den Arm nach dem Apparat aus. Im nächsten Moment donnerte seine Faust auf einige Schaltknöpfe an seinem Schreibtisch. Überall auf dem Schiff heulten Alarmsirenen auf.

Birons Knüppel kam zu spät. Krachend sauste er auf des Leutnants Handgelenk nieder, jedoch das Warnsignal war nicht mehr rückgängig zu machen.

Von allen Seiten stürmten bewaffnete Soldaten zur Galerie hinauf. Biron raste aus dem Verschlag, warf einen raschen Blick in beide Richtungen, dann sprang er über das Geländer.

Er landete auf den Knien und rollte sich, so schnell er konnte, über den Fußboden. Er durfte kein Ziel abgeben. Ein Geschoß zischte an seinem Ohr vorbei, doch da befand er sich schon in Deckung hinter einer der Maschinen.

Mühsam richtete er sich auf. In seinem rechten Bein spürte er einen stechenden Schmerz. Die Galerie war ziemlich hoch, und hier, so nahe an der Außenwand des Schiffes, machte sich die Schwerkraft sehr bemerkbar. Auch Birons Knie waren fürchterlich zerschunden. Eine weitere Hetzjagd konnte er sich also nicht mehr leisten. Er mußte versuchen, von seinem jetzigen Standpunkt aus Herr der Lage zu werden.

»Stellt das Feuer ein, ich bin unbewaffnet«, schrie er. Knüppel und Peitsche flogen mitten in den Maschinenraum.

»Ich will euch ja nur warnen«, rief Biron aus Leibeskräften, um den Maschinenlärm zu übertönen. »Die Hyperatommotoren sind gedrosselt. Ein Sprung bedeutet für uns alle den Tod. Ich bitte euch nur, die Motoren zu überprüfen. Sollte ich mich irren, dann verzögert sich der Sprung um ein paar Stunden. Wenn das, was ich euch sage, aber stimmt, ist unser aller Leben gerettet.«

Irgendwo rief jemand: »Schnappt den Burschen!«

»Wollt ihr lieber euer Leben riskieren als meinen Rat befolgen?« Birons Stimme überschlug sich beinahe.

Er hörte das Getrappel vieler Füße und wich zurück. Dann glitt ein Soldat am Maschinenkörper wie auf einer Rutschbahn entlang – direkt auf ihn zu. Biron hielt den Atem an. Noch konnte er sich mit den Händen verteidigen ... Da ertönte plötzlich eine unnatürlich laute Stimme, die den Raum bis in den letzten Winkel durchdrang: »Alle sofort auf die Plätze zurück! Der Sprung wird verschoben. Hyperatommotoren sofort kontrollieren!«

Es war Aratap. Er sprach über den Schiffslautsprecher. Gleich darauf kam ein Befehl: »Der junge Mann wird zu mir gebracht!«

Biron ließ sich von vier Soldaten in die Mitte nehmen. Er versuchte fest aufzutreten, brachte aber nur ein klägliches Hinken zustande.

Aratap war nur halb angezogen. Sein Blick war ganz anders als sonst: verschwommen, blinzelnd, unsicher. Zum erstenmal fiel es Biron auf, daß der Kommissar Haftgläser trug.

»Sie haben ein ganz hübsches Durcheinander angerichtet, Farrill«, begrüßte ihn Aratap.

»Das war notwendig, um das Schiff zu retten. Bitte schaffen Sie mir die Soldaten vom Hals. Solange die Maschinen geprüft werden, habe ich bestimmt nicht die Absicht, mich von der Stelle zu rühren.«

»Diese Leute bleiben hier, bis ich Nachricht aus dem Maschinenraum habe.«

Schweigend warteten sie auf das Signal, während die Minuten viel zu langsam verrannen. Endlich leuchtete der Glasknopf mit der Aufschrift ›Maschinenraum‹ rot auf.

Aratap drückte auf den Kontakthebel. »Berichten Sie!«

Die Antwort kam schnell und präzis: »Hyperatommotoren der Reihe C vollkommen gedrosselt. Reparaturen bereits begonnen.«

»Lassen Sie den Sprung mit sechs Stunden Aufschub neu berechnen!« beendete Aratap das Gespräch.

»Sie hatten recht«, wandte er sich kühl an Biron.

Auf seinen Wink hin salutierten die Soldaten, machten auf dem Absatz kehrt und verließen im Gänsemarsch die Kajüte.

»Details, bitte«, forderte Aratap Biron auf.

»Während seines Aufenthalts im Maschinenraum kam Gillbret von Henrici der Gedanke, die Hyperatommotoren zu drosseln. Er hielt das für eine gute Idee. Der Mann ist für sein Handeln nicht verantwortlich und sollte unter keinen Umständen bestraft werden.«

Aratap nickte. »Seit Jahren schon steht er in dem Ruf, nicht für das verantwortlich gemacht werden zu können, was er tut. Dieser Teil der Ereignisse bleibt also unter uns beiden. Meine Neugier und mein Interesse gelten auch viel mehr den Gründen, die Sie veranlaßt haben, die Zerstörung des Schiffes zu verhindern. Wie ich Sie kenne, scheuen Sie doch nicht davor zurück, für eine gute Sache zu sterben?«

»Eine solche Sache gibt es aber nicht«, erklärte ihm Biron. »Eine Rebellenwelt existiert nicht. Das habe ich Ihnen bereits gesagt und möchte es in aller Form wiederholen. Lingane war das Zentrum des Widerstandes, wie sich inzwischen herausgestellt hat. Ich wollte den Mörder meines Vaters zur Verantwortung ziehen, Artemisia von Henrici hatte keine Lust, sich zu einer Ehe zwingen zu lassen, die ihr zuwider war. Na, und Gillbret ist eben übergeschnappt.«

»Der Autarch glaubte aber an das Vorhandensein jenes geheimnisvollen Planeten. Schließlich müssen seine Koordinaten doch etwas zu bedeuten haben.«

»Sein Glaube gründete sich auf den Traum eines Verrückten. Gillbret will vor zwanzig Jahren in dieser sagenhaften Rebellenwelt gewesen sein. Auf dieser Grundlage berechnete der Autarch die Positionen von fünf Planeten, die seiner Meinung nach als Sitz der Phantasie-Rebellenwelt in Frage kamen. Das Ganze ist völliger Blödsinn.«

»Dennoch macht mich etwas stutzig.«

»Und das wäre?«

»Sie geben sich allzu große Mühe, mich zu überzeugen. Auf jeden Fall werden wir den Sprung machen. Ich verlasse mich gern auf mein eigenes Urteil. Immerhin ist es nicht ausgeschlossen, daß einer von Ihnen in seiner Verzweiflung das Schiff gefährdet und der andere es rettet. Das wäre zwar eine komplizierte, aber nicht unwirksame Methode, mich davon abzuhalten, weiter nach der Rebellenwelt zu forschen. Ich müßte mir doch eigentlich sagen: Wenn es wirklich eine solche Welt gäbe, dann würde der junge Farrill das Schiff in die Luft gehen lassen, er ist jung und romantisch genug, den sogenannten Heldentod zu sterben. Da er aber sein Leben aufs Spiel gesetzt hat, um das Schiff zu retten, ist Gillbret wirklich verrückt, es gibt keine Rebellenwelt, und ich kann getrost umkehren, ohne weiter zu suchen. Können Sie mir folgen?«

»Durchaus. Ich verstehe Sie sehr gut.«

»Als unser Lebensretter würden Sie am Hofe des Khans mit Wohlwollen aufgenommen werden. Sie hätten also sich selbst und Ihrer Sache einen Dienst erwiesen. Nein, mein lieber Junge, so leichten Kaufes kommen Sie bei mir nicht davon! Wie gesagt, der Sprung findet statt.«

»Ich habe nicht das geringste dagegen.«

»Sie haben sich ausgezeichnet in der Gewalt. Schade, daß Sie kein gebürtiger Tyrann sind.«

Diese Bemerkung sollte ein Kompliment sein. »Leider muß ich Sie jetzt in Ihre Zelle zurückbringen – eine reine Vorsichtsmaßnahme«, beendete Aratap die Unterredung.

Biron nickte zustimmend.

Der Wächter, den Biron außer Gefecht gesetzt hatte, war nicht mehr da. Der Arzt jedoch beugte sich besorgt über den noch immer bewußtlosen Gillbret.

»Ist er noch nicht wieder zu sich gekommen?« fragte Aratap.

Der Arzt nahm sofort Haltung an und berichtete: »Die Auswirkungen der Peitsche haben nachgelassen, Herr Kommissar, aber der Mann ist nicht mehr jung und scheint einer großen seelischen Belastung ausgesetzt gewesen zu sein. Ich glaube kaum, daß er durchkommt.«

Biron stockte der Herzschlag. Ungeachtet der heftigen Schmerzen kniete er neben Gillbret nieder und berührte sanft dessen Schulter.

»Gil«, flüstere er. Angstvoll betrachtete er das weiße, schweißbedeckte Gesicht.

»Weg hier, Sie sind mir im Wege!« knurrte der Arzt Biron an. Er zog ein schwarzes Etui aus der inneren Rocktasche.

»Ein Glück, daß Sie mir meine Spritzen nicht zerdroschen haben«, brummte er. Wieder beugte er sich über Gillbret. Die Nadel drang in die Vene, und die farblose Flüssigkeit verschwand langsam aus der Ampulle.

Gillbrets Lider begannen zu flattern. Dann schlug er die Augen auf. Blicklos starrte er eine Weile ins Leere. Als er endlich zu sprechen begann, brachte er nur ein Flüstern zustande. »Ich kann nichts sehen, Biron. Ich kann nichts sehen.«

»Schon gut, Gil«, tröstete ihn Biron. »Bleiben Sie ruhig liegen.«

»Ich will aber aufstehen!« Vergeblich versuchte Gillbret sich hochzurichten. »Biron, wann ist der Sprung?«

»Sehr bald.«

»Bleib hier! Ich will nicht allein sterben.« Schwach umklammerten seine Finger Birons Hand. Allmählich hörte der Druck ganz auf. Gillbrets Kopf sank zurück.

Der Arzt untersuchte ihn kurz, dann richtete er sich mit den Worten auf: »Zu spät! Er ist tot.«

Birons Augen füllten sich mit Tränen. »Verzeih, Gil«, murmelte er unhörbar, »du konntest es ja nicht ahnen.«

Die nächsten Stunden waren für Biron nahezu unerträglich. Aratap hatte ihn an Gillbrets Beisetzung nicht teilhaben lassen. Er wußte nur, daß Gillbrets Körper irgendwo auf dem Schiff in einen Atomofen geschoben und von dort in den Weltraum geblasen wurde, wo sich seine Atome auf ewig mit den winzigen Partikeln der interstellaren Materie vermischen konnten.

Artemisia und Henrik würden dabei sein. Ob sie ihn verstünden? Würde Arta begreifen, daß seine Tat unvermeidlich gewesen war?

Der Arzt hatte ihm ein Mittel injiziert, das die Heilung der Sehnenrisse beschleunigen sollte. Der Schmerz in den Knien hatte auch schon merklich nachgelassen. Doch was bedeutete schon physischer Schmerz! Den konnte man einfach ignorieren.

Er spürte genau, wie das Schiff zum Sprung ansetzte. Danach kam die schlimmste Zeit.

Bis dahin war er von der Richtigkeit seiner Analyse völlig überzeugt gewesen. Es *mußte* einfach so sein! Doch nun überfielen ihn Zweifel. Wenn sie nun wirklich ins Zentrum der Rebellenwelt vorstießen? In kürzester Zeit wäre Tyrann benachrichtigt, und eine riesige Flotte würde auslaufen. Dann müßte er sich noch in seiner Todesstunde den Vorwurf machen, daß es in seiner Hand gelegen hätte, diese Welt zu retten, während er sein Leben riskiert hatte, nur um sie zu zerstören.

In diesem schwärzesten Augenblick fiel ihm auch wieder das Dokument ein. Diese Aktion war ihm ebenfalls mißlungen.

Wie merkwürdig, daß der Gedanke an das Dokument von Zeit zu Zeit auftauchte und dann wieder in Vergessenheit geriet. Auf einmal war diese verrückte, intensive Suche nach der Rebellenwelt entstanden und hatte das geheimnisvoll verschwundene Dokument ganz in den Hintergrund gedrängt.

Hatten sich die Akzente verschoben?

Seltsam war es auch, daß Aratap mit einem einzigen Schiff bis zur Rebellenwelt vorstoßen wollte. Woher nahm er diesen Wagemut? Der Autarch hatte behauptet, das Dokument sei schon vor Jahren verschwunden. Wer hatte es nun?

Vielleicht die Tyrannen. Der Besitz dieses Geheimnisses mochte es ihnen erlauben, mit einem einzigen Schiff eine ganze Welt zu vernichten.

Eine endlos lange Zeit verging, ehe Aratap die Zelle betrat. Biron erhob sich.

»Wir haben den bewußten Stern erreicht«, verkündete ihm Aratap. »Die Koordinaten des Autarchen haben gestimmt.«

»Und?«

»Es lohnt sich nicht, nach Planeten Ausschau zu halten. Meine Astrogatoren haben mir berichtet, daß dieser Stern seit knapp einer Million Jahren erloschen ist. Wenn er also Planeten gehabt haben sollte, existieren sie schon längst nicht mehr.«

»Dann . . .«, stammelte Biron.

»Sie haben also recht behalten. Es gibt keine Rebellenwelt.«

## Da!

Bei aller Gelassenheit konnte Aratap sich nicht eines leisen Bedauerns darüber erwehren, daß sich die Rebellenwelt als eine Fata Morgana erwiesen hatte. Während der letzten Wochen hatte er sich ganz in die Rolle seines Vaters eingelebt. Auch er, Aratap, war Geschwaderchef gewesen und gegen die Feinde des Khans gezogen.

Aber er lebte eben in einer degenerierten Zeit, in der es keine Rebellenwelten mehr gab. Die Feinde des Khans waren ausgetilgt. Neue Welten waren nicht mehr zu gewinnen. Ihm blieb nichts anderes übrig, als weiterhin Kommissar zu sein, kleine unbedeutende Streitereien zu schlichten. Das war alles.

Jedoch Bedauern half nichts. Es war unnötiger Gefühlsaufwand.

»Sie haben, wie gesagt, recht behalten. Es gibt keine Rebellenwelt«, nahm Aratap das Gespräch wieder auf.

Er setzte sich und forderte auch Biron mit einer Handbewegung auf, Platz zu nehmen. »Ich möchte mit Ihnen reden.«

Es war knapp einen Monat her, seit er den Jungen zum erstenmal gesehen hatte, wunderte sich Aratap im stillen. Biron war älter geworden, weit mehr als einen Monat! Er schien keine Furcht mehr zu haben. Aratap stellte auch bei sich Anzeichen von Dekadenz fest. Jetzt begannen einige Tyrannen schon, er selbst nicht ausgenommen, eine gewisse Zuneigung gegen Angehörige der Satellitenwelten zu entwickeln.

»Ich gedenke, den Direktor und seine Tochter noch heute nach Rhodia zurückzuschicken«, sagte er bedächtig. »Politische Erwägungen lassen diesen Schritt als notwendig erscheinen. Wären Sie bereit, die beiden auf der ›Unverzagt‹ heimzubringen?«

»Soll das heißen, daß Sie mich freilassen?«

»Ja.«

»Warum?«

»Sie haben mein Schiff und mein Leben gerettet.«

»Ich glaube kaum, daß persönliche Dankbarkeit für Ihre Handlungsweise ausschlaggebend sein dürfte.«

Aratap hätte beinahe laut gelacht. Der junge Bengel gefiel ihm immer besser. »Dann will ich Ihnen einen anderen Grund nennen. Solange ich eine gewaltige Verschwörung gegen den

Khan aufzudecken hoffte, waren Sie gefährlich. Sowie sich diese Verschwörung als null und nichtig erwies und es sich herausstellte, daß es sich nur um eine linganische Intrige handelte, deren führender Kopf nicht mehr existiert, bilden Sie keine Gefahr mehr. Im Gegenteil, jetzt wäre es gefährlich, Sie oder die linganischen Gefangenen zu Märtyrern zu stempeln.

Die Verhandlungen fänden vor linganischen Gerichtshöfen statt, was bedeutet, daß wir sie nicht unter absoluter Kontrolle hätten. Unvermeidlich käme dabei die sogenannte Rebellenwelt zur Sprache, und obgleich es keine gibt, wäre sie bald in aller Leute Munde. Damit lieferten wir aber nur den von uns beherrschten Welten Zündstoff für künftige Revolten. Mit anderen Worten: Das Tyrannenreich wäre für die nächsten Jahrzehnte vor einer Rebellion nie sicher.«

»Sie wollen uns alle auf freien Fuß setzen?«

»Mit gewissen Einschränkungen, da keiner von Ihnen wirklich vertrauenswürdig ist. Mit Lingane wissen wir auf jeden Fall fertigzuwerden. Der nächste Autarch wird etwas festere Bindungen an den Khan eingehen müssen als sein Vorgänger. Lingane kann nicht mehr den Status eines Alliierten einnehmen. Auch auf das linganische Gerichtswesen werden wir ein besseres Augenmerk haben als bisher. Die derzeitigen Hauptverschwörer schicken wir ins Exil, und zwar auf Planeten, die etwas näher bei Tyrann liegen als Lingane. Dort können sie kaum nennenswerten Schaden anrichten. Sie zum Beispiel dürfen nicht nach Nephelos zurückkehren, und den Gedanken an Ihre Baronie schlagen Sie sich besser gleich aus dem Kopf. Sie bleiben auf Rhodia, Oberst Rizzett ebenfalls.«

»Einverstanden«, erwiderte Biron. »Was wird aber aus Artemisia von Henricis Heirat?«

»Haben Sie etwas dagegen?«

»Es ist Ihnen vielleicht nicht entgangen, daß sie und ich einander zu heiraten beabsichtigten. Sie haben damals gesagt, es gäbe eine Möglichkeit, die tyrannischen Pläne zu annullieren.«

»Bei jener Gelegenheit handelte es sich um eine Art Tauschgeschäft. Außerdem gibt es ein Sprichwort, wonach die Versprechen von Liebhabern und Diplomaten nicht allzu ernst zu nehmen sind.«

»Es gibt aber einen Weg, Herr Kommissar! Man braucht nur dem Khan begreiflich zu machen, daß ein einflußreicher Höfling, der in die königliche Familie eines eroberten Planeten einheiratet, eines Tages den Ehrgeiz entwickeln könnte, von dort aus eine Revolte anzuzetteln. Ein Tyrann mit großen Rosinen im Kopf kann ebenso gefährlich werden wie ein linganischer Abenteurer.«

Diesmal gab sich Aratap keine Mühe, sein Lachen zu verbergen. »Sie argumentieren, als hätten Sie's von uns gelernt. Aber Ihr Plan ist leider undurchführbar. Darf ich mir erlauben, Ihnen einen Rat zu geben?«

»Bitte!«

»Heiraten Sie das Mädel so schnell wie möglich. An einer vollendeten Tatsache läßt sich schwerlich etwas ändern. Es wird sich schon eine andere Frau für Pohang finden lassen.«

Nach kurzem Zögern streckte Biron dem Kommissar die Hand hin. »Vielen Dank, Exzellenz!«

Aratap ergriff die dargebotene Hand und schüttelte sie kräftig. »Mir ist Pohang ohnehin nicht sonderlich sympathisch. Eines möchte ich Ihnen allerdings noch mit auf den Weg geben: Lassen Sie sich nicht selbst zu ehrgeizigen Träumen hinreißen. Obwohl Sie die Tochter des Direktors mit meinem Segen heiraten mögen, der Nachfolger des Direktors werden Sie nicht. Sie sind nicht unser Typ.«

Aratap beobachtete das Entschwinden der ›Unverzagt‹ auf dem Bildschirm. Er war mit sich zufrieden. Der Junge war jedenfalls frei. Eine entsprechende Nachricht über den subätherischen Funk war bereits nach Tyrann unterwegs. Major Andros würde zweifellos einem Schlaganfall nahe sein. Außerdem gab es bestimmt nicht wenige am tyrannischen Hof, die seine, Arataps, Abberufung als Hochkommissar forderten. Wenn es gar nicht anders ginge, würde er eben nach Tyrann reisen und um eine Sonderaudienz beim Khan nachsuchen müssen. Danach sähe der König aller Könige bestimmt ein, daß eine andere Lösung gar nicht möglich gewesen wäre. Mit den Hofintriganten wollte Aratap schon fertigwerden.

Auf der ›Unverzagt‹ hockte Rizzett vor dem Bildschirm und sah dem entschwindenden Flaggschiff nach. »Hätte nie gedacht, daß er uns freilassen würde«, sagte er zu Biron. »Wenn alle Tyrannen wären wie er, dann würde ich mir's vielleicht sogar überlegen, in ihrer Flotte zu dienen. Irgendwie regt mich das Ganze auf. Man hat doch so seine Vorstellungen von den Tyrannen, und dieser Aratap paßt einfach nicht in das Bild hinein. Glauben Sie, daß er mithören kann, was wir reden?«

Biron schwenkte den Pilotensitz herum und sah Rizzett an. »Nein. Keinesfalls. Er kann uns zwar durch den Hyperraum folgen, wie sich gezeigt hat, aber einen Abhörstrahl für diese Entfernung gibt es noch nicht. Erinnern Sie sich doch: Als er uns erwischt hatte, wußte er nur, was er schon auf dem vierten Planeten wußte.«

Artemisia betrat den Pilotenraum und legte den Finger an die Lippen. »Nicht so laut«, bat sie. »Ich glaube, Henrik schläft jetzt. Nun dauert es doch nicht mehr lange, bis wir in Rhodia sind, nicht wahr, Biron?«

»Nur ein Sprung, und wir haben es geschafft, Arta. Aratap hat alles für uns berechnen lassen.«

Rizzett verschwand unter dem Vorwand, sich die Hände waschen zu wollen.

Sowie er die Tür hinter sich zugemacht hatte, lagen sich die beiden in den Armen. »Ich liebe dich sehr«, sagte sie.

Und er erwiderte: »Ich kann es einfach nicht in Worte fassen, wie sehr ich dich liebe.« Der Rest der Unterhaltung war ebensowenig originell, aber beglückend.

Nach einer Weile fragte Biron: »Wird er uns vor der Landung noch trauen?«

Artemisia zog ein wenig die Stirn kraus. »Ich habe ihm begreiflich zu machen versucht, daß er Direktor und Kapitän dieses Schiffes sei und daß die Tyrannen ihm nichts dreinzureden hätten, ich weiß aber nicht, ob er mir überhaupt zugehört hat. Er ist ganz durcheinander. Völlig verändert, Biron. Wenn er sich ein bißchen ausgeruht hat, versuche ich's noch mal.«

Biron lachte leise. »Mach dir keine Sorgen. Er wird schon seine Zustimmung geben.«

Rizzett kündigte seine Wiederkehr durch einen entsprechend energischen Schritt an. »Hätten wir bloß noch den Anhänger! In diesem Käfig wagt man ja kaum zu atmen.«

»In ein paar Stunden sind wir in Rhodia.«

»Ich weiß«, grollte Rizzett. »Und dort bleiben wir bis an unser Lebensende. Ich will mich nicht beklagen, immerhin kann ich froh sein, daß ich noch am Leben bin. Aber alles in allem ist es doch ein sinnloses Ende.«

»Wer spricht von einem Ende?« fragte Biron ruhig.

Rizzett hob erstaunt den Kopf. »Meinen Sie, daß wir noch einmal von vorn beginnen sollten? Das dürfte unmöglich sein. Jedenfalls für mich, für Sie vielleicht nicht. Ich bin schon zu alt, um diesen Mut abermals aufzubringen. Lingane wird jetzt gleichgeschaltet. Ich werde es nie wiedersehen. Das bekümmert mich wohl am meisten. Ich bin nun einmal dort geboren und habe den größten Teil meines Lebens auf diesem Planeten verbracht. Anderswo werde ich mich kaum noch eingewöhnen können. Sie sind noch jung, Sie werden Nephelos bald vergessen haben.«

»Das Leben hat mehr zu bieten als einen Heimatplaneten, Tedor. Es war unser Unglück in den vergangenen Jahrhunderten, daß wir diese Tatsache außer acht gelassen haben. *Alle* Planeten sollten unsere Heimat sein!«

»Sie mögen recht haben. Hätte es eine Rebellenwelt gegeben, dann könnte ich mich vielleicht für diesen Gedanken begeistern.«

»Es *gibt* eine Rebellenwelt, Tedor!«

»Lassen Sie das, Biron, ich bin im Moment zu solchen Scherzen nicht aufgelegt«, erwiderte Rizzett scharf.

»Einen so geschmacklosen Scherz brauchen Sie mir nicht zuzutrauen. Es gibt diese Welt, und ich weiß auch, wo sie liegt. Leider bin ich nicht schon vor Wochen auf den Gedanken gekommen, obwohl die Schlußfolgerung ziemlich nahelag. Erst nach dem Boxkampf mit Jonti auf dem vierten Planeten ist mir alles blitzartig klargeworden. Erinnern Sie sich seiner Worte, als er behauptete, wir würden ohne ihn den fünften Planeten niemals finden?«

»Genau weiß ich es nicht mehr, was er faselte.«

»Aber ich. Er sagte: ›Auf jeden Stern entfallen durchschnittlich siebzig Kubiklichtjahre. Wenn Sie ohne mich experimentieren, besteht die Möglichkeit von eins zu zweihundertfünfzig Trillionen, daß Sie innerhalb eines Umkreises von einer Milliarde Kilometern in die Reichweite jedes beliebigen Sternes geraten.‹ Jedes beliebigen Sternes! Da hat's bei mir gefunkt.«

»Bei mir funkt es nicht«, bemerkte Rizzett trocken.

Auch Artemisia blickte Biron fragend an. »Ich habe bis jetzt noch kein Wort von alledem verstanden.«

»Merkt ihr denn nicht, daß Gillbret sich hat irreführen lassen? Denkt doch nur an seine Geschichte. Der Meteor kam, änderte die Schiffsroute, und nachdem alle vorkalkulierten Sprünge stattgefunden hatten, befand sich der Kasten innerhalb eines Sonnensystems. Ein Zufall ist dabei mehr als unwahrscheinlich.«

»Also waren es Hirngespinste eines Verrückten, und eine Rebellenwelt existiert nicht.«

»Es gibt auch noch eine andere Lösung, die durchaus denkbar ist. In der Tat ist eine ganze Reihe von Umständen möglich, die eine Landung innerhalb eines Sternensystems unvermeidlich machten.«

»Heraus mit der Sprache!«

»Ihr erinnert euch der Argumente des Autarchen: Die Maschinen des Schiffes wurden nicht beschädigt, dadurch ist die Länge der Sprünge nicht beeinträchtigt worden. Nur die Richtung war eine andere, so daß einer der fünf Sterne tief im Nebelgebiet angeflogen wurde. Die Unrichtigkeit dieser Schlußfolgerung hätte uns eigentlich gleich auffallen müssen.«

»Und die Alternative?«

»Weder die Sprünge noch die Richtung wurden verändert. Die Ansicht des Autarchen beruhte auf einer Hypothese. Wenn nun aber das Schiff einfach seinen ursprünglichen Kurs beibehalten hätte? Es hatte ein bestimmtes Sonnensystem zum Ziel, und das wurde auch erreicht. Aus.«

»Aber dieses Sonnensystem wäre doch . . .«

». . . Rhodia gewesen. Sehr richtig. Also flog das Schiff nach Rhodia. Ist das zu einfach, um einleuchtend zu sein?«

»Dann wäre ja die Rebellenwelt bei uns daheim! Das ist unmöglich«, rief Artemisia.

»Warum unmöglich? Sie befindet sich bestimmt irgendwo im rhodianischen System. Es gibt zwei Möglichkeiten, etwas zu verbergen. Entweder wählt man einen ganz außer Reichweite liegenden Ort, wie zum Beispiel den Pferdekopfnebel, oder man versteckt das, was die anderen nicht finden sollen, direkt vor deren Nase.

Was hat sich denn zugetragen, nachdem Gillbret gelandet war? Er wurde lebendig nach Rhodia zurückverschifft. Nach seiner Theorie geschah das, damit die Tyrannen keine große Suchaktion nach dem Schiff starteten. Aber warum ließ man ihn am Leben? Wäre das Schiff mit Gillbrets Leiche an Bord zurückgekehrt, der Zweck wäre genauso erfüllt gewesen. Außerdem hätte dann nicht die Gefahr bestanden, daß Gillbret den Mund nicht hätte halten können. Auch diese Tatsache läßt sich nur so erklären, daß die Rebellenwelt zum rhodianischen System gehören muß. Gillbret war ein Henrici, und wo hätte man mehr Respekt vor dem Leben eines Henrici als auf Rhodia?«

»Wenn das, was du behauptest, Biron, wahr wäre, dann befände sich Vater ja in einer schrecklichen Gefahr.«

»Das ist schon seit zwanzig Jahren der Fall«, entgegnete Biron, »allerdings etwas anders, als du denkst. Gillbret hat mir einmal erzählt, wie schwierig es sei, den Dummkopf und Versager zu mimen, daß man diese Rolle auch Freunden gegenüber und sogar, wenn man allein sei, durchhalten müsse. Bei ihm, dem armen Kerl, war das natürlich mehr oder weniger Selbstbetrug. Er hat seine Rolle gar nicht spielen können. Wie oft ist er dir gegenüber aus der Rolle gefallen, Arta, vom Autarchen ganz zu schweigen. Selbst mich zog er nach verhältnismäßig kurzer Bekanntschaft ins Vertrauen. Trotzdem halte ich es für möglich, daß man eine solche Rolle überzeugend spielen kann, wenn dazu ein ausreichender Grund vorliegt. In dem Fall ist es sogar denkbar, daß ein Mann seine nächsten Angehörigen, sagen wir, seine Tochter, täuschen könnte – daß er einer widerwärtigen Heirat zustimmte, um sein Lebenswerk nicht zu gefährden, wofür er das uneingeschränkte Vertrauen der Tyrannen braucht –, daß er in Kauf nähme, für einen trottelhaften Schwächling zu gelten –«

»Du willst doch damit nicht etwa sagen . . .«

»Eine andere Erklärung gibt es nicht, Arta. Seit mehr als zwanzig Jahren ist er Direktor. Während dieser Zeit ist Rhodia ständig territorial verstärkt worden, weil die Tyrannen Rhodias sicher zu sein glaubten. Seit zwanzig Jahren hat er, ohne den geringsten Verdacht der Tyrannen zu erregen, den Widerstand organisiert.«

»Das ist eine genauso gefährliche Hypothese, Biron, wie die andere, der wir nachgejagt sind«, gab Rizzett zu bedenken.

»Es ist keine Hypothese«, widersprach ihm Biron. »Während

jener letzten Auseinandersetzung habe ich Jonti an den Kopf geworfen, daß er und nicht der Direktor der Verräter gewesen sein müsse, weil mein Vater niemals so töricht gewesen wäre, dem Direktor etwas so Bedeutungsvolles anzuvertrauen. Es verhielt sich aber ganz anders – und das wußte ich damals schon –, nämlich so, daß mein Vater tatsächlich offen mit dem Direktor gesprochen hat. Gillbret hat aus diesem Gespräch erfahren, daß Jonti eine Verschwörung anzetteln wollte.

Jedes Ding hat bekanntlich zwei Seiten. Wir glaubten, mein Vater habe für Jonti gearbeitet und sei bestrebt gewesen, den Direktor für die Pläne des Autarchen zu gewinnen. Ist es nicht ebenso möglich, ja, sogar noch viel wahrscheinlicher, daß er mit dem Direktor zusammenarbeitete und daß seine Aufgabe darin bestand, innerhalb Jontis Organisation dafür zu sorgen, daß ein vorzeitiger Aufstand auf Lingane nicht die ganze Rebellenwelt und damit zwei Jahrzehnte sorgfältigster Planung und Vorbereitung vernichtete?

Warum, glaubt ihr wohl, habe ich alles daran gesetzt, Arataps Schiff zu retten, als Gillbret die Motoren gedrosselt hatte? Nicht meinetwegen. Damals war noch nicht daran zu denken, daß Aratap mich freilassen würde. Nicht einmal so sehr deinetwegen Arta. Der Direktor sollte am Leben bleiben. Er war der wichtigste von uns allen. Der arme Gillbret hat das nicht begriffen.«

»Es tut mir leid«, erklärte Rizzett kopfschüttelnd, »ich kann das einfach nicht glauben.«

»Es stimmt aber«, erklang es von der Tür her, in deren Rahmen plötzlich der Direktor stand. Es war der allen dreien bekannte, hochgewachsene Mann mit den traurigen Augen. Aber seine Stimme war eine ganz andere: klar und selbstsicher.

Artemisia eilte auf ihn zu. »Vater, Biron behauptet . . .«

»Ich habe gehört, was Biron gesagt hat.« Sanft strich er ihr übers Haar. »Es stimmt genau. Ich hätte sogar deine Heirat zugelassen.«

Völlig verwirrt trat Artemisia einen Schritt zurück. »Du bist so verändert, gar nicht als ob . . .«

». . . ich dein Vater wäre«, ergänzte er bekümmert. »Es wird auch nicht lange so bleiben, Arta. Sobald wir in Rhodia sind, werde ich wieder so sein, wie du mich kennst. Damit wirst du dich abfinden müssen.«

Rizzett starrte den Direktor mit aufgerissenen Augen an. Sein rosiges Gesicht war aschgrau geworden, beinahe so grau wie sein Haar. Biron wagte kaum zu atmen.

»Kommen Sie her, Biron«, forderte Henrik ihn auf.

Der Direktor legte dem jungen Widemos die Hand auf die Schulter: »Vor nicht allzulanger Zeit war ich bereit, Ihr Leben zu opfern, Biron. Dieser Fall könnte sich wiederholen. Bis zu einem bestimmten Tag kann ich keinen von euch schützen. Ich muß der bleiben, als der ich immer gegolten habe. Könnt ihr das verstehen?«

Alle drei nickten.

»Unglücklicherweise ist uns großer Schaden zugefügt worden«, fuhr Henrik fort. »Vor zwanzig Jahren war ich meiner Aufgabe noch nicht so gewachsen wie jetzt. Ich hätte Gillbret töten lassen sollen, brachte es aber nicht übers Herz. Deshalb ist jetzt bekannt geworden, daß es eine Rebellenwelt gibt und daß ich an ihrer Spitze stehe.«

»Das wissen doch nur wir drei«, meinte Biron.

Henrik lächelte bitter. »Das denken Sie, weil Sie noch jung sind. Halten Sie Aratap für weniger intelligent, als Sie es sind? Die Schlußfolgerungen, die Sie gezogen haben, gründen sich auf Tatsachen, die ihm ebenso bekannt sind wie Ihnen. Und er kann genauso logisch denken wie Sie. Er ist nur älter und vorsichtiger, außerdem trägt er eine große Verantwortung. Darum will er seiner Sache absolut sicher sein.«

Biron war blaß geworden. »Dann muß ich Rhodia also verlassen?«

»Nein. Das wäre viel zu auffällig. Sie bleiben bei mir. Dadurch erhöhen wir die Ungewißheit der anderen. Meine Pläne sind fast fertig. Vielleicht können wir in einem Jahr oder sogar noch früher losschlagen.«

»Verzeihen Sie, Exzellenz, aber da ist noch ein Punkt, der Ihnen nicht bekannt sein dürfte. Ich meine jenes Dokument ...«

»Wonach Ihr Vater Sie forschen ließ?«

»Ja.«

»Ihr Vater, mein lieber Junge, war nicht in alles eingeweiht. Das war aus Sicherheitsgründen nicht möglich. So kam es, daß er in meiner Bibliothek einen Hinweis auf das Dokument entdeckte. Es gereicht ihm zur Ehre, daß er sofort dessen außerordentliche Bedeutung erkannte. Hätte er mich gefragt, so hätte ich ihm sagen können, daß es sich nicht auf der Erde befinde.«

»Ja. Ich bin überzeugt, daß die Tyrannen es haben.«

»Keineswegs. Ich habe es. Schon seit zwanzig Jahren. Es war der eigentliche Anlaß zum Aufbau der Rebellenwelt. Denn erst, als ich es gelesen hatte, war ich sicher, daß unser Sieg von Dauer sein würde.«

»Es handelt sich also um eine Waffe?«

»Um die stärkste Waffe im ganzen Universum. Sie wird sowohl die Tyrannen als auch uns vernichten, aber die Nebula-Königreiche werden gerettet werden. Ohne diese Waffe könnten wir vielleicht die Tyrannen schlagen, aber wir würden nur eine Feudalherrschaft durch eine andere ersetzen. Und eines Tages erginge es uns nicht anders als den Tyrannen. Wir gehören auf denselben Abfallhaufen überlebter politischer Systeme wie die Tyrannen. Die Zeit der Reife ist gekommen wie einst auf dem Planeten Erde. Diese Zeit wird eine Regierungsform mit sich bringen, wie es sie in der Galaxis noch nicht gegeben hat. Alle Khane, Autarchen, Direktoren und Rancher gehören zum alten Eisen.«

»Beim All!« konnte Rizzett nicht länger an sich halten. »Wer soll denn regieren?«

»Die Völker.«

»Die Völker? Wie könnten sie? Sie müssen doch jemanden haben, der für sie entscheidet.«

»Auch dafür gibt es eine Lösung. Auf dem Stück Papier, das ich besitze, steht genau, wie man es auf einem kleinen Abschnitt der Erde gemacht hat. Diese Methode ist auf die ganze Galaxis anwendbar.«

Der Direktor lächelte. »Kommt, Kinder, ich will noch die Trauung vornehmen.«

Biron ergriff Artemisia, die glücklich lächelnd zu ihm aufblickte, bei der Hand. Eine plötzliche Unruhe ließ sie fühlen, daß die ›Unverzagt‹ jetzt den vorkalkulierten Sprung mache.

»Ehe Sie mit der Trauung beginnen, möchte ich gern noch etwas mehr über den Inhalt des Dokumentes erfahren«, bat Biron.

Artemisia lachte. »Bitte, Vater, erfülle ihm den Wunsch! Einen zerstreuten Bräutigam fände ich unerträglich.«

»Ich kann das Dokument auswendig. Hört gut zu.«

Während die Sonne Rhodias hell auf dem Bildschirm erschien, begann Henrik jene Worte zu zitieren, die weit älter waren als irgendein bewohnter Planet der Galaxis – mit Ausnahme eines einzigen.

»Wir, die Bevölkerung der Vereinigten Staaten, sind gewillt, eine vollkommenere Union zu schaffen, und proklamieren darum Gerechtigkeit und häuslichen Frieden, die Verteidigung unseres Landes und die Hebung des allgemeinen Wohlstandes; um die Segnungen der Freiheit für uns und unsere Nachkommen zu sichern, verkünden wir hiermit diese rechtskräftige Verfassung der Vereinigten Staaten von Amerika . . .«

ENDE

Goldmann SCIENCE FICTION

**Kris Neville**
**Jenseits der Mondumlaufbahn**
Utopisch-technischer Roman
160 Seiten. Band 0160. DM 3.–

*Jenseits der Umlaufbahn des Mondes befindet sich eine gigantische Weltraumstation, besetzt mit außerirdischen Lebewesen. In ihrem Zentrum leben rund tausend männliche und weibliche mutierte Wesen. Ihnen wurde der Haß gegen alles Menschliche eingeimpft. Denn bald sollen sie sich auf die Erde begeben und ihr Vernichtungswerk beginnen ...*

---

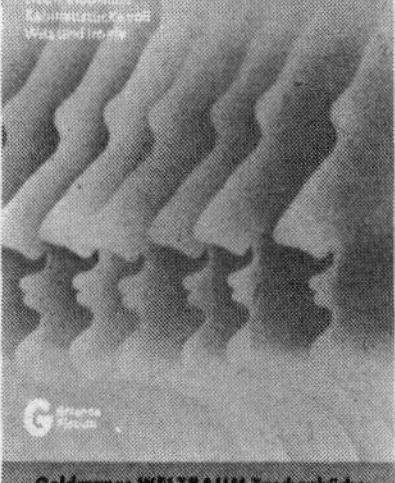


**Edgar Pangborn**
**Gute Nachbarn und andere Unbekannte**
Utopisch-technische Erzählungen
160 Seiten. Band 0161. DM 3.–

*Neun utopische Kabinettstücke voll Witz und Ironie. Edgar Pangborn stellt das Seltsame dem Alltäglichen gegenüber und reißt den Leser hinein in eine neue, kaum veränderte Wirklichkeit. In allen Erzählungen bleibt er mit beiden Füßen auf der Erde, und doch enthält jede ein gerüttelt Maß an gespenstischer, ironischer und mitunter mystischer Magie.*

---

**Richard Cowper**
**Homunkulus 2072**
Utopisch-technischer Roman
160 Seiten. Band 0162. DM 3.–

Es ist das Jahr 2072. Eine Biologin hat vier Embryos künstlich aufgezogen und durch ein Nervengas der Erinnerung beraubt. Alvin, einer der vier, hat Zukunftsvisionen und wird zusammen mit seinem ›Arbeitskollegen‹ Norbert, einem Schimpansen, nach London geschickt. Dort erleben sie die merkwürdigsten Abenteuer in einer total überbevölkerten, computerisierten Welt.

WILHELM GOLDMANN VERLAG MÜNCHEN